잇스토리 영상화 기획소설 시리즈

작가 이 린(李 潾)

불의와 부조리에 맞서,
투쟁하는 사람들이 등장하는 이야기를 좋아한다.

선의 해부

<The Anatomy Of Good>

Part 2.

ⓒ이린

창작공간 잇스토리

목   차

이 이야기는 허구입니다.

작중의 "대한민국"은, 현실과는 다른 평행 세계(우주)의 대한민국으로 인명, 사건, 설정, 단체, 정치 상황, 법과 제도, 일부 학술 용어, 심리 검사 등의 모든 요소 역시 허구이거나 현실과 다릅니다.

작중에서 묘사되는 수사 과정은 과장되거나 축소된 점이 있으며, 현실과는 다른 점이 있을 수 있습니다.

본 이야기는 방화, 살인, 자해, 신체 훼손, 아동 학대, 동물 학대, 차별적인 발언, 사회 문제 등을 다룹니다. 필자는 작중에 등장하는 비윤리적인 상황이나 발언 등을 옹호하지 않습니다.

1. 망령

 인간이란 무엇인가. 진은 항상 고민해 왔다. 그리고 나름대로 결론을 내렸다.

 '인간은 쉽게 추악해지고, 나약하고, 이기적이고, 지리멸렬하고, 실수를 반복한다.'

 그가 생각하는 인간은 -물론 자신을 포함해서- 생을 이어가기 위해 타자의 생명을 취해야만 하는 슬픈 존재였다. 즉 지구의 다른 동물과 다를 게 없는 평범한 생명체였기에 특별함과는 거리가 멀었다.

 하지만, 진은 "그럼에도 불구하고"라는 말을 믿었다. 쉽게 추악해지기에 고결함을 동경하고, 나약하기에 힘을 원하며, 이기적이기에 이타적이려고 노력하고, 실수를 만회하기 위해 끊임없이 오답 노트를 쓰는 게 인간이었다.

 진은 이러한 가치관을 아주 오랫동안 굳건히 쌓아왔다. 그렇기에 그는 웬만해서는 세상을 저주하거나, 사람을 경멸하지 않았다. 그러나 지금 이 순간만큼은, 저주와 경멸의 말이 간절했다. 하지만 그는 필사적으로 이성을 붙잡았다.

 진은 성욱이 했던 말을 떠올렸다. 황지혜가 지적한 이 나라의 문제점만큼은 귀담아듣고 고쳐야 한다는 의견을. 당시의 그는, 성욱의 의견을 탐탁지 않게 여겼다. 성욱의 말은 언뜻 듣기에는 그럴싸했다. 그러나 제2의 황지혜를 만들어 낼 수 있는 말이었다. 하지만 진은 입을 다물 수밖에 없었다. 테러의 피해자로 알려진 사람이 내놓은 객관적인 분석에 회의적인 말을 얹는다면, 이는 필시 2차 가해가 되기 때문이다.

하지만 문제를 제기하는 대신 입을 다문 행위는, 최악의 악수(惡手)가 되고 말았다. 성욱은 테러의 피해자임에도 가해자를 용서하는 듯한 태도를 보였고, 앞으로 더욱 노력해 사회의 양극화 해소에 힘쓰겠다는 말을 남겼다. 이 덕분에, 결과적으로 성욱과 성일 그룹은 최고의 이미지를 구축할 수 있었다.

'황지혜 사건과 예도윤 사건의 배후가…… 최성욱, 당신이었어?!'

황지혜 사건과 예도윤 사건을 이용해, 결과적으로 가장 큰 이득을 취한 사람은 다름 아닌 최성욱이었다.

'윤수현에 대한 정보를 연희에게 익명으로 제보한 사람도, 최성욱일 가능성이 크다……!'

모든 일의 원흉이 최성욱이었다는 것을 직감한 진은 경악할 수밖에 없었다. 그에게 성욱이란 인자하고 따스한, 아버지와도 같은 존재였다. 그만큼 인화 그룹과 성일 그룹의 교류가 잦았다. 이는 앞서 언급했던, "가족 같은 사이"라는 말로 증명할 수 있었다. 그렇기에 진은, 성욱에 대해 속속들이 알고 있다고 자부해 왔다. 하지만 현실은 반대였다. 속내를 간파한 사람은 자신이 아니라 성욱이었다. 성욱은 최대한 객관적인 시선을 유지하려는 진의 성격을 이용했다. 이 때문에 진은 인영의 습격 이후로 최악의 평판에 시달려야 했다.

배신감과 분노를 최대한 억누르며, 진은 가면을 벗어던진 성욱을 재평가했다. 전체주의와 파시즘의 부활을 위해, 타인의 손을 빌려 인영을 습격하고 남정웅 의원의 목숨을 빼앗은 것도 모자라, 남 의원의 죽음을 철저히 이용한 악인. 이것이 바로, 성욱의 본모습이다. 진은 그리 생각했다.

 "아니, 전체주의 파시즘이라니요? 형사님. 국가와 국민의 위대함을 설파하는 명연설을, 그런 식으로 모욕하시면 안 되지요!"

 아직도 현실을 직시하지 못한 창근이 반박했다. 진은 그런 그를 착잡한 눈빛으로 쳐다보았다. 그리고 무언가를 말하기 위해 입술을 달싹였다. 하지만 스마트폰의 스피커를 비집고 나온 성욱의 목소리를 듣고자, 진은 대답을 잠시 미루었다.

 "하지만, 우리 위대한 국민 여러분. 더 좋은 세상을 만드는 건… 쉽지 않을 겁니다."

 눈살을 잔뜩 찌푸린 진은 화면 속의 성욱을 다시 바라보았다.

 "이 영상을 봐주시겠습니까? 익명의 제보자를 통해 입수한…… 국정원 자료입니다."

 성욱의 말이 끝나기가 무섭게, 그의 뒤에 있던 거대한 모니터에 빛이 들어왔다. 곧이어 한 영상이, 모니터의 화면을 가득 채웠다.
 진은 새하얗게 질린 낯빛으로 재생 중인 영상을 두 눈에 담았다.

문제의 영상은, 국정원 요원의 질문에 답하는 수현을 촬영한 것이었다!

"은하계 하나를 일격에 초토화할 수 있으면서, 고작 의료 봉사를 위해 지구에 왔다는 겁니까? 그것도 인류애 핑계를 대면서?"

영상 속, 변조된 목소리의 주인이 날카롭게 질문했다. 카메라가 오로지 수현만 비추는 상황이었기에, 국정원 요원의 모습은 영상 속에서 찾아볼 수 없었다.

"강한 것과 봉사는 아무런 상관이 없지 않나요?"

영상 속의 수현이 당최 이해가 가지 않는다는 얼굴로 되물었다. 그러자 요원의 목소리가 의심과 적의를 드러냈다.

"왜 상관이 없다고 생각하십니까? 윤수현 씨. 당신은 외계인인 데다, 경계선 사이코패스입니다. 타인을 해치는 것에 아무런 거리 낌이 없는 족속이라고요! 1000여 년의 세월을 사는 동안, 단 한 번도 학살을 벌인 적이 없었다는 말을 어떻게 믿을 수 있겠습니까?!"

성을 내는 요원의 목소리를 끝으로, 영상이 끝났다. 이를 모두 지켜본 회견장의 사람들은 공포에 떨었다. 성욱은 극도의 혼돈과 공포에 사로잡힌 좌중을 보며, 속으로 너털웃음을 터뜨렸다.

"이렇게 위험한 외계인이… 우리 곁에 있었던 겁니다."

혼돈과 공포는, 낯선 존재를 먹이 삼아 몸집을 불렸다. 하지만 성욱은 이 정도로 만족하지 않았다. 그는 전파를 타고 퍼질, 형태 없는 짐승의 몸집을 더욱 키워놓을 심산이었다.

"그리고 인화 그룹의 유일한 후계자이자 서울청 광수대의 형사, 유 진은! 이 사이코패스 외계인에 대해 알면서도 침묵했습니다. 나름 은혜를 갚으려 한 셈이겠지요. 그에게 이 위험한 외계인은… 구원자였으니까요!"

지금까지 알려지지 않았던 새로운 사실에, 기자들이 무슨 뜻이냐며 아우성쳤다. 성욱은 이를 놓치지 않고, 24년 전 화재 이야기를 꺼냈다. 국정원이 필사적으로 숨겨온, "경기도 도원시 단독주택 방화 사건"에 관한 이야기를.

"국정원의 보고서에 따르면, 원래 유 진은 불길 속에서 죽음을 맞이할 운명이었습니다. 하지만 사이코패스 외계인이 개입한 덕분에 살아남았지요."

진실이 폭로된 순간, 진과 수현에 대한 적의가 회견장을 가득 메웠다. 이를 보며, 진은 기자인 연희에게 수현의 정보를 제공한 익명의 제보자가 최성욱일 수밖에 없다고 강하게 확신했다. 원래 성욱은 수현에 대한 정보를 기자에게 제보해, 세상을 공포와 혼란에 빠뜨릴 생각이었으리라. 하지만 일이 생각대로 풀리지 않자, 계획을 수정한 게 분명해 보였다.

한편, 절호의 기회를 놓칠 생각이 없었던 성욱은 수현이 현재 진의 파트너 형사라는 사실을 폭로했다. 그리고는 공포와 불안을 조장하는 문장을 계속해서 흩뿌렸다. 그의 입에서는 수현이 불로불사이고 치유 능력과 강력한 재생 능력을 지녔으며, 차원 문을 만들어 공간과 공간을 넘나들거나 기이한 무형의 힘으로 육중한 철문을 마치 넝마 조각을 다루듯이 순식간에 우그러뜨릴 수 있다는 등의 이야기가 흘러나왔다. 그가 묘사한 수현은 자연재해 그 자체였다. 인간의 힘으로는 절대 막을 수 없는 자연. 혹은 자연을 능가하는 미지의 존재. 목표물이 시야 안에만 있다면 그게 무엇이든 간에, 일격에 궤멸할 수 있는 악한.

하지만, 이러한 성욱의 말은 진에게 아무런 타격도 주지 못했다. 그는 수현이 어떠한 사람인지 잘 알았기에, 수현을 신뢰했다. 게다가 방금 들은 이야기는, 당사자인 수현이 직접 설명해 주었던 것이었다. 그러나 앞으로 이어질 이야기…… 즉 수현의 혈액에 관한 이야기는, 이런 진조차 당황케 했다.

"존경하는 국민 여러분. 방금 제가 말씀드린 건, 극히 일부에 불과합니다. 문서에 따르면, 외계인은 에너지를 만들어 낼 수도 있습니다! 이 얼마나 무서운 존재입니까?!"

성욱이 언급한 국정원의 문서에 따르면, 수현의 혈액은 액체 상태의 순수한 에너지였다. 이 붉은 에너지는, 1mL당 우주 하나를 만들고도 남을 정도로 강력했다! 하지만 이러한 성질은 수현의 체내에 있을 때만 유지되었기에, 채혈을 통한 연구가 불가능했다. 그렇기에 이 미지의 물질은, 오로지 수현에게만 의미가 있었다. 수현이 차원 문을 여닫거나 무형의 힘을 사용할 수 있는 것도, 모두 이 강대한 에너지 덕분에 가능한 일이었다. 단, 불로불사와 강력한 재생능력은 그가 태어날 때부터 지니고 있었던 신체적인 특성(체질)이었기에 에너지(혈액)와는 아무런 관련이 없었다.

그렇다면, 이런 기이한 혈액은 어디서 어떻게 만들어지는가? 신기하게도, 수현의 피는 여느 지구인처럼 골수에서 만들어졌다. 물론, 피가 골수에서 만들어진다는 사실은 특별한 게 아니었다. 정말 중요한 것은, 그가 음식물을 섭취하지 않는다는 사실이다. 즉 그는 무(無)에서 유(有)를 만들어 내는 체질이었다. 이를 조금 달리 말하자면, 수현은 물리학 법칙을 부정하는 존재였다.

이로써, "윤수현의 선의는 곧 재앙"이라는 진의 추리가 옳았다는 것이 밝혀졌다. 수현은 인류의 문명을 비약적으로 발전시킬 수 있으면서도, 인류를 파멸로 몰아넣을 수 있는 존재였다. 물론, 수현을 연구해 발전을 꾀한다면 인류는 한층 더 높은 수준의 문명을 꽃피울 수 있을 터이다. 그것도 수십 년 안으로! 하지만 수현이 영원히 지구에 머문다는 보장은 없었다. 그렇기에, 인류는 스스로 발전을 이룩해야만 했다. 간단한 이치였다. 수현을 통해 이룩한 발전은, 오롯이 인류의 것이라고 할 수 없었다. 이는 수현이 지구에서 떠나는 순간 무너지는, 엉성한 뼈대 위에 세운 탑에 불과했다.

"사이코패스 외계인과 인화 그룹은 한통속입니다. 명심하십시오! 이들이 있는 한, 우리 민족은 학살과 전쟁의 공포에 시달릴 수밖에 없다는 사실을!"

성욱의 선동을 듣다못해, 진은 이를 악물며 스마트폰을 꺼버렸다. 그리고 눈을 질끈 감았다.

'외계인의 지구 침공 이야기는 한물갔어. 이제는 지구인이 외계인을 박해하는 게 대세겠군.'

진이 조용히 탄식했다. 과거에 저질렀던 잘못을, 훗날 반복하지 않기 위해 오답 노트를 쓰는 존재가 인간이라고 믿어왔건만. 현실은 처참하기 그지없었다. 오답 노트는커녕, 벤치마킹을 하다니!

"저… 저게 대체 무슨 소리입니까?! 외계인이라니!"

창근이 말을 더듬었다. 조금 전까지만 해도 진의 말에 코웃음 치던 사람은 온데간데없었다.

"이 나라를 망쳐놓은 '공공의 적'을 지목한 겁니다. 이번에는 나와 윤수현이로군요."

진이 담담한 어조로 답하고는, 밀려드는 두통에 눈을 질끈 감았다. 그는 혼잣속으로 '나와 인화 그룹을 적으로 지목한 건… 윤수현이 이 행성을 떠날 수도 있다고 생각했기 때문일 거야. 윤수현의 빈자리를, 나와 인화 그룹으로 채울 생각인 게 분명해.'라고 생각했다.
진의 머릿속은 그 어느 때보다 날카롭고 예민했다. 그는 국정원이 성욱을 건드리지 못 하리라는 것을 깨달았다. 만일 성욱이 성일 그룹의 총수가 아니라면, 단순히 기밀을 폭로하기만 했다면 이야기는 달라졌을 것이다. 하지만 성욱은 이 나라 굴지의 대기업 중 하나인 성일 그룹의 총수였고, 사이코패스 외계인의 존재를 폭로하여 사람들의 애국심을 고취했다. 이런 상황에서 국정원이 성욱에게 모질게 군다면, 위험을 무릅쓰고 진실을 폭로한 사람을 탄압하려 든다는 의혹에 휘말리게 될 테고 나아가 전 국민적인 저항에 맞닥뜨릴 가능성이 농후했다.

　같은 이유로, 청와대에 머물며 직무를 보는 현직 대통령 역시 어떠한 반응도 보이지 못할 게 뻔했다. 게다가 1급 비밀이 누설됐으니, 모든 외교적 역량을 총동원하느라 정신이 없을 터였다. 필시, 정부는 윤수현을 어떻게든 붙잡아 놓으려고 하겠지. 그가 한국에 머물고 있다는 사실이… 본격적인 전쟁을 막아줄 억제력으로 작용할 테니까. 지금과 같은 상황을 접한 수현이 지구를 떠날 리 없으니, 개전까지 가지는 않겠군. 진은 그리 판단했다.

"하, 하지만. 왜 저렇게까지 해야 합니까?! 왜 국가 기밀을 누설하면서까지!"

　울상이 된 창근이 분통을 터트렸다. 그러자 진이 천천히 눈을 뜨며 대꾸했다.

"6개월 뒤에, 대통령 선거가 있잖아요."

　머리를 세게 얻어맞은 듯한 충격에, 창근은 완전히 침묵했다. 그의 눈빛은 파도치는 바다 위의 작은 돛단배처럼 위태로이 흔들렸다.

"아니야… 그럴 리 없어. 전체주의와 파시즘의 재림이라니, 말도 안 돼……!"

창근이 애써 현실을 부정했다. 진은 그런 그를 향해, 현실을 직시하라는 듯 일갈했다.

"왜 말이 안 됩니까? 돈이 전부인 세계. 실패하는 순간 가난에서 벗어날 수 없는 시스템. 이렇게 살아갈 바에는, 차라리 죽어버리는 게 낫다고 생각하는 사람들!"

진이 격앙된 목소리로 말을 이어갔다.

"이런 사람들은… 살아 숨 쉬는 매 순간 공포를 느낍니다. 죽음의 수용소가 주는 공포에 질린 사람들과 다를 게 없어요."
"주, 죽음의 수용소라니요?! 형사님. 그건 2차 세계 대전 시절 이야기입니다. 지금은…!"
"지금은 그런 게 없다고? 없긴 뭐가 없어! 죽음의 수용소는, 자신을 아무짝에도 쓸모없는 존재라고 여기게 만드는 상황 그 자체라고!"

창근은 이제야 사태의 심각성을 깨달았다. 그는 두 손을 덜덜 떨었다.

"어떻게… 해야 하는 겁니까? 제가… 국회가… 무엇을 해야…!"

창근이 망연자실한 얼굴을 하며 물었다. 이에 진은 헛웃음을 흘리기만 할 뿐이었다. 그에게는 창근의 물음에 답할 의무가 없었다. 모든 것은 창근을 비롯한 국회의원들이 자초한 일이었다.

"그걸 왜 나한테 묻습니까? 당신들이 알아서 해결하세요."

말을 마친 진은 그대로 소파에 드러누웠다. 인간의 존엄을 짓밟은 입법자에게 할 충고 따위, 있을 리 만무했다.

결국, 창근은 모든 것을 포기한 채 물러났다. 그가 떠난 자리를, 문이 닫히는 소리가 대신했다. 한편 홀로 남겨진 진은 입술을 짓씹으며 생각에 잠겼다. 과연, 성욱이 익명의 제보자를 가장해 연희에게 접근한 일이 모든 것의 시발점일까? 아무리 생각해 봐도, 아닌 것 같았다. 성욱이 연희에게 접근해 수현에 대한 정보를 제보한 일을 시작점에 놓기에는, 석연치 않은 점이 있었다.

진은 일련의 사건들을 처음부터 천천히 되짚어 보았다. 그가 처음으로 떠올린 것은 인화 제약 연구원 살해사건이었다. 당시 연구원 살해사건에 휘말렸던 연희는 취조실에서 "그렇지. 다행인데… 생각해 보니까, 무섭더라고. 두 사람을 죽인 범인은… 내가 받은 제보 메일의 내용을 알고 있었다는 거잖아? 그렇다면 메일을 중간에서 가로챈 다음, 입막음을 위해 제보자들을 죽였다는 결론이 나오지. 아니면… 살인사건을 보도해 줬으면 하는 마음에, 내게 거짓 제보 메일을 보냈던가."라고 말한 다음, 자신이 휘말렸던 사건을 절대 기사화하지 않겠다는 말을 덧붙였었다. 그리고 얼마 지나지 않아, 수현의 비밀이 담긴 국정원 자료를 익명으로 제보받았다.

당시의 진은, 연구원들을 살해한 범인과 수현에 대한 정보를 흘린 사람이 각각 다른 인물이라고 생각했다. 그럴 수밖에 없었다. 두 사건에는 연결고리라고 할만한 것이 전무했다. 그러나 수현에 대한 정보를 제공한 익명의 제보자가 최성욱이라는 게 확실시된 지금은 달랐다.

'제보할 것이 있다며 연희를 별장으로 끌어낸 사람 역시 최성욱이라면…… 앞뒤가 맞아.'

당시 연희가 기사화를 포기한 이유는 두 가지였다. 첫째, 만일 범인의 목적이 살인사건의 기사화라면, 범인이 원하는 대로 행동할 필요가 없다. 둘째, 범인이 중간에서 제보 메일을 가로챈 다음, 제보자로 추정되는 두 사람의 입을 막기 위해 그리고 연희에게 '사건을 파고들 생각은 하지도 말라'는 메시지를 전하기 위해 살인을 저질렀다면…… 사건을 기사화할 시, 살해당할 가능성이 있다.

'인화 제약의 연구원들을 죽인 범인의 목적이, 살인사건의 기사화나 제보자로 추정되는 연구원들의 입을 막는 게 아니라…… 연희가 모처럼 좋은 기삿거리를 놓쳤다고 생각하도록 만드는 것이었다면? 그리고 이를 이용할 생각으로, 기삿거리를 잃은 연희에게 윤수현이라는 희대의 특종을 제보한 것이라면……? 그렇다면, 여태껏 벌어진 모든 일을 설명할 수 있다.'

진이 인화 제약 연구원 살해사건의 범인과 수현의 정보를 연희에게 제공한 익명의 제보자가 동일인이라는 결론을 도출해 낸 데에는, 또 다른 이유가 한몫했다. 문제의 두 사건에는 '진실의 폭로'라는 공통점이 있었다. 진은 인화 제약 연구원 살해사건 때문에, 철저히 숨겨왔던 사실을 들키고 말았다. 수현은 익명의 제보자에 의해 정체가 탄로 날 뻔했다. 그리고 현재. 성욱은 진과 수현을 이용해 국민을 선동했다. 진이 어떠한 사람인지는 이 나라의 모든 사람이 알고 있으니, 선동의 효과는 배가되었다. 우연이라고 하기에는 시기가 너무나 절묘했다. 그렇기에 진은 모든 일의 시작이 인화 제약 연구원 살해사건이라고 확신했다.

추리를 마친 진은 눈을 질끈 감았다. 그는 짧은 시간 동안 몰아치듯 흘러든 정보를 감당할 수 없었다. 그러나, 얼마 지나지 않아 눈을 떠야 했다. 인영에게서 걸려 온 전화 때문이었다.

"그때 너를 구해줬다던 사람이…… 네 파트너 형사였던 거구나."

진이 아는 바로는, 국정원의 요청을 받아 저를 입양한 인영 역시 수현의 존재를 인지하고 있었다. 다만 국정원이 수현에 관해 자세히 설명해 주지는 않은 듯했다. 그렇지 않은 이상, 과거에 인영이 자신에게 "나도 너를 구해준 사람이 누구인지 몰라. 내가 아는 건, '한 남자가 기이한 힘을 사용해 불 속에서 죽을 뻔한 어린아이를 구했다'라는 사실 뿐이란다."라고 말했을 리 없으니까.

인영의 목소리는 제 딸과 딸의 은인에 대한 걱정으로 점철되어 있었다. 진은 그런 어머니에게 성욱이 기자회견을 연 의도를 전했다. 그러자 인영은 분노하며, 성욱의 본모습을 끝까지 알아채지 못한 자신의 무능함을 한탄했다. 그리고 최성욱과 맞서겠다는 다짐을 끝으로, 통화를 마쳤다.

진은 스마트폰을 머리맡에 두었다. 그리고 다시 눈을 감았다. 이대로 조금만, 조금만 더 쉬고 싶었다.

*

운전대를 잡은 수현은, 연희의 집으로 향했다. 수현이 운전하는 전기차의 뒷자리에는 약이 든 흰색 봉투를 힘없이 끌어안은 연희가 있었다. 그는 해가 뜨고 몇 시간이 지나서야 진료를 받을 수 있었다. 위중한 환자가 계속해서 밀려들었기 때문이다. 그는 제 차례가 되자 수현에게 연락했다. 약속대로, 수현은 한달음에 달려왔다.

다행히도, 연희의 상태는 그럭저럭 괜찮은 편이었다. 몸을 새우처럼 말고 두 팔로 머리를 보호한 덕분에, 그는 치명상을 면할 수 있었다. 하지만 예상했던 것보다 멀쩡한 몸에 비하면, 그의 내면은 상처투성이였다. 국회 대변인의 선언과 집단폭행은 그의 정신을 피폐하게 만들었다. 그리고 이런 연희의 상태를 진즉에 알아챘던 수현은, 연희에게 집까지 바래다줘도 되겠냐며 조심스레 허락을 구했었다.

"미안해요. 나 때문에 고생이네." 연희가 한숨을 쉬었다.
"괜찮아요. 데리러 올 사람도 없다면서요." 수현이 대수롭지 않다는 듯 답했다.

얼마 뒤, 수현과 연희를 태운 차가 연희가 사는 아파트의 지하 주차장에 도착했다. 빈 주차 구역에 차를 댄 수현은, 조수석 위에 놓여있는 쇼핑백을 집어 들었다. 이를 물끄러미 바라보던 연희는 쓴웃음을 지으며 말했다.

"살다 살다… 부모한테도 못 받은 걸, 남한테 받는 날이 오네."

연희의 어투에서 쓸쓸함이 묻어났다. 그는 저를 말없이 바라보는 수현을 향해, 애써 능청스레 웃음 지었다. 그리고 제 친부모를 떠올리며 입술을 달싹였다.

"만약에 말이에요. 수현 씨에게 아이나 손주가 있다면…… 수현 씨한테 사귀는 사람이나 배우자가 있다면요. 그 사람들은, 바랄 게 없었을 것 같아요."
"그런가요?" 연희의 말에, 수현이 고개를 갸웃했다.
"수현 씨처럼, 상냥하고 매력적인 사람이 부모나 애인, 배우자인 건데… 더 이상 바랄 게 없지 않겠어요?"
"글쎄요. 일단 나는 미혼이고, 애인을 사귀어 본 적이 없어서. 잘 모르겠네요……."
"……수현 씨처럼 매력적인 사람을, 사람들이 가만히 둘 리 없을 텐데요?"

연희 역시, 수현을 매력적이라고 생각하는 사람 중 하나였다. 만일 그가 연애에 목마른 사람이었다면, 그리고 수현의 정체를 몰랐다면 먼저 고백했을지도 몰랐다. 하지만 연희는 연애보다 일을 중히 여겼다. 그렇기에 그는 예나 지금이나, 수현을 인터뷰 대상으로만 생각했다.

"아하하… 칭찬 고마워요." 수현이 특유의 순수함이 깃든 웃음을 지었다. 그리고 오른손을 입가로 가져가며 말을 이어갔다. "고백……을 받기는 했었죠. 결혼을 전제로 사귀자는 이야기도 많이 들었었고요. 하지만 다 거절했어요. 연애나 결혼에는, 관심이 없었으니까."

 수현의 설명을 들은 연희가 이해했다는 표정을 지었다. 그러고는 다시금 입을 열어, 아직 풀리지 않은 궁금증을 해결하기 위한 물음을 던졌다.

"저, 수현 씨. 궁금한 게 있는데요. 이게 좀, 많이 사적인 질문인데…… 괜찮을까요?"
"궁금한 게 뭔데요?"
"세상에는 다양한 사람이 있잖아요? 이를테면… 결혼한 이성 커플이 반드시 아이를 낳지는 않죠. 수현 씨처럼 평생 연애나 결혼에 관심조차 주지 않는 사람도 있고, 성욕은 있지만 타인에게 성적인 끌림을 느끼지 않는 사람도 있어요. 간혹 성욕이 없거나 없다시피 한 사람도 있고요. 그리고 성욕이 없거나 성적인 끌림을 느끼지 않는다고 해서…… 연애나 결혼, 임신과 출산을 선택하지 않는 건 아니에요."

연희는 잠시 말을 멈췄다. 그리고 머뭇거리더니, 목소리를 낮추며 말을 이어갔다. 그의 목소리는 오로지 수현만이 들을 수 있는 속삭임에 가까웠다.

“그럼, 수현 씨는 어떤가요? DNA를 후세에 남길 필요 없는, 불로불사의 생명체인 수현 씨에게는…… ‘성적인 욕구’가 존재하나요? 아니, 애초에 유전자에 생식과 관련된 정보가 없을 것 같기도 하고…….”

 연희는 말을 제대로 끝맺지 못하고 우물거렸다. 지금 제 입에서 나온 말은, 방금 그가 예고했듯이 매우 사적이면서도 실례가 되는 질문이었기 때문이다. 하지만 수현은 대수롭지 않은 듯, 연희의 질문을 받아주었다. 과거 교수였던 시절, 저에게 궁금한 것을 묻던 학생한테 답변하듯이.

“기자님 말대로예요. 나는 성욕과 생식욕이 없고 타인에게 성적으로도, 로맨스적으로도 끌리지 않는 사람이에요. 그리고…… 그런 것들보다 중증외상환자를 수술하는 데 흥미와 재미를 느끼죠.”

 수현이 말을 마치며, 저를 바라보는 연희를 향해 부드러운 웃음을 지었다. 그러더니 “방금 말한 거, 기사로 써도 돼요. 기자님이 원한다면요.”라는 말을 덧붙였다. 그러자 연희가 얼떨떨한 표정을 지었다. 마치 기삿거리가 늘어서 좋기는 한데, 정말 그런 것까지 기사화해도 되겠냐고 말하는 듯했다.

"어…… 정말 그래도 되나요?"

"안될 이유가 있나요?"

오히려 의문이 가득한 표정으로 되묻는 수현을 보며, 연희는 그 어떠한 말도 할 수 없었다. 역시나, 윤수현이라는 사람은 쉬이 이해할 수 있을 것 같으면서도 이해하기 어려운 존재였다.

생각을 마친 연희는 차에서 내리기 위해, 문손잡이를 향해 손을 뻗었다. 그러자 이를 보던 수현이 조심스레 물었다.

"혹시, 도움이 필요하나요?"

"아니요…… 괜찮아요. 조금 아프긴 한데, 혼자 할 수 있어요."

연희가 문손잡이를 잡으며 말했다. 수현은 담담한 태도의 연희를 물끄러미 바라보았다. 그리고 잠시 망설인 끝에, 결심을 굳히고는 입을 열었다.

"기자님은… 이런 상황에 익숙한 거죠?"

멈칫한 연희가 놀란 듯 눈을 크게 뜨며 수현을 바라보았다. 아무리 생각해 봐도, 경계선 사이코패스라는 말은 거짓말 같았다. 그만큼 수현의 반응은 자연스러웠다.

"……맞아요. 나한테는, 이런 게 일상이에요. 욕설은 기본이고, 구타는 덤이죠."

연희가 한숨을 쉬며 답했다. 이를 들은 수현의 얼굴에 슬픔이 감돌았다. 그러나 이는 오래가지 않다. 수현은 화사한 웃음을 지으며 연희를 위로했다.

"괜찮아질 때까지는, 집에서 쉬어요. 그래야 빨리 낫죠."

 연희는 그런 그를 말없이 바라보았다. 짧으면서도 긴 시간이, 침묵 속에서 흘러갔다.

"……아무렇지도 않아요?"
"뭐가요?" 수현이 무슨 의미냐는 표정을 지으며 되물었다.
"수현 씨는 나를 동등한 인격체로 여기지만… 나는 수현 씨를 도구 취급하고 있잖아요. 특종을 위한 도구로요! 그런데… 수현 씨는… 왜 나한테 잘해주는 거예요?!"

 수현은 죄책감에 휩싸인 연희를 물끄러미 바라보았다. 그러더니, 싱긋 웃으며 묵직한 한마디를 던졌다.

"돈과 명예를 위해 사는 게, 나쁜 건 아니잖아요?"

 지극히 객관적이면서도 간단한 답변에, 연희는 그 자리에서 얼어붙었다. 수현은 그런 그를 보며 말을 이어 나갔다.

"기자님이 정말 나쁜 사람이었다면, 내게 단독 인터뷰를 요청하지 않았겠죠. 그냥 보도해버리면 되는데, 뭐 하러 허락을 받아요?"

"수현 씨…… 나는 좋은 사람이 아니에요."

연희가 잔뜩 찌푸리며 반박했다. 하지만, 그런 그의 말에도 수현은 굳건했다.

"나는, 나쁜 면보다 좋은 면을 먼저 보거든요."

수현이 화사하게 웃으며 말했다. 그런 다음, 차에서 내렸다. 이에 연희 역시 차에서 내렸다. 수현은 그런 연희에게 죽이 든 쇼핑백을 내밀었다. 수현이 내민 친절을 받아든 연희는 그에게 고개 숙여 인사한 뒤, 주차장 너머의 엘리베이터로 향했다. 수현은 자신에게서 점점 멀어지는 연희의 뒷모습을 바라보다가, 다시 차에 올라 운전대를 잡았다. 그렇게 주차장에서 완전히 빠져나온 그는 광수대를 향해 차를 몰았다. 하지만 얼마 가지 못해, 그의 전기자동차가 멈춰 섰다. 그를 담당하는 국정원 요원에게서 걸려 온 전화 때문이었다. 요원은 최대한 냉정을 유지한 채, 조금 전 열린 기자회견에서 성욱이 무얼 이야기했는지 간결히 정리해 이야기했다. 이를 들은 수현은 한숨을 내쉬었다. 제 정체가 폭로된 것도 문제지만, 진과 인화 그룹이 휘말린 건 더 문제였다. 하지만, 이는 서막에 불과했다. 성욱의 기자회견에서 오간 이야기를 마친 요원은 대한의사협회(의협)가 방금 발표한 긴급 성명서에, 치유 능력이 있는 외계인의 의사 면허를 박탈하라는 내용이 실렸다는 말을 덧붙였다.

“의협은 치유 능력을 지닌 수현 씨가, 이 나라 의사들의 일자리를 빼앗을 것이라고 주장했습니다.”

 요원의 말에, 수현은 침묵했다. 그러자 요원 역시 하던 말을 잠시 멈추었다. 이렇게 둘 사이에는 찰나의 침묵이 흘렀다. 이러한 침묵은, 얼마 가지 않아 국정원 요원에 의해 깨졌다.

“윤수현 씨. 잘 아시겠지만…… 수현 씨는, 이 나라를 떠나면 안 됩니다.”

 국가는, 국정원은 수현을 어떻게든 이 나라에 붙잡아 놓을 요량이었다. 평소처럼 수현의 정체가 세간에 알려지지 않은 상황이었다면, 수현이 지구를 떠난다고 해도 붙잡지 않았으리라. 그러나 상황이 바뀌었다. 수현의 정체가 만천하에 폭로되면서, 대한민국의 국제 관계는 크게 악화했으며 전쟁 위기를 맞았다. 하지만, 개전까지는 가지 않고 ‘전쟁 위기’에 그친 것 역시 윤수현이라는 존재가 만들어 낸 현상이었다. 아무리 핵무기를 가지고 있는 나라라고 하여도, 은하계를 일격에 초토화할 수 있는 존재 앞에서는 먼지만도 못했다. 따라서, 수현이 있는 한 대한민국을 향해 대놓고 총칼을 들이댈 배짱을 가진 나라는 없었다. 즉 수현은 전쟁 위기를 초래하는 존재이면서도, 전쟁을 억제하는 존재인 셈이었다. 이러한 저의를 알아챈 수현은, 자신이 지구를 떠나려면 아직 멀었다고 말했다. 그리고 특히나 진과 인화 그룹이 억울하게 휘말린 상황인데, 무책임하게 도망칠 수는 없다는 말을 덧붙였다. 이에 요원은 남몰래 안도의 숨을 내쉬고는, 조심스레 말을 이어 나갔다.

"그리고, 갑자기 이런 말씀 드리기는 죄송합니다만…… 내일 열릴 국회 청문회에 참석하셔야 할 것 같습니다."

요원의 말을 들은 수현이 흠칫하더니, 스마트폰을 쥔 손에 힘을 주며 항의했다.

"잠시만요. 내일이요?! 청문회는 그렇다 치더라도, 준비할 시간은 줘야죠!"

당황한 수현의 음성이 스피커에서 흘러나오자, 요원이 깊은 한숨을 내쉬며 국정원이 직면한 상황을 털어놓았다.

"저도 최대한 시간을 벌어보려고 했습니다만, 실패했습니다. 죄송합니다. 국회가 국정원 활동비 예산을 빌미로 압박해 와서……."

요원의 말을 들은 수현은 경악을 금치 못했다. 입법부가 국가의 안보를 책임지는 기관을 협박하다니. 이래도 되는 걸까, 싶었다.

"알겠어요. 청문회 준비, 해볼게요."

말을 마친 수현은 다시금 입을 열어 조곤조곤 몇 마디를 얹더니, "잘 부탁드리겠습니다. 저도 최선을 다할 테니까요."라는 정중한 인사를 끝으로 통화를 마쳤다. 그러고는 차를 좀 더 안전한 곳에 세운 다음 상념에 잠겼고, 진이 그랬던 것처럼 '전체주의와 파시즘의 재림을 꿈꾸는 최성욱이 연희를 별장으로 끌어낸 장본인이며, 자신의 정체를 연희에게 제보한 익명의 제보자이자 최근에 벌어진 모든 사건의 배후'라는 결론에 도달했다. 이에 수현은 착잡한 표정을 지으며 화면이 꺼진 스마트폰을 만지작거리더니, 운전석에 설치된 라디오의 전원을 켰다. 그리고 주파수를 뉴스 채널에 맞춘 다음, 앵커의 목소리를 들으며 스마트폰을 사용해 인터넷 뉴스를 살피기 시작했다. 그러자 라디오에서 흘러나오는 새로운 소식들과 시시각각 쏟아지는 인터넷 기사들이, 수현을 집어삼켰다.

미지의 존재에 대한 원초적인 두려움에 사로잡힌 대중의 반응은 다양했고, 대부분 부정적이며 공격적이었다. 그들은 당시 경감 특채 과정을 문제 삼았고, 수현 때문에 수많은 일자리가 사라질 것이라고 선동했으며 에너지를 '창조'하는 특징을 타고난 외계인을 희생시켜 에너지 수급 문제와 기후 위기를 해결해야 한다고 하였다. 또한, 국가와 국민에게 위협이 되는 것은 모조리 없애버려야 한다는 주장도 힘을 얻는 추세였다.

사람들의 반응을 살피던 수현은, 이내 라디오와 스마트폰의 화면을 껐다. 익숙한 적의였다. 어느 행성이든, 이방인인 저를 향해 겨누어지는 적의는 하늘을 찔렀다. 게다가 레퍼토리마저 똑같았다. 그렇기에 수현은 별 감흥이 없었다. 그저 '그런가 보다'라고 생각했을 뿐이었다.

그는 고민에 빠졌다. 공포에 질린 사람들은 무기를 들 것이고, 대화를 통해 문제를 해결한다는 이상주의적인 원칙은 휴지 조각이 될 게 뻔했다. 애초에 사람들은 나를 국가와 국민의 적이라고 여기지 않는가. 그러나, 수현은 포기할 수 없었다. 그는 여전히 평화주의자였고, 고통받는 사람들 곁에 머무르기를 원했다. 이렇게 결심을 굳힌 수현은 곧장 진에게 전화를 걸었다. 그리고 진이 전화를 받자마자 입을 열었다.

"경위님. 괜찮아요?"
"…그건 내가 해야 할 질문인데."

전담팀 회의실의 소파에 드러누운 채, 천장을 바라보던 진이 가라앉은 목소리로 말했다. 그러자 수현이 살포시 웃었다.

"괜찮아요. 이런 상황은 익숙하다 못해, 지겨울 정도거든요."

역시나, 윤수현다운 대답이었다. 진은 잠시 침묵하더니, 화제를 돌렸다.

"최성욱이… 아돌프 히틀러를 벤치마킹했어. 어떻게든 대통령이 되려는 거야. 그래서 나와 너를 물고 늘어진 거지. 사이코패스 외계인과 형사 놀이에 빠진 냉혈한 재벌 4세. 미워하기 딱 좋잖아?" 진이 차가운 웃음을 흘리고는, 다시 입을 열었다. "제보 메일을 보내, 연희를 별장으로 끌어낸 사람. 네 정보를 연희에게 제공한 익명 제보자. 황지혜 사건과 예도윤 사건의 배후. 모두, 최성욱이야. 틀림없어."
"역시, 경위님도 그렇게 생각했군요." 고개를 끄덕이며 답한 수현이 흐음, 하는 소리를 내고는 말을 이어갔다. "그래도, 예전처럼 특정 민족이나 인종을 공격하지는 않았네요?"

"일부러 그런 거겠지. 그때처럼 특정 민족을 공격했다가는, 히틀러를 벤치마킹했다는 걸 금방 들킬 테니까. 뭐, 어떤 의미로 발전하기는 했군. 그때와는 비교할 수 없을 정도로 교묘해졌으니……."

진이 작게 한숨을 내쉬었다. 그 순간, 수현의 통찰력이 방심한 진을 기습했다.

"경위님. 사람들한테…… 실망했죠?"
"…어떻게 알았어?"

진이 갈라진 목소리로 되물었다. 그러자 수현이 가볍게 웃으며 답했다.

"나도 그랬거든요. 물론, 오래전 이야기지만."
"너도… 실망이라는 걸 해?"
"당연한 거 아니에요? 누누이 말하지만, 나는 평범한 인간이에요."

인간. 특별한 것 없는 두 글자의 단어가 진의 얼어붙은 심장에 불을 붙였다. 그렇다. 인간이다. 쉽게 추악해지고, 나약하고, 이기적이고, 지리멸렬하고, 실수를 반복하는 인간!

'그래. 인간은 원래 결함투성이야.'

진의 눈이 강렬히 타오르기 시작했다. 하지만, 빛이 강해지면 어둠 역시 강해진다고 했던가.

똑, 똑, 똑. 어둠은 물방울 소리의 형태로 나타났다. 이를 들은 진은 일순간 굳을 수밖에 없었다. 전담팀 회의실에서 들릴 리 없는 소리였기 때문이다. 하지만 이보다 두려운 소리는 따로 있었다.

"유진아. 사람은… 흐름을 거스르면 안 돼."

갑작스레 들려온 환청에, 진의 숨소리가 거칠게 변했다. 틀림없었다. 목소리의 주인은 자신의 친부였다!

겨우 정신을 차린 진은 소파에서 벌떡 일어났다. 그 순간, 아래쪽에서 절그럭거리는 소리가 들려왔다. 이에 그는 천천히 아래를 내려다보았고, 이내 발목에 채워진 족쇄를 볼 수 있었다. 족쇄의 끝에는 거대한 쇠공이 달려있었다. 진은 이 모든 것이 환각임을 본능적으로 깨달았다. 하지만 족쇄 특유의 감촉과 쇠공의 묵직함은 현실과 환각의 경계를 흐리게 만들 정도로 생생했다.

환각에서 눈을 뗀 진은 고개를 들어 주변을 살폈다. 전담팀 회의실이었던 공간은, 어느새 거대한 수조로 변해있었다! 또한 그가 조금 전에 들었던 물방울 소리는 점점 더 커졌다. 물방울은 어느새 물줄기가 됐고, 물줄기는 폭포가 돼 수조를 채웠다.

그는 숨통을 조여오는 물을 피해 달아나려 했다. 하지만 족쇄가 발목을 잡았다. 얼마 지나지 않아, 진의 시야와 숨결은 물에 완전히 잠겼다. 그러자 이 순간이 다가오기만을 기다렸다는 듯이, 지금 껏 까맣게 잊고 살았던 어릴 적 기억이 그의 눈앞에 펼쳐졌다.

"예쁘지?"

어린 시절의 진에게 질문한 사람은, 다름 아닌 진의 친부였다. 어린 진은 욕조 안에서 유유히 헤엄치는 잉어를 보고 있었다. 잉어의 몸통은 오색 빛으로 찬란하게 빛났다.

"응! 같이 살았으면 좋겠다." 어린 시절의 진이 눈을 빛냈다. 그의 눈동자를 호수 삼아, 잉어가 헤엄쳤다.
"정말? 같이 살고 싶어?"

저를 향한 질문에, 어린아이는 고개를 몇 번이고 끄덕였다. 그러자 남성이 의미심장한 미소를 짓더니, 망설임 없이 손을 뻗어 잉어의 꼬리를 우악스레 잡았다. 그는 아이의 만류에도 불구하고, 물고기를 들어 올렸다. 물 밖으로 나온 잉어는 온몸을 퍼덕이며 힘껏 저항했으나, 끝내 인간의 손에서 벗어날 수 없었다.

"유진아. 너도, 아빠랑 엄마랑 같이 살고 싶지?"

남성은 울기 직전의 아이를 바라보았다. 아이는 눈에 눈물을 그렁그렁 매단 채, 필사적으로 고개를 끄덕였다. 하지만 아이의 행동은 남성을 막을 수 없었다. 그는 들고 있던 잉어를, 바닥을 향해 내동댕이쳤다. 그러자 미친 듯이 퍼덕이던 잉어가 움직임을 완전히 멈추었다. 아이는 난생처음 접한 죽음에 어찌할 줄 몰랐다. 하지만 남성은 이런 광경이 아무렇지 않은 듯했다. 그는 목숨이 끊어진 잉어를 집어 들더니, 쓰레기통을 향해 냅다 집어 던졌다.

"유진아. 사람이든, 물고기든…… 주제넘게 흐름을 거스르면 죽는 거야."

되살아난 기억은, 한때 살아있던 생명이 음식물 쓰레기가 되는 것으로 끝이 났다.

여전히 환각이 만들어 낸 수조 안에 갇혀있던 진은, 손을 들어 올려 제 입을 막았다. 구역감이 다시금 밀려들었다. 그는 방금 나타난 환각의 근원이 "인간은 결함투성이이기에, 영원히 발전한다."라는 신념에 대한 회의감과 이러한 회의감으로 인한 망설임이라는 것을 깨달았다. 평소의 그였다면 망설임 없이 옳다고 생각하는 것을 위해 싸웠겠지만, 지금은 특수한 상황이었다.

따지고 보면, 이번 사태의 원인은 최성욱과 국회의원들이었다. 성욱은 사람들의 내면에 깃든 혐오와 두려움을 건드렸다. 성욱의 속내를 모르는 의원들은 돈을 위해 인간의 존엄을 짓밟았다. 그리고 이 모든 것을 목격한 진은, 단단히 실망했다.

그런 그에게는 두 가지 선택지가 있었다. 맞서 싸우거나, 도망치거나. 하지만 부정적인 감정에 잠식되었었던 진은 둘 중 그 어느 것도 선택하지 않았다. 투쟁을 택하자니 투지와 동력이 없었고, 망명이라는 탈을 쓴 도주를 택하자니 차마 발이 떨어지지 않았다. 전체주의와 파시즘이 수많은 사람의 목숨을 앗아갔다는 사실을 아는데, 어찌 도망칠 수 있었겠는가?

'아니. 흐름을 거스른다고, 죽지는 않아. 죽을 만큼 힘든 건 사실이겠지만.'

진은 입을 막았던 손을 거둬들이며, 투지를 잃고 잠시 방황했던 저에게 안녕을 고했다. 조만간, 최성욱이 시체 공장을 세우려 할 터였다. 그렇기에 막아야만 했다. 사람들의 목숨이, 음식물 쓰레기 통에 던져진 잉어처럼 되지 않도록 해야 했다.

현실로 돌아가기 위해, 진은 족쇄 끝에 달린 쇠공을 향해 손을 뻗었다. 그리고 망설임 없이 들어 올렸다. 평소였다면 꿈쩍도 하지 않았겠지만, 부력 덕분에 너끈했다.

'인간은 무력하지 않아. 보고만 있을 수는 없어!'

수조의 벽면으로 다가간 진은, 쇠공을 들어 올렸다. 그리고 그대로 벽을 내리쳤다.

한 번. 쇠공이 수조의 벽을 가격했다. 벽은 꿈쩍도 하지 않았으나, 그는 멈추지 않았다.

진은 사람들에게, 세상에 실망했다. 하지만 털어내기로 했다. 사람을 경멸해봤자, 변하는 것은 아무것도 없었다.

두 번. 수조의 벽에 균열이 생겼다.

그는 경멸보다는 연대로 이 상황을 타개할 수 있으리라고 믿었다.

세 번. 마지막 일격에, 균열이 사방으로 퍼졌다. 그러자 수압을 견디지 못한 벽이 허물어지면서, 수조 안의 물이 빠져나가기 시작했다. 진은 쇠공을 내려놓으며, 투쟁의 결과를 응시했다. 수조 속 물은 점점 줄어들더니, 어느새 바닥을 드러냈다.

'나 같은 건… 영웅이 될 수 없어. 애초에 될 생각도 없어. 하지만…… 인간일 수는 있어.'

진이 숨을 몰아쉬며 생각했다. 그리고 이를 악물며 읊조렸다.

"나는… 인간으로 남을 거야."
"경위님!"

갑작스레 들려온 수현의 목소리에, 진이 눈을 크게 뜨며 옆을 돌아보았다. 그러자 걱정스러운 낯빛의 수현이 보였다. 어느 순간부터인가 진이 아무런 말을 하지 않는 것을 이상하게 여긴 수현은, 차원 문을 열고 한달음에 달려온 터였다.

"괜찮아요? 아무리 불러도 대답이 없길래."

진은 멍하니 수현을 바라보다, 퍼뜩 제정신을 차렸다. 그는 주변을 흘끗 둘러보았다. 환각은 사라진 지 오래였고, 들고 있었던 스마트폰은 바닥에 떨어진 채였다. 수현은 자세를 낮춰 진의 스마트폰을 주웠다. 그리고 이렇게 손에 넣은 스마트폰을, 원주인에게 돌려주었다.

"미안. 못 들었어."

진이 스마트폰을 받으며 한숨을 쉬었다. 수현은 그런 진을 물끄러미 바라보았다. 진 역시 올곧은 눈빛으로 수현의 시선을 마주했다.

"…나는, 내가 잘났다고 생각한 적 없어. 그저 운이 좋았을 뿐이야. 이렇게 살아있는 것도, 인화 그룹의 후계자가 된 것도 말이지. 그러니까, 싸울 거야. 남들보다 편하게 살아온 주제에… 도망칠 수는 없어.”

 진은 자신을 향해, 그리고 수현을 향해 선언했다. 수현은 태양처럼 타오르는 진의 두 눈에서, 넘치는 생명력과 투지를 읽어냈다.

“좋아요. 그럼, 같이 싸우면 되겠네.”

 수현이 싱긋 웃으며 말했다. 진은 수현의 화사한 웃음을 빤히 보더니, 히죽 웃었다. 조금 전까지만 해도 피폐한 얼굴을 하고 있던 진은, 어느새 여유를 되찾은 상태였다.

“그래. 너라면, 도망칠 리 없다고 생각했지.”
“내가 도망가 버리면, 경위님과 인화 그룹이 나 대신 모든 걸 짊어져야 할 텐데. 그런 건 싫거든요. 무책임한 짓이잖아요? 그리고…… 경위님과 했던 약속도 지켜야 하고요.”

 약속이라는 단어에, 진이 복잡한 표정을 지었다. 약속에 대해 잊은 것은 아니었다. 단지, 상황이 따라주지 않았을 뿐이었다. 예도윤 사건 이후로, 그들은 쉴 틈조차 없었으니 말이다.

“그건… 잠시만 미루자.”

 진이 한숨을 쉬며 입술을 달싹였다. 그러자 수현이 진을 물끄러미 바라보았다. 진은 그런 그를 향해 설명을 겸한 부탁을 이어갔다.

"선의 기원을 탐구하는 거, 중요하다고 생각해. 너를 바꾼 게 다른 사람의 사랑인지, 아니면 너의 이기심인지 궁금하기도 하고. 하지만… 지금은 아니야. 최성욱을 막는 것만으로도 벅찰 테니까."

수현은 고개를 끄덕이는 것으로 답을 대신했다. 그렇게 그들은 새로운 목표를 향해 나아가리라고 다짐했다. 영웅도, 구세주도 아닌 오직 인간이 되기 위해서.

진과 수현은 가장 손쉽고 빠른 방법을 떠올렸다. 바로, 최성욱의 야욕을 빠짐없이 폭로하는 것이었다. 그러나 이는 무의미한 전술이었다.

지금의 대한민국에서 통용되는 "전체주의"와 "파시즘"이라는 단어는, 오남용으로 인해 원뜻을 잃은 지 오래였다. 정치인들은 자신과 의견이 다른 사람이나 정당을 "전체주의자"와 "파시스트"라고 매도해 왔다. 이런 탓에 "전체주의"와 "파시즘"은, 정치적 반대파를 비난하는 단어 그 이상도 이하도 아니게 되어버렸다.

단어를 오염시킨 대가는 혹독했다. 오염된 낱말은 거짓을 폭로하고 진실을 밝히는 목소리가 지닌 힘을 무력화시켰기에, 여당과 제1야당의 대표들을 포함한 정치인들은 그저 입을 굳게 다문 채 전전긍긍하기만 할 뿐이었다. 자업자득인 셈이었다. 그러니 억울할 일도 없었다. 조만간, 마땅한 해법을 찾지 못한 그들은 "이렇게 된 김에 차라리 최성욱을 영입해서, 대선 승리를 노리자!"라는 뻔뻔한 의견을 제시할 가능성이 매우 컸다. 적이 될지도 모르는 자에게 동맹을 요청하는 것이, 무력한 자들이 떠올릴 수 있는 유일한 타개책이었으므로.

반면에 단어를 오염시킨 장본인이 아닌, 진과 수현을 비롯한 사람들은 억울하기 짝이 없는 상황이었다. 이들은 타인의 악의 때문에 거짓 그리고 선동과 싸울, 가장 강력한 무기를 잃고 말았다.

하지만, 그렇다고 해서 투쟁을 포기할 진과 수현이 아니었다. 그들은 혹시라도 있을지 모를 빈틈을 찾아 헤맸다. 그러나 예측했던 대로, 현재의 성욱에게는 빈틈이 없었다. 인화 제약 연구원 살해사건의 수사를 맡은 검사는 범인에 대한 단서를 아직도 찾아내지 못했다며 난감함을 표현했고, 황지혜 사건과 예도윤 사건의 후속 수사를 맡은 국정원도 두 사건의 배후에 누가 있는지까지는 알아내지 못한 상태였다.

"……큰일이야. 뾰족한 수가 떠오르지 않아."

검사와의 통화를 마친 진이 팔짱을 낀 채, 침음했다. 그러자 국정원 요원과의 통화를 마친 수현이 입을 열었다.

"피곤해서 그래요. 일단, 며칠 쉬는 게 좋겠어요."
"상황이 이런데, 어떻게 마음 놓고 쉴 수 있겠어?"
"그러니까 더 쉬어야죠. 전쟁터에서 쓰러지면 안 되잖아요?"

수현의 논리에, 진은 곧장 입을 다물었다. 옳은 말이었다. 의욕만 앞섰다가는 오히려 일을 그르칠 수도 있었다.

"……알았어. 휴가 낼게." 진이 고집을 꺾었다.

"좋아요. 그럼, 나는 이만 가볼게요. 내일 청문회 일정이 잡혔거든요."

수현이 진에게 인사를 건넸다. 그리고 차원 문을 열어, 차를 세워 뒀던 장소로 돌아갔다. 그때, 그런 그에게 전화 한 통이 걸려 왔다. 전화를 건 사람은 바로 서이랑이었다. 이를 확인한 수현이 전화를 받자, 걱정 어린 목소리가 쏟아져 내렸다. 이랑은 성욱의 야욕을 알아차린 몇 안 되는 사람 중 하나였다.

수현은 저를 돕고 싶다는 이랑을 만류했다. 그는 이랑을 위험에 빠뜨리고 싶지 않았다. 게다가 최성욱의 야욕에 대해 폭로할 수 없는 상황에서, 이랑이 할 수 있는 일은 없었다. 결국, 이랑은 한 발자국 물러섰다. 그는 도움이 필요하다면 꼭 연락을 달라는 말을 끝으로 전화를 끊었다.

걱정 섞인 전화를 받은 사람은 수현만이 아니었다. 전담팀 회의실에 남아있던 진 또한 전화를 받았다. 그에게 전화를 건 사람은, 다름 아닌 연희였다. 연희는 자신이 어떤 일을 당했는지 짧게 정리해 알렸다. 그 역시, 성욱의 야욕을 꿰뚫어 본 극소수의 사람 중 하나였다. 그는 수현을 돕겠다던 이랑처럼, 진을 돕고 싶다며 나섰다. 절친한 친우가 곤경에 처한 것을, 사람들이 고통받는 모습을 두고 볼 수 없다는 게 그 이유였다. 언뜻 보아서는, 선의가 넘치는 이타적인 언행이었다. 하지만 연희는 마냥 선의만으로 움직이는 사람이 아니었다. 차마 입 밖에 내지는 않았지만, 그는 지금이야말로 돈과 명예를 거머쥘 일생일대의 기회라고 확신했다. 그렇기에 가만히 있을 수는 없다. 악(惡)이 세상을 집어삼키려는 때에 적극적으로 저항한다면, 훗날 에세이를 써서 유명 인사가 될 수 있으리라! 하지만 이런 그의 공상은 진의 단호한 거절에 흩날려 사라졌다. 연희는 언론인을 대상으로 한 테러의 첫 번째 피해자였다. 그러므로 전면에 나서는 것은 위험을 자초하는 행위였다. 게다가 최성욱의 야욕에 대해 말할 수 없는 상황에서, 기자인 연희가 할 수 있는 일은 없었다. 결국 진의 말이 옳다는 것을 인정한 그는, 이랑이 그랬던 것처럼 도움이 필요하다면 연락하라는 말을 남겼다. 이에 진은 알겠으니 푹 쉬라고 말하고는 통화를 마쳤다. 그리고 경일을 찾아가, 이번 주 주말까지는 쉬고 싶다는 뜻을 내비쳤다. 경일은 그런 그를 마뜩잖게 여겼으나 결국 휴가를 내주었다.

드디어 쉴 수 있게 된 진은 곧바로 주차장을 향해 걸었고, 이내 전기차에 몸을 실었다. 그러고는 집을 향해 차를 몰기 시작했다. 집으로 가는 길은 힘겹기 그지없었다. 언론사들의 차량이 그가 운전하는 차 뒤에 따라붙거나, 그의 진로를 적극적으로 방해했다. 이에 진은 입술을 짓씹으며, 화려한 운전 솜씨를 발휘하여 기자들의 포위망을 뚫었다. 그렇게 집에 안착한 진은, 조금 전 제집의 초인종을 누르려던 우체부에게서 건네받은 우편물을 노려보았다. 문제의 우편물이 든 편지 봉투에는 "수원지방검찰청"이라는 글씨와 검찰청의 주소지가 적혀 있었으며, 업무 시간 내에 접수된 우편물을 몇 시간 안으로 배달해 주는 "신속 등기"를 뜻하는 우체국 소인이 찍혀 있었다.

봉투에 인쇄된 활자에서 시선을 거둔 진은, 손을 움직여 편지 봉투를 찢었다. 그러고는 봉투 안에 든 문서를 펼쳐 들었다. 문서의 정체는 소환 조사 통지서였다. 통지서에는 소환 조사가 이루어지는 날짜와 조사의 목적이 쓰여있었다.

검찰이 지정한 소환 조사 날짜는 내일 오전 9시였다. 조사의 목적은, 인화 제약 연구원 살해사건 해결을 위해서였다. 그러나 진은 통지서에 적힌 글을 곧이곧대로 믿을 위인이 아니었다.

'검찰은, 최성욱이 살인 사건의 배후라는 걸 모를 거다. 당연하지. 그 용의주도한 인간이…… 약점을 노출했을 리 없어.'

그는 성욱과 검찰이, 조금 더 정확히 말하자면 검찰이라는 조직의 수장인 '검찰총장'이 한패일 가능성을 점쳤다. 그렇지 않은 이상, 줄곧 가만히 있다가 인제 와서 저에게 소환 조사를 통보할 리 없었다. 즉 최성욱과 손잡은 검찰이, 성욱의 지시대로 움직였을 확률이 매우 높았다. 분명, 최성욱이 일련의 사건을 주도한 장본인이라고는 짐작조차 하지 못하고 있으리라. 진은 그리 생각했다.

'그렇다면, 검찰총장은 최성욱의 야욕을 꿰뚫어 보지는 못했을 거야. 최성욱이 대통령을 꿈꾸고 있다는 것 정도는 어렴풋이 알아차렸겠지만.'

진은 통지서를 편지 봉투 안에 대충 쑤셔 넣은 뒤, 소파 위에 던졌다. 그러고는 떨어진 편지 봉투 옆에 털썩 주저앉으며, 두 손을 들어 올려 얼굴을 감싸 쥐었다.

'검찰총장한테, 최성욱이 일련의 살인 사건을 사주했다고 말해봤자…… 바뀌는 건 없어. 그렇다고 해서, 최성욱과 검찰총장이 한패라고 주장할 수도 없다. 내게는, 증거가 없으니까.'

최성욱이 만악의 근원이라는 결론 그리고 검찰과 성욱이 손잡았다는 추측은, 그저 진과 수현의 추리에 불과했다. 증거가 뒷받침되지 않은, 억측에 불과한 의견 말이다.

결국 진은 앓는 소리를 내며 생각을 잠시 멈추더니, 얼굴을 감싸쥐었던 두 손을 천천히 내렸다. 그러고는 수현에게 연락하여 성욱과 검찰총장이 한패인 것 같다고 말한 다음, 그렇게 생각한 까닭을 이야기했다. 진의 이야기를 경청한 수현은 그의 추리에 찬동했다.

통화를 마친 진은 손을 뻗어 리모컨을 집어 든 다음, 버튼을 눌러 TV를 틀었다. 그러자 국정원이 사람들이 품은 분노와 공포 그리고 혐오를 잠재우기 위해 공개한 영상이 TV 화면을 가득 채웠다. 국정원이 공개한 영상은, 최성욱이 공개했던 영상의 원본이었다.

"은하계 하나를 일격에 초토화할 수 있으면서, 고작 의료 봉사를 위해 지구에 왔다는 겁니까? 그것도 인류애 핑계를 대면서?"

"강한 것과 봉사는 아무런 상관이 없지 않나요?"

"왜 상관이 없다고 생각하십니까? 당신은 외계인인 데다, 경계선 사이코패스입니다. 타인을 해치는 것에 아무런 거리낌이 없는 족속이라고요! 1000여 년의 세월을 사는 동안, 단 한 번도 학살을 벌인 적이 없었다는 말을 어떻게 믿을 수 있겠습니까?!"

성욱이 공개했던 부분까지의 대화가 순식간에 지나갔고, 성욱이 공개하지 않은 대화가 곧바로 이어졌다.

"다시 말하지만, 나는 사람들을 해칠 생각이 없어요." 수현이 차분한 어조로 대꾸했다.

"그러니까. 그 말이 진심이라는 걸 증명해 보라는 겁니다."

"난, 내게 사이코패스 성향이 있다는 사실을 숨기지 않았어요. 얼마든지 숨길 수 있었는데도요. 그것만으로도 충분하다고 생각하는데요."

"충분하다? 그런 '솔직한 행동'이, 인류애를 이야기하는 게 우리를 안심시키기 위한 것이라면? 우리가 안심한 틈을 타서, 우리를 살육하는 게 목적이라면?" 비웃는 어조가 수현의 반박을 갈가리 찢어냈다.

"그렇게 생각한다면, 유감이네요." 담담한 어조로 운을 뗀 수현이, 말을 이었다. "악의가 없다는 사실을 증명할 수 있는 사람이, 이 세상에 있기는 할까요. 무어라고 말하든, 믿지 않으면 그만인데."

수현의 차분한 목소리를 끝으로 영상이 끝났고, 곧이어 뉴스 스튜디오의 모습이 화면을 채웠다. 뉴스 진행자는 국정원이 극에 달한 분노와 혼란을 잠재우고자 원본 영상을 공개한 것으로 보이지만 사람들의 반응은 싸늘하기만 하다는 소식을 전했다. 진은 화면 속 진행자를 뚫어지게 보다가, 리모컨을 사용하여 채널을 바꿨다. 그러자 또 다른 뉴스 진행자의 음성이 스피커를 타고 흘러나왔다.

"밤새 자살을 택한 사람 대부분이, 직장 내 괴롭힘의 피해자였던 것으로 확인됐습니다. 익명의 피해자는 무기한 휴직을 생각 중이라고 했습니다만. 실질적으로 자진 퇴사를 할 것으로 보입니다. 하지만 부정적인 평만 있는 것은 아닙니다. 한 전문가는, 이번 사태로 인해 일자리가 늘어나지 않겠냐고 조심스럽게 예측했습니다.”

 진행자의 말에, 진은 헛웃음을 흘렸다. 앵커는 진지한 어투로 일자리 창출에 대해 논했다! 이는 말도 안 되는 궤변이었다. 일자리 창출은, 말 그대로 없던 일자리를 만들어 내는 정책이었다. 그러나 이번 사태는 원래 있던 일자리를, 다른 사람이 가져간 것에 불과했다.
 결국, 그는 TV의 전원을 껐다. 그리고 욕실로 향한 뒤, 맑은 물에 자신을 흘려보냈다.

*

 아침이 밝자, 수원지검 앞에 기자들이 몰려들었다. 그들은 기사에 실을만한 사진을 찍기 위해, 몸싸움도 서슴지 않았다. 이렇게 각자 자리를 차지한 기자들은, 수원지검 앞에 나타난 진을 향해 플래시를 터트렸다.
 정장 재킷 위에 롱코트를 걸치고 정장 바지를 입은 진은, 굽이 낮은 구두인 로퍼를 신은 상태로 검찰청 건물을 향해 당당히 걸어갔다. 그러는 동안, 그는 기자들이 던지는 질문에 “인화 제약의 연구원들은, 제가 죽이지 않았습니다.”, “윤수현은 악인이 아닙니다.”라고 답했다.
 이윽고, 진은 조사실 안에 발을 들였다. 그러자 책상 앞에 앉아 있던 검사가 그를 반겼다. 검사는 진이 자신의 맞은편에 있는 의자에 앉자, 기다렸다는 듯이 질문을 던졌다.

"인화 제약 연구원들, 유 진 씨가 죽였나요?"
"안 죽였습니다."

검사는 고개를 건성으로 끄덕이며 진의 답을 받아적었다. 그에게
서는 최선을 다해 수사할 의지가 보이지 않았다. 진은 그런 그의
얼굴을 빤히 바라보며 입을 열었다.

"위에서 시킨 겁니까? 어떻게든 핑계를 대서 조사하라고."

진의 질문에, 검사는 답하지 않았다. 그럼에도 진은 아랑곳하지
않았다. 그는 검찰이 유구하면서도 철저한 상명하복 원칙, "검사동
일체 원칙"을 기반으로 돌아가는 조직이라는 사실을 가장 잘 아는
사람 중 하나였다. 그렇기에 그는 검찰총장에게 묻고 싶었던 것을,
눈앞의 검사에게 캐물었다.

"최성욱입니까? 최성욱이, 대가를 약속한 겁니까?"
"이해할 수가 없군요. 인화 제약 연구원 살해사건과 아무런 관련
이 없는 성일 그룹 총수의 이름이, 갑자기 왜 나오는 거죠?" 당최
이해가 가지 않는다는 얼굴을 한 채, 검사가 되물었다.
"그렇습니까? 그럼, 검경 수사권 조정 이슈 때문이겠군요. 하긴,
'경찰 간부가 연루된 방화 살인 사건'만큼, 검찰의 존재감을 드러
내기 좋은 건 없을 테니…… 무리해서라도 나를 조사해야 했을 겁
니다."

진이 정곡을 찌르자, 여태껏 지루하기 짝이 없다는 식으로 굴던 검사의 태도가 돌변했다. 그는 적의 가득한 눈빛으로 진을 노려보더니, 이내 목소리를 입 밖으로 끄집어냈다.

"저는, 자선 사업을 한답시고 돈을 뿌리는 기업과 사람을 혐오합니다. 전 재산을 사회에 환원하면 수많은 불의와 부조리를 없앨 수 있는데도, 생색을 내며 전 재산의 극히 일부만 내놓죠. 위선적이기 짝이 없어요."

검사가 이죽거렸다. 그러자 진이 쓴웃음을 지었다. 분하지만, 검사의 말이 맞았다. 진은 세상의 부조리와 불평등이 조금이라도 해소됐으면, 하는 마음에 익명으로 기부를 꾸준히 이어왔다. 하지만 세상을 위해 전 재산을 쾌척할 용기는 없었다.

"다들 아는 겁니다. 겉으로는 사회 정의를 외치면서 기부하고 시위를 벌이지만…… 기득권을 포기하는 순간, 저 밑바닥에 떨어질 거라는 사실을 말이에요."

검사의 말이 진의 심장을 후벼팠다. 진은 그저 입술을 짓씹을 뿐이었다.
같은 시각, 국회의 청문회장에 머무르던 수현은 오로지 진실만을 고하겠다는 선서를 하기 위해 자리에서 일어선 상태였다. 하지만 청문회의 첫 단추를 끼우는 것은 생각보다 어려운 일이었다.

"국가의 존망이 걸린 청문회마저 밥그릇 싸움으로 만들 생각입니까?!"

"밥그릇 싸움이라니요! 말씀이 지나치십니다!"

"이럴 때일수록 대통령 지지율이 중요하다는 걸, 왜 모르십니까! 나라 분위기가 이렇게 뒤숭숭하면, 좋아할 사람은 따로 있다니까요?!"

"웃기지 마! 대선도 얼마 안 남았겠다 싶으니까, 당 지지율 올리려는 거잖아!"

"그럴 거면 최성욱을 영입했겠지, 이 멍청아!"

수현은 고성을 주고받는 여야의 국회의원들을 멍하니 바라보았다. 이번 청문회는 모든 것을 여과 없이 실시간 중계하는 공개 청문회였다. 그러나 의원들은 이러한 사실을 전혀 신경 쓰지 않는 듯했다.

"저… 의원님들?"

수현이 조심스레 의원들을 불렀다. 하지만 그들은 수현의 목소리를 듣지 못하고 저들끼리 아우성쳤다. 결국, 수현은 큰 소리로 의원들을 불렀다.

"의원님들!!!"

수현의 목소리가 울려 퍼지자, 의원들은 즉시 입을 다물었다.

"선서…… 시작해도 될까요?"

수현이 조심스레 물었다. 그러자 조용히 있던 한 의원이 입을 열었다.

"선서에 무슨 의미가 있습니까? 당신은 두려울 게 하나 없는 존재인데. 거짓말 정도는 마음만 먹으면 얼마든지 할 수 있고, 만에 하나 위증 혐의로 감옥에 갇힌대도⋯ 그 잘난 초능력으로 탈출하면 그만인 것을."
"무의미하지 않아요. 선서는, 오로지 진실만을 말하겠다는 약속이잖아요." 수현이 올곧은 눈빛을 한 채로, 의원을 향해 또박또박 말했다.
"그러니까, 그 약속이란 건 어기면 그만이잖습니까!" 의원이 역정을 냈다.
"그렇게 따지면, 도덕이나 법은 아무짝에도 쓸모없는 거네요? 지키지 않으면 그만이니까."

수현의 목소리는 빈틈이 없었고, 굳건했다. 그는 결코 이상론(理想論)을 주장하지 않았다. 그저, 수많은 약속과 합의로 이루어진 인간 사회의 근본을 꿰뚫는 말을 던졌을 뿐이었다.
덕분에 장내는 조용해졌다. 수현은 이 틈을 타, 오직 진실만을 고하겠다는 선서를 했다. 마침내 청문회의 첫 단추가 제대로 끼워지자, 의원들이 질문을 던지기 시작했다.

"성범죄 감찰팀에 지원한 이유가 뭡니까?"
"환자를 치료하는 것과 다를 게 없어 보였어요. 사람을 살리는 일의 연장선이라고 생각했습니다."

"그럼, 월급은 어디에 쓰셨죠?"

"밀가루와 계란, 이스트, 버터 같은 것을 사는 데 썼어요. 베이킹이 취미거든요. 아, 그리고…… 책을 사는 데에도 썼고요."

수현의 답을 들은 의원의 눈이 번뜩였다. 드디어 트집 잡을 것이 생겼다고 여긴 까닭이었다.

"국민의 혈세를, 사적인 용도에 쓰신 거네요?" 피어오르는 웃음 위에 진지함을 덧칠한 의원이, 집요하게 파고들었다.

"틀린 말은 아닌데… 그래도, 만든 빵이나 과자는 보육원에 전부 기부했어요."

전혀 예상치 못했던 답변에, 의원은 무해하고 화사하게 웃는 수현을 당황한 눈초리로 바라보았다. 이대로라면, 이 사이코패스 외계인은 착한 사람이 되고 말리라!

그때, 또 다른 의원이 재빠르게 끼어들어 질문을 퍼부었다. 그 역시 방금 당황했던 의원처럼, 대중의 눈에 수현이 '착한 사람'으로 각인되는 것을 어떻게든 막고 싶었다.

"수현 씨는… 공감 능력이 없는 사이코패스죠. 대체 사회생활은 어떻게 한 겁니까?"

수현은 진에게 설명했던 내용을 그대로 읊었다. 세상에 존재하는 모든 감정과 각각의 감정에 대응하는 표정을 외우고, 이에 따라 타인의 감정을 유추하는 것을 연습했다는 사실 등… 빠짐없이 전부. 이렇게 그가 한 치의 거짓 없는 설명을 마치자, 질문을 던진 의원을 비롯한 모든 사람의 얼굴에 두려움이 떠올랐다. 그런 그들의 표정을 쉬이 읽어낸 수현은 다시금 운을 뗐다.

"의원님들은…… 내가 혐오스럽고, 무서운 모양이네요."
"무섭다고?! 웃기지도 않는 소리!"

수현은 저를 향해 잔뜩 성을 내는 의원을 물끄러미 바라보았다. 그리고 자신이 감정을 어떻게 읽어냈는지 보여주기 위해, 입을 열었다.

"…내가 읽어내지 못하는 표정과 감정이 몇 가지 있어요."

수현은 주먹을 쥔 오른손을 들어 올렸다. 그리고 단어를 하나씩 말할 때마다 검지, 중지, 약지 그리고 소지를 차례로 펼쳤다.

"공포, 수치심, 혐오, 죄책감. 이 네 가지는…… 어떤 방법을 써도 외울 수 없었어요. 하지만 유추하는 건 가능해요. 이 상황에서, 의원님들이 죄책감을 느낄 리 없잖아요. 수치심을 느낄 이유도 없고. 그렇다면, 남은 건 둘뿐이에요. 당신들은, 사이코패스 외계인인 내가… 혐오스럽고 두려운 거죠."

사람들은 저도 모르게 헉, 하는 소리를 냈다. 혐오는 그렇다고 쳐도, 공포와 수치심 그리고 죄책감이 무엇인지 모르다니! 역시 영락 없는 사이코패스가 아닌가! 그들은 그리 생각했다.

의원들은 청문회 기간 내내, 수현이 성범죄 감찰팀 팀장이었을 때 사건을 해결하기 위해 위법한 방법을 동원한 적이 있었는지를 검증하는 데 혈안이 되어 있었다. 이에 수현은 제게 주어진 답변 시간을, 무고함을 증명하는 일에 모두 소비할 수밖에 없었다.

이런 식으로, 진과 수현은 의미 없고 형식적인 질문에 시간을 허비했다. 그러나 그들은 최선을 다해 맞섰다. 상대가 무의미한 질문을 던진다 한들, 이쪽도 그럴 필요는 없었다.

두 사람의 대답은 어김없이 전파를 타고 퍼져나갔다. 해가 질 때쯤 집으로 돌아온 진은, 이러한 상황을 뉴스로 접했다. 손과 발을 깨끗이 씻고 소파에 앉은 그는 리모컨의 버튼을 눌러 채널을 넘겼고, 수현의 청문회를 다루는 채널에서 멈춰 섰다.

상황은 이보다 나쁠 수 없었다. 수현의 성실한 답변과 올곧은 태도 그리고 인영의 지원사격에도, 수현을 긍정적으로 평가하는 언론사는 거의 없다고 해도 과언이 아니었다. 반대로, 성욱을 긍정적으로 묘사하는 언론사는 너무나 많았다.

"성일 그룹의 최성욱 회장은, 집단 괴롭힘 사건의 피해자를 위한 법률 및 생계 지원을 약속했습니다. 또한, 집단 괴롭힘을 버티지 못하고 자진 퇴사한 노동자를 채용할 예정이라고 밝혔습니다."

진은 차가운 분노가 서린 시선으로 화면 속 진행자를 응시했다. 진행자는 흔들림 없이 다음 소식을 전했다. 임대 아파트에 산다는 이유로 따돌림을 당하다 자살한 초등학생, 부모의 월급을 놀림감으로 삼는 아이들 그리고 기초생활 수급자를 향해 "세금을 축내는 버려지"라며 칼을 휘두른 사람까지.

부조리와 폭력을 보다 못한 진은 TV를 꺼버렸다. 그는 밀려드는 구역감을 주체할 수 없었다. 어지러웠다. 온 세상이 시끄러웠다. 그럼에도 불구하고, 진은 이런 세상을 경멸하지 않겠다는 다짐을 몇 번이고 되풀이했다.

*

아침이 되자, 진은 무거운 몸을 이끌고 오랜만에 출근길에 나섰다. 쉬기는커녕, 몇 날 며칠 동안 주말과 밤낮을 가리지 않고 검찰 조사에 시달린 탓에 그의 컨디션은 엉망진창이었다.

수현 역시, 진처럼 주말을 모두 반납하고 제대로 쉬지도 못한 채 매일같이 국회의 청문회장을 찾았다. 하지만 전담팀에 도착한 진의 눈에 비추어진 그는, 지친 기색 하나 보이지 않았다.

수현은 진이 왔다는 사실조차 모른 채, 책을 읽고 있었다. 그런 그의 앞에는 책과 자료들이 산더미처럼 쌓여있었다. 진은 활자에 홀린 수현의 옆모습을 바라보며, 수현과 며칠 전에 겨우 시간을 내서 나누었던 대화를 떠올렸다.

그는 수현이 파면당할 것이라고 예상했었다. 수현 역시 그러하였다. 수현을 적으로 여기는 대다수를 달래기 위해서는 파면만이 답이었기 때문이다. 하지만 김한성의 뒤를 이은 신임 경찰청장은 아무런 조치도 취하지 않고 그저 침묵으로 일관할 뿐이었다. 이에 진과 수현은 실질적으로 신임 청장이 사태를 방관한 것이 아니겠냐고 추측했다. 그리고 성욱이 신임 경찰청장에게 접근하지 않았다고도 확신했다. 최성욱이 신임 청장을 찾아왔다면, 그에게 대가를 제안하며 어떠한 방식으로든 수현을 공격하라고 했으리라. 하지만 청장은 수현을 공격하지 않았다. 그리고 멀쩡히 살아 있었다. 그가 성욱의 제안을 거절했다면, 살아있을 리 없지 않은가. 분명, 성욱은 검찰을 자기 편으로 만든 것만으로도 충분하다고 판단했으리라. 두 형사는 그리 생각했다. 그러고 나서 청장이 파면을 택하지 않은 이유를 추리해 냈다. 청장에게는 수현을 파면할 도덕적 명분이 없었다. 수현은 외계인이자 경계선 사이코패스지만, 어찌 됐든 성범죄 감찰팀을 훌륭히 이끌었다. 물론, 특채 과정 자체를 문제 삼는 방법도 있었다. 하지만 당시 특채 과정에는 아무런 하자가 없었다. 당시 경찰청장은 청장 권한으로 수현을 채용했고, 국민 역시 동의한 터였다. 게다가 극소수지만, 수현을 응원하는 사람들도 분명히 존재했다. 인권 단체들은 수현에 대한 적의는 편견에 의한 것이라는 논평을 내놓았다. 성범죄 감찰팀 덕분에 일상을 되찾은 피해자들은, "우리는 썩어빠진 기성 경찰들이 아닌, 외계인인 윤수현에게서 희망을 보았다"라며 신임 청장을 압박했다. 백승찬 사건 때, 당시 경찰청장이었던 김한성의 공격을 받던 수현을 구하기 위해 나섰던 것처럼.

상황이 이러하니, 신임 청장은 수현을 쉬이 내칠 수 없었으리라. 두 형사는 그리 생각했다. 신임 청장에게 가장 위협적인 존재는 다른 누구도 아닌, 성범죄 감찰팀과 인연을 맺은 피해자들임이 분명했다. 한때 감찰팀이라는 방패의 안쪽에서 보호받던 그들은, 감찰팀의 수장이었던 형사를 지키기 위해 다시금 방패를 들었다. 만일 이들의 목소리를 깡그리 무시하고 수현을 파면한다면, 경찰 조직의 수장이라는 작자가 성범죄 감찰팀의 업적을 부정하는 것을 넘어 범죄 피해자의 존재 자체를 부정하는 모양새가 될 터였다.

"청문회 영상 봤어. 장관이던데?" 회상을 끝낸 진이 수현의 옆에 있던 의자에 앉으며 농담을 던졌다.

"아하. 사진발, 잘 받던가요?" 책을 읽던 수현이 진에게 시선을 주며 말했다.

"화보에 실어도 되겠던데? 뭐, 그래봤자 실물보다는 못하지만."

진이 여유롭게 웃으며 대꾸했다. 그리고 수현이 읽던 책을 힐끗 보았다. 서적의 정체는, 전체주의와 파시즘을 다룬 학술서였다.

"경위님이 조사받는 동안, 예도윤과 황지혜에 대해 알아봤어요. 최성욱이 연관되어 있다는 증거를 찾을 수 있을지도 모르는 일이니까요. 하지만 예도윤이 입을 굳게 다물어버려서, 황지혜에 대한 정보만 얻을 수 있었어요."

수현이 들고 있던 책을 만지작거리며 설명을 이어 나갔다.

"황지혜는 성일 그룹의 장학금을 받은 덕분에 한국대학교를 무사히 졸업할 수 있었어요. 가정 형편이 좋지 않았거든요. 그리고…."

수현이 책상 위의 사진 앨범을 집어 들어, 진에게 건넸다.

"학교를 졸업할 때까지, 매년 성일 그룹 자선 파티에 간 모양이에요."

진은 건네받은 앨범을 펼쳤다. 앨범 속에는, 대학생 시절의 지혜가 찍힌 사진들이 즐비하게 늘어서 있었다.

"다른 건?"

진이 앨범을 덮으며 물었다. 하지만 수현은 고개를 천천히 저을 뿐이었다. 이에 진은 한숨을 쉬며 검지로 앨범 표지를 두드렸다. 성욱이 지금까지 기부를 이어온 이유를 알아차린 진의 얼굴에, 쓴 웃음이 번졌다.

"…최성욱은 노예를 만든 거야. 아무리 자선 사업이 기업 마케팅의 일환이라고 해도 그렇지, 너무 노골적이야."

진의 추리는 적확했다. 성일 그룹의 장학금을 받은 사람들은, 성욱의 행보를 열성적으로 지지했다. 그들은 최성욱이 제공한 장학금이라는 사다리 덕분에, 상류층으로 도약할 수 있었다고 믿어 의심치 않았다. 그렇기에 성욱을 지지하는 시국 선언을 발표하는 것을 망설이지 않았고, 이 지옥도를 끝낼 수 있는 사람은 최성욱뿐이라고 입을 모았다.

"성일 그룹의 자선 사업은… 창업주 때부터 지금까지 이어져 왔죠? 그렇다면, 실로 엄청난 숫자의 사람들이 혜택을 받았겠네요."

수현이 무거운 한숨을 내쉬었다. 이윤을 추구하는 기업이 순수한 의도로 선을 행할 리 없었다. 하지만 그는 속마음을 입 밖으로 낼 수 없었다. 자신 역시, 순수한 선의를 품고 의사가 된 게 아니었기에.

결국, 그들은 성일 그룹의 자선 사업을 문제 삼을 수 없다는 결론을 내렸다. 의도가 어찌 됐든, 성욱은 선행을 베푼 셈이었다. 이로 인해 황지혜와 최성욱의 마지막 연결고리는 소멸하고 말았다. 표면적으로 장학금과 황지혜가 저지른 범죄는 아무런 상관이 없었다!

고뇌 끝에, 진과 수현은 일련의 사건을 처음부터 톺아보기로 했다. 주도면밀한 전술 없이, 수많은 지지자와 우호적인 여론이라는 방벽 안에 있는 성욱과 맞서는 것은 무모했으므로. 성욱이 자신의 고결함을 무기로 쓴다면, 이쪽은 그의 도덕적 흠결을 지적해야만 했다.

그들은 회의실의 구석에 방치돼 있던 화이트보드에, 인화 제약 연구원들의 죽음부터 국회 대변인의 기자회견까지 낱낱이 새겨넣었다. 그런 다음, 성욱의 주변 인물에 대한 정보를 정리하기 시작했다. 진은 유리의 사진을 화이트보드 위에 붙이고는, 다음 사진을 집어 들었다.

'우미애……'

그는 복잡한 눈빛으로 미애의 사진을 바라보며 생각에 잠겼다. 그가 알기로, 인영의 고등학교 시절 후배인 미애는 선배인 인영을 "언니"라고 칭하며 친근함을 서슴없이 드러냈다. 이러한 미애가 성욱과 한패인지, 아니면 단순히 지금 상황을 인지하지 못한 것인지 진은 쉬이 결론을 내리지 못했다.

'잘 모르겠어.'

진이 참담한 심정으로 미애의 사진을 꽉 쥐었다. 그러자 사진에 실금이 새겨졌다. 그는 사진을 화이트보드에 붙인 다음, 사건을 재구성하는 데 집중했다. 하지만 수현과 격렬히 의견을 주고받았음에도, 이렇다 할 묘안을 제시하지는 못했다.

마찬가지로, 수현이 읽던 책 또한 현 상황을 타개할 명쾌한 방법을 제시해 주지는 못했다. 그들이 맞닥뜨린 전체주의와 파시즘은 현재 진행형이었지만, 학술서는 과거의 일을 기록한 것이기 때문이다. 그러나, 책이 완전히 무용지물인 것은 아니었다. 책과 같은 기록물은 인간이 시공간을 넘어 소통할 수 있는 유일한 방법이었으므로.

과거는 그들에게 전체주의가 인간의 자유와 개성을 억압하고 사실이 지닌 힘을 차단한다는 사실을 알려주었다. 그리고 이는 테러와 폭동 등의 폭력적인 수단을 통해 완성된다는 것도. 하지만 책에 음울한 사실만 있는 것은 아니었다. 사방이 칠흑 같은 어둠뿐인 문장 속에도, 빛은 있었다. 책은 "파시즘과 전체주의의 패배는 필연적이다."라는, 한 학자의 메시지를 전해주었다.

암흑천지를 가로지르는 섬광에 매료된 진과 수현은 책에 적힌 문장을 몇 번이고 반복해서 탐독했다. 그렇게 둘의 말수가 적어진 그때, 전담팀 회의실의 문이 갑작스레 움직였다. 이를 감지한 수현은 손을 뻗어, 재빠르게 화이트보드를 뒤집었다. 그러자 글씨와 사진으로 빽빽하게 채워진 앞면이, 아무것도 없는 뒷면과 자리를 바꾸었다. 이렇게 그가 위장을 마치자마자, 기다렸다는 듯이 회의실의 문이 거칠게 열리며 경일이 들이닥쳤다. 서류철은 든 그는 진을 향해 으르렁거렸다.

"이거……!"

그러나, 경일은 말을 끝맺지 못했다. 진의 옆에 서 있는 수현을 본 탓이었다. 경일의 눈에는 일순간 극도의 두려움이 깃들었다.

"네가 왜 아직도 여기에 있어?!" 눈살을 잔뜩 찌푸린 경일이 수현을 향해 날을 세웠다.
"아직 안 잘렸으니까요. 파면이나 해임당하기 전까지는, 열심히 일할 생각이에요."
"대체 무슨 꿍꿍이야?"
"그야, 어찌 됐든 나는 경찰이잖아요? 마지막까지 의무를 다해야죠."

평소와 다를 바 없는 수현의 태도에, 경일은 할 말을 잃었다. 하고픈 말은 가득했지만, 모두 목구멍 안에서 맴돌기만 할 뿐이었다. 결국, 그는 못마땅한 표정을 지으며 진을 향해 시선을 돌렸다. 그리고 회의실에 찾아온 이유를 꺼냈다.

"이거, 기억하지?"

경일이 다짜고짜 서류 하나를 책상 위에 던졌다. 그러자 진이 책상 위에 던져지듯 놓인 서류를 집어 들었다. 서류의 표지에는, "타투(tattoo) 살인 사건"이라는 글자가 적혀있었다.

타투 살인 사건은, 대한민국에서 벌어진 살인 사건 중 단연코 최악의 연쇄살인 사건이라는 평가를 받았다. 오죽하면 "타투 살인 사건보다 엽기적이고 잔혹한 살인 사건은 없을 것이다.", "대한민국에 사는 사람이라면, 타투 살인 사건을 모를 리 없다."라는 말까지 나왔겠는가?

이 잔학한 살인 사건은, 두 달 동안 다섯 명의 성인이 흔적도 없이 사라지면서 시작되었다. 경찰은 첫 번째 실종 신고가 접수되었을 때까지만 해도, 사건을 단순 가출로 치부했다. 하지만 실종자가 계속해서 나타나자, 실종 신고를 받은 장본인은 자신이 잘못된 판단을 내렸을지도 모른다는 결론에 다다랐다. 그러자 그는 특수사건 전담팀의 진에게 사건을 떠넘겼고, 사건을 인계받은 진은 실종자들과 그들의 가족 사이에 불화가 없었다는 점을 근거로 실종자들이 강력 사건에 휘말렸을 가능성이 크다는 결론을 내렸다. 그러나 이러한 추리를 뒷받침해 줄 물증은, 그 당시 발견되지 않았다. 이에 진은 '실종자들이 범인을 자발적으로 따라간 것이 아닐까?'라고 생각했다.

결론부터 말하자면, 진이 옳았다. 타투 살인 사건의 범인은 심리 상담사였다. 환자와 사적인 교류를 하면 안 된다는 수칙을 어긴 그는, 환자들을 꼬드겨 자신의 별장으로 데려왔다. 그리고 얼음을 깰 때 사용하는 송곳인 "아이스픽(ice pick)"을 피해자의 목 뒤쪽, 두개골과 목이 결합하는 부분 바로 아래에 있는 오목한 부분에 힘껏 꽂아 살해했다. 그런 다음 피해자들의 옷을 벗기고, 나체가 된 희생자들의 몸통에 각종 욕설과 자신의 영문 이니셜을 칼로 새겼다. 이렇게 모욕당한 피해자들은 별장 옆 창고에 전시되었으며, 범인은 이 모든 과정을 사진으로 남겼다. 시신이 썩어가는 과정까지, 전부. 범인은 교활하고 용의주도했다. 그러나 진의 통찰력 앞에서는 무력했다. 통찰 끝에, 진은 범인이 유대감을 이용해 피해자들을 끌어들였다고 판단했다. 이는 범인의 신체 능력으로는 성인을 제압하기 힘들다는 이야기와 일맥상통했다. 그렇다면, 범인은 기습이나 덫을 놓아 적을 공격하는 방식을 선호할 터였다. 진은 그리 생각하며, 만전을 기해 체포 계획을 세웠다. 그의 예상대로, 범인은 자신의 별장을 찾아온 그를 기습했다. 하지만 역으로 순식간에 제압당하고 말았다. 이렇게 대한민국의 범죄사에 길이 남을 연쇄살인 사건이 막을 내렸다.

"이건… 제가 예전에 해결했던 사건 아닙니까?" 진이 경일을 똑바로 바라보며 말했다.
"해결하면 뭐 해? 모방범이 나타나서, 새로 오신 청장님의 걱정이 이만저만이 아닌데!" 경일이 코웃음을 쳤다.

경일은 조금 전, 뇌물수수 혐의로 파면된 전(前) 서울경찰청장의 뒤를 이어받은 신임 서울청장의 전화를 받은 터였다. 신임 서울청장은, 대략 2년 전에 있었던 타투 살인 사건을 연상케 하는 살인 사건이 발생했다는 소식을 접했다. 좀 더 정확히 말하자면, 청장은 '모방 범죄에 관한 가짜뉴스'가 퍼졌다는 소식을 접했다. "서울청 소속의 형사 유 진이 해결했다고 알려진 '타투 살인 사건'의 진범이, 따로 있는 게 아닌가? 그때 체포된 용의자가 무고하기 때문에 이번 사건이 벌어진 게 아닌가?"라는 가짜뉴스와 비이성적인 여론은, 황색 언론으로 평가받는 언론사의 기자 때문에 퍼졌다. 기자는 시신과 시신을 최초로 발견한 사람을 목격하였다. 그는 과거에 타투 살인 사건을 필요 이상으로 상세히 보도한 기사를 접했던 수많은 사람 중 하나이면서, 진이 해결한 살인 사건들에 관한 보도를 최근에 접한 수많은 사람 중 하나이기도 했다. 그렇기에 새로운 피해자의 몸통에 새겨진 문구를 보자마자 '타투 살인 사건'을 떠올릴 수 있었고, 서울청에 소속된 형사 유 진이 무고한 사람을 체포한 게 아니냐는 식의 기사를 피해자의 사진과 함께 언론사 홈페이지에 올릴 수 있었다. 신고를 받고 출동한 경찰이 현장을 찾은 시점은, 그가 작성한 기사가 각종 매체를 타고 순식간에 퍼져버린 뒤였다. 타투 살인 사건 당시 체포한 용의자가 범인임을 입증하는 명명백백한 물증이 존재한다지만, 이러한 물증이 존재한다는 사실이 루머를 원천적으로 차단하지는 못했다. 그나마 다행인 점을 꼽자면, 기자가 SNS에 올린 사진에서는 피해자의 신원을 특정할 수 있는 신체 부위를 찾아볼 수 없다는 사실이었다. 이에 신임 청장은 "임기 시작과 동시에 악재가 들이닥치다니! 순탄한 진급을 위해서는, 절대 있어서는 안 되는 일이야."라고 중얼거리며 타투 살인 사건을 해결했던 형사가 정말로 '서울청 광수대의 유 진'이라는 사실을 확인한 다음, 진의 직속상관인 경일에게 곧장 전화를 걸었다.

"빨리 해결하는 게 좋을 거야."

가짜뉴스가 퍼진 이유와 신임 경찰청장이 우려하는 바를 진에게 전달한 경일이, 뒤도 돌아보지 않고 전담팀을 떠났다. 그러자 탕! 하는 소리와 함께 회의실의 문이 닫혔다.

진과 수현은 경일이 두고 간, 오늘 새로 보고된 정보를 기록한 서류를 살폈다. 기록에 따르면, 나체 상태인 새로운 피해자의 몸통에는 욕설과 이니셜이 새겨져 있었으며 문제의 이니셜은 타투 살인 사건 당시 피해자들의 몸에 새겨져 있었던 이니셜과 완전히 일치했다. 그때와 지금의 차이점은 단 하나. 피해자가 발견된 장소가 다르다는 사실이었다. 이번 사건의 피해자는, 신축 아파트 단지 안에 있는 지상의 인도에서 발견되었다.

진은 잠시 생각에 잠겼다. 대법원판결까지 나온, 약 2년 전의 사건. 그리고 갑작스럽게 나타난 모방범.

"…이번 사건도, 최성욱이 사주한 게 아닐까?"

진이 고심 끝에 입을 열었다. 물론 성욱과 관계없는, 단순한 모방 범죄일 가능성도 존재했다. 그러나 시기가 절묘했다. 그는 역대 최악의 적의와 맞닥뜨린 상태였다. 여기에 타투 살인 사건의 진범이 따로 있는 게 아니냐는 루머까지 더해졌으니, 진실이 어떻든 간에 사람들의 적의는 비탈길을 구르는 눈덩이처럼 커질 수밖에 없으리라.

"나에 대한 증오를 키우면서, 사람들을 공포에 질리게 할 생각인 거야."

진은 모방범의 행동이 일종의 테러로 작용한다고 판단했다. 타투 살인 사건을 연상케 하는, 새로운 피해자가 나타났다는 소식이 전파를 탔으니… 전 국민이 공포에 떠는 것은 시간문제였다.

진과 수현은 서둘러 사건 현장으로 갈 채비를 했다. 화이트보드를 두고 자리를 비워서는 안 된다고 판단한 수현은 차원 문을 열어, 화이트보드를 제집 서재로 들였다. 그리고 회의실에서 나오며 문을 단단히 잠갔다. 이렇게 만반의 준비를 마친 두 사람은 주차장으로 향하며 평소처럼 자동차로 이동할지, 차원 문을 열어 사건 현장으로 갈지 고민했다. 차원 문을 열어 이동하면, 시간과 체력을 아낄 수 있다는 장점이 있었으나 자칫하면 "외계인의 능력을 이용해 사건을 은폐, 조작하려고 한다."라는 악의가 가득한 오해를 사고도 남으리라.

결국, 진과 수현은 평소처럼 자동차를 타기로 했다. 그렇게 그들은 성욱을 저지하고, 진의 명예와 자존심을 지키기 위해 길을 나섰다.

그 순간 진의 스마트폰이 진동했다. 진에게 전화를 건 사람은 다름 아닌 인영이었다. 인영은 미애가 교통사고로 인해 목숨을 잃은 것으로 보인다는 비보를 전해왔다. 인영이 접한 바에 따르면, 미애의 차를 덮친 존재는 졸음운전을 한 것으로 추정되는 화물차 운전자였다. 거대한 화물차는 미애의 차를 철저하게 깔아뭉갰다. 이런 탓에 미애의 차에 탄 두 사람의 몸이 곤죽이 되었다. 하지만 피해자들의 옷차림과 그들의 소지품, 피해 차량의 번호판은 육안으로도 확인할 수 있는 상황이었다. 물론 피해자들의 신원을 좀 더 확실히 하려면, DNA를 분석하고 대조해 보아야겠지만 말이다.

여기까지만 전해 들었다면, 이 "재경로(路)의 비극"을 단순 교통사고 -물론 시기가 절묘하지만- 라고 말할 수 있었으리라. 그러나 진과 수현은 화물차 충돌 사고에 숨겨진 진실이 있다고 확신하였다. 성욱이 미애의 옷차림과 소지품을 확인한 직후에 "자식도, 아내도 없으니 이제 내게 남은 건 자랑스러운 조국뿐이다!"라고 울부짖었다는 언론 보도를 확인했기 때문이다. 하지만, 재경로의 비극을 수사하고 있는 수사팀은 두 형사와 의견이 달랐다. 그들은 피해자들의 죽음을 사고사로 보고 수사를 이어 나갈 생각이라고 밝혔다.

이런 상황에서, 두 형사는 숨겨진 진실을 직접 파헤칠 수 없었다. 성욱이 공익을 위해서라는 명분을 내세우며 진과 수현에 대한 정보를 폭로했기 때문이다. 이런 식으로 공익을 명분으로 무언가를 폭로할 경우, 폭로자가 언급한 수사관은 폭로자가 피해자이거나 그의 가족이 피해자인 사건·사고에 일절 관여할 수 없게 된다. 해당 사건·사고에 수사종결처분이 내려지지 않는 이상은 말이다. 따라서 진과 수현은 섣불리 나설 수 없었다. '재경로의 비극'에 수사종결처분이 내려지지 않는 한, 그들은 해당 사건과 관련된 증거나 기록 등을 열람할 수 없었다.

그렇다고 재경로의 비극을 수사하고 있는 수사팀을 찾아가서 다짜고짜 "재경로 사고는 단순 교통사고가 아니라 계획범죄가 분명합니다!"라고 말할 수도 없었다. 그들에게는 피해자들이 불운에 휘말린 게 아니라 살해당한 것이라는 주장을 입증할 증거가 전무했기 때문이다. 객관적인 증거도 없으면서 다른 수사팀의 의견이 잘못되었다고 주장하는 행위는, 해당 수사팀의 능력을 신뢰할 수 없다고 선언하며 모욕을 주는 것과 같았다. 그렇기에 최악에는 모욕당했다고 느낀 경찰들이 진과 수현을 사사건건 방해할 수도 있었다. 온 힘을 다해 성욱에게 맞서야 하는 상황에서, 또 다른 위험

요소를 만들 수는 없는 일이었다.

결국, 진과 수현은 예정대로 모방 범죄에 숨겨진 비밀을 파헤쳐서 성욱을 저지하기로 하였다. '재경로의 비극'을 들여다보는 일은, 시간이 흐른 뒤에나 할 수 있으리라. 그들은 그리 생각하며 사건 현장으로 향했다.

*

성욱은 병길을 만나기 위해 고급 일식당으로 향하는 길이었다. 그는 자신의 충성스러운 심복, 정명곤의 일 처리에 흡족해하던 차였다. 명곤을 통해 초대장을 보냈으니, 조만간 진과 수현은 움직일 수밖에 없으리라.

얼마 후, 성욱이 탄 차가 일식당의 주차 구역에서 멈춰 섰다. 그는 차에서 내린 뒤, 곧장 병길이 있는 VIP 룸으로 향했다. 두 사람의 만남은 화기애애했다.

"총장님. 인화 제약 연구원 살해사건의 수사는 어떻게 되고 있는지요?"

술잔을 기울이던 성욱이 운을 뗐다. 그러자 병길이 한숨을 깊게 내쉬었다.

"유감스럽게도… 진척이 전혀 없습니다. 메일을 보내고 두 연구원을 죽인 사람이 누구인지, 단서가 하나도 없더군요. 이거 참……."

병길의 곤혹스러움이 섞인 답에, 성욱은 속으로 뒤틀린 웃음을 지었다. 하지만 이를 알 리 없는 병길은 웃으며 화제를 돌렸다.

"대신, 다른 걸 찾았습니다. 회장님을 위한 거지요."

성욱이 호기심이 동한 표정으로 병길을 바라보았다. 그러자 병길이 가볍게 웃으며 서류철 하나를 식탁의 빈자리에 올려놓았다.
서류철은 학술서만큼 두껍고 무거웠다. 성욱은 이를 제 앞으로 가져온 뒤, 표지를 넘겨 내용을 살폈다. 그러자 수천 건의 해외 송금 내역이 그의 시선을 사로잡았다.

"유 진의 통장 거래 내역입니다. 대략 20년 동안, 1조 원을 해외로 송금했더군요. 이 정도면, 모아놓은 비자금이 꽤 될 겁니다."

병길이 의기양양한 어조로 설명하자, 성욱이 비웃음 가득한 어조로 대꾸했다.

"지금 유 형사 나이가 서른 초반인데… 십 대 초반부터 비자금을 모았다니. 영악하기 그지없군요."
"그러게나 말입니다."
"하여튼, 총장님의 도움을 또 받아버렸군요. 이거 어떻게 보답해야 할지…."
"보답이라니요. 누이 좋고 매부 좋은 일 아니겠습니까? 회장님은 라이벌을 제거하고, 우리 검찰은 경찰을 완전히 짓밟아 버리고." 병길이 음험한 웃음을 지었다.

"허허, 욕심도 많으십니다. 그래서, 언제 폭로하실 겁니까?" 성욱이 너털웃음을 터뜨리며 물었다.

"당연히 회장님이 위험해지면 풀어야지요."

성욱이 흐음, 하는 소리를 내며 테이블을 검지로 톡, 톡 두드렸다.

*

살인 사건이 발생한 아파트 단지로 가는 동안, 진과 수현은 라디오에서 흘러나오는 뉴스를 통해 지금 상황이 어떠한지 파악할 수 있었다.

진의 예상대로, 사람들은 머리끝까지 화가 난 상태였다. 대중은 인화 제약 연구원 살해사건의 범인이 유 진일지도 모른다는 뉘앙스의 보도를 접했었다. 여기에 진이 과거에 중대한 실수를 저지른 게 아니냐는 이야기가 얹어졌으니, 어찌 분개하지 않을 수 있겠는가.

하지만, 이러한 소식에도 진은 별다른 반응을 보이지 않았다. 그저 손을 뻗어 라디오의 채널을 돌릴 뿐이었다. 그러자 이번에는 수현과 관련된 이슈가 흘러나왔다. 과학자들은 물리학의 열쇠를 쥐고 있는 수현을 연구하고 싶다고 아우성쳤다. 그들은 수현을 연구함으로써 현대 물리학의 비약적인 발전을 이룩할 수 있으며, 앞으로 수백 년 동안의 노벨 물리학상은 대한민국 과학자들의 차지가 될 것이라고 주장했다.

과학자들의 입에서 나온 '연구'는 매우 점잖은 표현이었다. 연구라는 표현은, '실험 대상자의 동의를 받지 않고 기본적인 윤리조차 지키지 않는 불법적인 인체실험'이라는 말을 보기 좋게 포장한 것에 지나지 않았다.

생명과 우주의 원리를 탐구하는 사람들에게 수현은 매력적인 실험체였다. 수현은 그 어떠한 치명상을 입어도 굴하지 않는 불멸자였으므로, 그들은 인권이나 실험 윤리 같은 것들을 준수할 필요를 느끼지 못했다. 하지만 그들은 아주 중요한 사실을 간과하고 있었다. 예전이라면 모를까, 요즈음은 동물 실험조차 쉬이 허가하지 않는 세상이었다. 갑각류와 어류를 산 채로 요리하거나 수송할 수 없다는 법률도 제정되었다. 오로지 자신들의 고통에만 관심을 가지던 인간들은, 드디어 타자의 고통을 헤아리기 위해 노력하기 시작했다.

수현을 실험체로 삼자는 과학자들의 주장은, 이러한 논의를 거스르는 것이었다. 수현은 물리학의 열쇠를 쥔 외계인이기 이전에, 존엄성을 지닌 인간이었다.

진은 시곗바늘이 거꾸로 돌고 있는 것 같다는 느낌을 떨칠 수 없었다. '인간'의 범주에 모든 인간이 포함되지 않던 시절을 넘어서, 이제야 겨우 "모든 인간은 평등하다"라는 견해가 지지를 얻기 시작했다. 하지만 이러한 약속이나 합의에, 수현은 속하지 않았다. 사람들에게 수현은 존엄한 인간도, 고통을 느끼는 생명체도 아니었다.

진은 한 손으로는 운전대를 잡고, 나머지 한 손으로는 라디오를 끄며 생각에 잠겼다. 수현이 과학자들의 내면에 도사린 "윤리와 도덕에 얽매이지 않고 진리를 탐구하고 싶다!"라는 광기에 가까운 욕망을 깨운 것인가. 아니면 그저 타자를 배척하고자 하는 인간의 추악함이 송곳니를 드러낸 것뿐인가? 하지만 굳이 둘 중 하나를 고를 필요는 없었다. 진은 두 가지 모두 정답이라고 생각했다.

어느새 사건 현장 근처에 다다른 두 형사는 순찰 중인 경찰들을 마주했다. 이에 진과 수현은 순찰에 관하여 물었고, 입주민들과 입주 예정자들의 불안감을 해소하고자 이번 살인 사건이 해결될 때까지는 자신들이 속한 지구대의 경찰들이 이 신축 아파트 단지를 24시간 경비 및 순찰할 예정이라는 답변을 얻어냈다.

삼엄한 경비를 서던 경찰들을 뒤로하고, 두 사람은 사건 현장을 향해 나아가며 재빠르게 아파트 입구와 아파트 단지 안을 살폈다. 그러자 주변에 CCTV가 설치되어 있지 않다는 점과 지상에 주차된 차가 없다는 점이 한눈에 들어왔다. 이에 의문을 느낀 진과 수현은 해당 아파트의 경비원에게 이유를 물었다. 그러자 "입주가 시작된 지 얼마 안 된 상태여서, 아직 CCTV를 설치하지 않은 것으로 알고 있습니다. 입주민이 적으니, 인근 상가도 텅텅 빈 상태입니다."라는 답과 "소방차나 구급차, 배달할 물건을 실은 화물차와 오토바이만 지상에 정차할 수 있습니다. 입주민들의 차는 무조건 지하 주차장에만 주차해야 합니다. 물론, 아파트에 들어오는 모든 자동차는 기록이 남습니다."라는 답이 돌아왔다.

그들은 계속해서 문답을 이어 나갔다. 아직 궁금한 점을 완전히 해결하지 못한 두 형사의 질문은 아파트의 각 세대에 설치된 도어락을 겨냥했다. 그리고 경비원에게서 "도어락은 비밀번호를 입력하거나, 세대별로 지정된 전자 카드키를 태그해야지만 열 수 있습니다. 다만, 아직 카드키를 나누어주지는 않았습니다."라는 대답을 들었다.

이렇게 사건이 벌어진 현장의 기초적인 정보를 입수한 진과 수현은, 마침내 폴리스라인 앞에 다다랐다. 폴리스라인을 넘어간 그들은 보도블록이 깔린 길 위에 쓰러져있는 피해자를 향해 다가갔다. 그러고는 피해자의 몸을 덮고 있는 흰색 천을 걷어냈다.

피해자는 50대 여성으로 보였으며, 그의 주변에는 핸드백과 스마트폰 등의 물건이 나뒹굴고 있었다. 이 중 범행에 쓰였을 법한 물건은 없었다. 피해자가 착용한 귀걸이와 반지, 피해자의 것으로 보이는 핸드백 안의 현금 및 신용카드는 그대로였으나… 피해자가 입고 있었던 옷가지만 사라진 점을 고려한다면, 살인의 목적이 금품이 아니라는 것은 자명했다.

피해자의 핸드백 속에는 주민등록증도 있었다. 신분증에 써진 글자를 통해, 수현은 피해자의 이름이 "채주선"이며 그가 살인 사건이 벌어진 이 신축 아파트 단지에 거주 중인 52세 여성이라는 사실을 알아냈다.

피해자의 얼굴과 주민등록증의 사진을 대조해 신원을 밝혀냈으니, 다음은 사인을 밝힐 차례였다. 피해자의 곁에 쭈그려 앉은 수현은, 옆을 바라보기 위해서 돌아누운 사람처럼 누워있는 피해자를 찬찬히 뜯어보았다. 그러자 날카로운 도구로 새긴, 차마 입에 담을 수 없는 저급하고 폭력적인 문구가 시선을 잡아끌었다.

"어제 오후 11시에서 오늘 오전 1시 사이에 살해당한 것 같아요. 상처가 난 부위와 상처의 모양을 봐서는, 송곳처럼 뾰족한 흉기가 2번 경추(목뼈)와 3번 경추 사이를 파고든 것 같고요. 척수가 망가지면서, 뇌와 몸의 연결이 끊겼을 테니…… 거의 즉시 숨이 끊겼을 거예요."

관찰을 마친 수현이 진을 바라보며 운을 뗐다. 그러자 피해자의 몸 위에 새겨진 글자들을 뚫어지게 보던 진이 고개를 들어 수현을 바라보았다. 그렇게 수현의 말을 경청하던 그는, 수현이 말을 마치자 고개를 한 번 끄덕였다. 그러고는 쭈그리고 앉아 있던 수현과 함께 현장을 조사하며, 주변을 2인 1조로 순찰하던 수많은 경찰 중 한 쌍에게 "피해자의 집에, 누가 있는지 확인해 주시겠습니까?"라고 정중히 말을 건넸다. 만일 주선이 누군가와 같이 산다면, 같이 사는 그 사람이 아무것도 모르는 채로 집 안에 머무르고 있다면…… 어떻게든 현 상황을 알려야만 했다. 다만 진의 이러한 염려는, 주선의 집에 갔다 온 경찰들의 보고로 인해 조금이나마 누그러들었다. 두 명의 경찰은 초인종을 눌렀음에도 집 내부에서 그 어떠한 인기척도 느껴지지 않았으며, 굳건히 닫힌 철제문에서는 침입자의 흔적을 찾을 수 없었다고 보고했다. 이에 진과 수현은 주선이 이 집에 혼자 살거나, 같이 사는 사람이 자리를 비운 상태라고 생각하며 사건 현장을 계속해서 살펴나갔다.

이렇게 시간이 흘렀지만, 범행에 쓰인 것으로 추정되는 흉기는 끝내 찾아낼 수 없었다. 그러나 단서가 전무한 것은 아니었다. 범인의 것으로 추정되는, 평범한 걸음걸이가 만들어 낸 발자국을 손에 넣은 두 사람은 혹시나 하는 마음에 밤사이 아파트 단지를 드나든 자동차의 존재와 인근 도로의 CCTV를 확인하고자 했다. 그러나 상황은 그들이 희망하는 대로 흘러가지 않았다. 아파트를 드나든 차량을 기록하는 장치를 확인한 결과, 어제 오후 10시부터 살인 사건 신고가 들어오기 직전까지 아파트 단지를 드나든 자동차는 단 한 대도 없었다. 즉 마땅한 단서라고는 없는 셈이었다. 문제는 이뿐만이 아니었다. 사건 현장 인근은, 재개발로 인해 새로운 모습으로 탈바꿈하기 훨씬 전부터 인구 밀도가 낮은 지역이었다. 이런 탓에 CCTV 설치율이 낮았으며, CCTV가 설치되어 있다고 해도 띄엄띄엄 설치된 상태였기에 사각지대투성이였다. 그나마 단서라고 할만한 것은, 어젯밤 10시 50분 무렵 아파트 단지 인근 버스 정류장의 CCTV에서 찍힌 주선의 모습뿐이었다. CCTV 기록에는 정장 차림의 주선이 버스에서 내렸을 때부터 정류장에서 멀어질 때까지의 모습이 담겨있었다. 이를 근거로, 진과 수현은 범인이 늦은 밤에 귀가하던 피해자를 살해한 것이라고 추측했다.

범인의 흔적을 찾아내지 못한 두 형사는 다른 방식으로 사건을 해결할 생각을 품은 채로 이랑에게 연락했다. 그러고는 주선이 쓰러져있던 현장에서 발견된 스마트폰의 디지털 포렌식을 부탁하며 주선의 생전 행적을 조회해 줄 수 있겠느냐고 물었다. 그러자 이랑이 잠시 기다려 달라고 하더니, 주선의 스마트폰이 한 대학교 캠퍼스 안에서 아침부터 저녁까지 움직이다가 어젯밤 11시 2분에 신축 아파트 단지 안에서 완전히 멈추었다는 사실을 알려주었다. 이로써 진과 수현의 추측이 옳다는 점에 무게가 실렸다. 주선은 두 형사가 검찰 소환 조사와 청문회에 시달리던 어젯밤, 즉 월요일 밤에 살해당했다고 생각하는 게 타당했다.

이렇게 이랑과의 대화를 마친 그들은 이랑에게 스마트폰을 전달하기 위해, 범인이 신은 신발의 모델과 제조사를 알기 위해 그리고 피해자가 어떤 사람인지 좀 더 자세히 알기 위해 사건 현장을 떴다. 그러나, 기대와는 달리 발자국으로는 범인을 특정할 수 없는 상황이었다. 문제의 발자국을 만들어 낸 건, 작년에 이 나라에서만 500만 켤레 이상 판매되었던 신발이었다.

다음은 주선에 대한 정보를 얻을 차례였다. 그들이 살핀 기록에 따르면, 국립대학교에서 천문학을 가르치는 교수인 주선은 외동이면서 독신이었다. 그는 아버지를 오래전에 여의었으며 친모와 떨어져 혼자 살아온 1인 가구이기도 했다. 이에 진은 상황을 알리고 주선에 대한 상세한 정보를 얻기 위해 주선의 친모에게 연락했으나, 목적을 이루지 못했다. 아니, 애초에 그는 주선의 친모와 통화조차 하지 못했다. 주선의 친모가 중증 치매를 앓고 있었기 때문이다. 이런 연유로 진은 주선의 어머니가 아닌, 병원에 상주하며 주선의 친모를 돌보는 간병인과 아주 간단한 대화만을 주고받을 수밖에 없었다.

통화를 마친 진은 수현과 함께 바삐 움직였다. 그들은 2차 검안을 마친 뒤 수사에 필요한 각종 영장을 신청했고, 이랑에게 현장에서 발견된 스마트폰을 넘긴 다음 수사를 이어 나갔다. 상황이 상황인지라, 최악의 경우 이 도시에 거주하는 모든 사람을 조사해야 할지도 몰랐다. 두 형사는 그리 생각하며, 신축 아파트에 입주한 모든 주민과 시신을 최초로 발견한 경비원을 포함한 모든 경비원 그리고 SNS에 죽은 피해자가 찍힌 사진을 게시한 기자를 조사한 끝에 이들에게서 수상한 점이나 혐의점을 찾을 수 없다는 결론에 다다랐다. 즉 사건을 해결하는 데 도움이 될 만한 단서는, 단 하나도 건지지 못했다.

조사 끝에 용의자들을 용의선상에서 제외한 그들은, 신축 아파트의 주민이기도 한 기자에게 엄중히 항의하고 죽은 피해자의 사진을 삭제해달라고 요청하였다. 그러고는 수사 대상자에 신축 아파트의 입주 예정자와 인근에 사는 사람들을 포함하기로 하며, 주선이 몸담았던 국립대학교로 향했다. 하지만 용의자를 찾아내지는 못했다. 주선의 동료 교수와 주선의 연구실에서 일하는 대학원생들 그리고 주선이 가르치는 학부생들은 모두 알리바이가 있었으며, 범행을 저지를 만한 동기 역시 존재하지 않았다. 그나마 눈여겨볼 점은, 그들이 모두 입을 모아 주선을 칭찬했다는 사실이었다. 그들의 증언에 따르면, 주선은 타의 모범이 되는 존경할 만한 교수였다.

 결국, 진과 수현은 주선의 집을 살펴보기로 하였다. 워낙 단서가 부족했기 때문이다. 물론 살인범이 금품을 빼앗기 위해서 주선을 해친 것이 아니기에, 피해자의 집에서 범인과 관련된 직접적인 단서를 발견할 수는 없으리라. 금품에 관심이 없는 범인이 주선의 집에 침입할 리 없는 데다가, 애초에 주선의 집 철제문에서는 누군가가 침입한 흔적을 찾아볼 수 없었으니 말이다. 하지만 주선에 대해 좀 더 자세히 알게 되면, 살인범의 정체를 특정할 수 있을지도 모른다. 그들은 그리 생각하며, 주선의 집에 출입하기 위한 영장을 추가로 신청했다. 출입을 허락해 줄 집주인인 주선은 고인이 돼버렸고, 그의 친모는 중증 치매를 앓고 있어서 수사에 협조할 수 없었기 때문이다.

 얼마 뒤, 때마침 각종 영장이 발부되었다는 연락이 날아들었다. 이에 진과 수현은 먼저 부검을 마치기로 하며 국과수로 향했다. 주선의 집을 살피기 위한 영장은, 시간이 더 지나야 발부되리라.

 시간이 흐르고, 진과 수현은 부검대 앞에 섰다. 수현이 부검을 통해 밝혀낸 주선의 사망 추정 시각은 월요일 오후 11시에서 화요일 오전 1시였으며, 주선의 죽음은 송곳으로 추정되는 흉기가 2번 경추와 3번 경추 사이를 파고들어 척수를 끊어놓은 탓에 벌어진 일이었다. 사망 추정 시각과 사인 모두, 수현이 시신 유기 현장에서 판단했던 것과 크게 다르지 않았다.

부검이 끝난 직후, 두 사람은 주선의 몸과 주선의 곁에 있었던 물건들에서 타인의 DNA와 지문이 검출되지 않았다는 정밀 감식 결과를 손에 넣을 수 있었다. 또한 살인 사건 현장에서 발견된 스마트폰, 그러니까 주선의 스마트폰에서 수상한 흔적이나 통화 기록 등을 발견하지 못했다는 이랑의 소견도 얻을 수 있었다. 여전히 이렇다 할 단서가 없는 셈이었다. 결국 진과 수현은 탐문을 통해 더 많은 정보와 단서를 수집하기로 했다. 때마침 주선의 집에 들어가기 위한 영장이 발부되었다는 연락이 날아들기는 했으나, 지금 당장 주선의 집을 찾을 수는 없었다. 주선의 집을 살피기 위해 발부받은 압수수색 영장에는 일몰부터 일출 전까지의 야간 수색을 허용한다는 문구가 존재하지 않았기에 때문이다. 이로 인해, 주선의 집을 살피는 일은 자연스레 일출 이후의 시간대로 미뤄졌다.

진의 스마트폰이 또다시 드르륵거리는 소리를 낸 시점은, 바로 그 순간이었다. 진에게 전화를 건 사람은 연희였다. 수현의 정체가 폭로된 직후, HBS의 보도국장은 집에서 휴식을 취하던 연희에게 수현을 다룬 특종을 써내라고 압박했다. 이에 연희는 지금까지 숨겨왔던 사실을 실토할 수밖에 없었고, 진실을 알게 된 보도국장의 폭언을 견뎌야 했다. 하지만 끝까지 굴복하지 않은 그는, 건강을 회복하자마자 취재에 나섰다. 그렇게 시간이 흘렀고, 오늘이 되었다. 오늘도 정신없는 일상을 보낸 연희는 HBS에 복귀했고, 방금 도착한 택배 때문에 소란스러워진 공기를 감지했다. 밤늦게 도착한 택배 상자는 입사한 지 얼마 되지 않은 기자에 의해 해체된 상태였으며, 연희는 이렇게 해체된 상자 속에 들어있는 속옷과 정장 재킷 및 바지 그리고 흰색의 와이셔츠와 중간 높이의 굽이 달린, 코가 뾰족한 구두 한 켤레를 볼 수 있었다. 상자 안에 든 모든 옷가지는 칼이나 가위 같은 도구에 의해 잘린 것 같았다.

'……이상한데.'

 연희가 눈을 빠르게 깜빡이며 생각에 잠겼다. 그는 오늘 오전에 접했던, "[긴급 속보] 타투 살인 사건의 재림?"이라는 헤드라인과 오늘 오후에 보았던 "타투 살인 사건의 진범은 아직 잡히지 않았다 : 이번 희생자는 모 국립대학교의 채 모 교수로 밝혀져……."라는 인터넷 신문 기사의 제목을 떠올렸다. 오늘 아침에 발견된 나체 상태의 시신과 밤늦게 언론사의 보도국에 도착한 옷가지. 우연이라고 치부하기에는 무언가 꺼림직하다고 생각한 연희는, 스마트폰을 꺼내 진에게 전화를 걸었다. 그리고 전화기 너머의 진을 향해 말했다.

"보도국에 옷가지가 배달됐어. 택배 상자 안에는 여성용 속옷도 있었고. 모두 가위나 칼 같은 도구에 의해 잘린 상태야. 아무리 생각해 봐도…… 타투 살인 사건을 연상케 하는 피해자가 입었던 옷 같은데. 네 생각은 어때?"

 스피커에서 흘러나온 연희의 말이 끝나자마자, 진은 수현과 함께 HBS로 향했다. 그렇게 그들이 보도국 건물에 발을 들이는 것과 동시에, 수현을 목격한 대부분이 극도의 불안감과 경계를 표출했다. 하지만 수현에 대한 호기심이나 호의를 느끼는 극소수의 사람도 있었다. 두 형사는 이들을 지나쳐, 문제의 택배 상자 앞에서 멈춰 섰다. 상자의 겉면에는 편의점을 통해 접수된 택배임을 뜻하는 송장이 붙어있었으며, 상자 안에 들어있는 옷가지는 버스 정류장 CCTV에 찍힌 주선이 입은 옷과 완벽히 일치했다! 게다가 택배 상자 안의 옷가지와 코가 뾰족한 구두는 주선이 입고 신기에 크지도 작지도 않은 적당한 사이즈였다. 이에 진과 수현은 살인범이 희생자를 모욕하고 담당 형사인 자신들을 조롱하기 위해 택배를 보냈을 가능성을 점치며 증거품을 조심스레 챙겼다. 그러고는 맨손으로 택배 상자를 개봉하고 옷을 만진 기자의 DNA를 검출하기 위한 시료를 채취한 다음, 기자의 알리바이를 확인했다. 주선의 옷에서 기자의 DNA가 검출될 수밖에 없는 상황이었기에 반드시 해야만 하는 일이었다. 이렇게 기자가 결백하다는 사실을 알아낸 두 형사는, 택배 상자를 개봉한 기자를 비롯한 HBS의 기자들과 보도국장에게 택배 상자에 관련된 기사의 보도 유예를 요청했다.

"기자님. 다친 곳은 괜찮아요? 더 안 쉬어도 되고요?"

보도국을 떠나기 전, 수현이 연희를 걱정하는 말을 꺼냈다. 그러자 수현의 곁에 있던 진이 걱정 한마디를 얹었다.

"그래. 윤수현 말대로, 좀 더 쉬는 게 낫지 않아?"
"뭐, 그럭저럭 괜찮아요. 그리고……." 수현의 질문에 답한 연희가 진을 바라보며 말을 이었다. "그렇게 따지면, 너도 쉬어야 해. 조사받느라 쉬지도 못했잖아?"

연희의 말대로, 남 걱정할 처지가 아니었던 진은 "그건… 그렇네."라고 말하며 옅은 한숨을 내쉬었다.

"둘 다 걱정 붙들어 매요."

　연회가 아무렇지 않다는 듯 히죽 웃었다. 그러자 진과 수현은 말 없이 서로를 바라보며 눈빛을 주고받았다. 평소와 다름없는 모습을 보니, 정말 괜찮은 모양이다. 그들은 그리 생각하고는 연회에게 작별 인사를 건넸다. 그런 다음 상자와 옷가지의 정밀 감식을 위해, 국과수로 향했다. 이렇게 HBS에서 멀어지는 두 사람을 보며, 한 사람이 탐욕스레 눈을 빛냈다.

　탐욕으로 들끓는 눈빛의 주인은, 문제의 택배 상자를 최초로 열어 본 기자였다. 그는 택배 상자 안에, 옷가지뿐만이 아니라 정체불명의 USB도 들어있었다는 사실을 아는 유일한 사람이었다. 절호의 기회를 놓칠 생각이 없었던 그는, 작고 가벼운 USB를 아무도 모르게 숨겼다. 그러고 나서 아무렇지 않은 척 야근을 마친 뒤, 그대로 귀가해 USB 속에 담긴 자료를 열람했다. 자료의 정체는, 기성 종교를 이끄는 지도자들의 부정부패와 성폭력을 고발하는 녹취파일이었다. 이에 기자는 주먹으로 책상을 내려치며 쾌재를 불렀다. 학생일 때부터 꿈꾸던 '특종을 쓰는 기자'와 '언론상을 받은 기자'라는 미래가 성큼 다가왔다고 확신했기 때문이다. 주체할 수 없는 열정을 동력 삼아, 그는 치밀한 계획을 세우기 시작했다. 혹시나 제가 손댔던 택배 상자 안에 USB가 들어있던 게 아니냐는 의혹을 살지도 모르는 일이었으므로, USB를 익명의 제보자에게 직접 건네받은 것처럼 꾸며야 할 필요가 있었다.

　한편, 택배 상자 안에 USB가 있었다는 사실을 알 수 없었던 진과 수현은 국과수에 상자를 넘겼다. 그리고 상자 겉면의 송장에 기재된 정보를 이용해, 주선이 살해당한 시점으로부터 몇 시간 뒤인 화요일 새벽에 택배를 부친 사람을 찾아내려고 애썼다. 하지만 발송인의 신원을 밝혀낼 만한 단서를 찾아낼 수는 없었다. 송장에 인쇄된 발송인의 이름과 주소는 모두 거짓이었고, 편의점을 찾은 발송인은 후드집업의 모자를 푹 눌러쓰고 마스크를 착용한 상태라 계산원도 CCTV도 얼굴을 제대로 보지 못했다. 또한 그가 장갑을 착용하고 있던 탓에, 발송인과 수신인의 정보를 발송인이 직접 입력해야 하는 택배 접수 기계에서 지문을 채취할 수도 없었다. 그렇다고 해서 걸음걸이나 카드 결제 기록을 통해 용의자의 정체를 밝혀낼 수도 없었다. 유력한 용의자의 걸음걸이에서는 신원을 식별할 만한 독특함이 없었고, 그가 택배비를 카드가 아닌 현금으로 결제했기에 신원을 파악할 만한 기록 자체가 남지 않았다. 만반의 준비를 마친 이 발송인은, 편의점에 들어오고 나서부터 결제를 마치고 자리를 뜰 때까지 단 한마디도 하지 않았다. 이런 탓에, 편의점을 찾은 진과 수현을 응대한 계산원은 문제의 택배를 발송한 고객을 직접 응대했음에도 불구하고 "발송인의 키는 170cm 중후반이며, 보통 체격"이라는 사실만을 증언할 수 있었다. 결국, 별 소득을 올리지 못한 진과 수현은 날이 밝은 다음 수사를 이어가기로 했다.

*

날이 밝은 전담팀에서, 진과 수현은 국과수가 내놓은 정밀 감식 결과지를 읽고 있었다. 역시나 상자 안에 들어있던 옷가지와 신발은 채주선의 것이었다. 너무나 명쾌한 결과였기에 문제 될 일은 없었으나, 주선의 옷이 담겨있던 택배 상자는 문제가 되었다. 상자는 새것에 가까운 외관에 비해 많은 사람의 손을 거친 모양이었다. 그렇지 않다면, 상자에서 이렇게나 많은 사람의 DNA가 검출됐을 리 없었다. 지금 상황에서 그나마 확실한 것은, 상자와 옷에서 검출된 DNA 중 하나는 상자를 개봉하고 옷을 만진 기자이며 그가 결백하다는 사실뿐이었다. 이에 두 형사는 새로운 단서를 찾고자 주선의 집으로 향했다.

같은 시각, 기사의 초안을 작성하고 있던 연희는 들고 있던 볼펜을 휘휘 돌리며 생각에 잠겼다. 지금 제가 작성 중인 기사는, 소위 '돈과 명예에는 아무런 도움이 되지 않는 기사' 중 하나였다. 그렇기에 처음에는 취재를 망설였다. 하지만 금세 마음을 다잡은 그는, 소외계층의 삶을 다루고 가진 자의 부정부패를 폭로하는 기사를 써 내려가기 시작했다.

'나는 유 진처럼 용감하지도, 수현 씨처럼 착하지도 않아. 남을 위해 온몸을 던지고 싶지도 않고. 하지만…… 손을 내밀어 주는 것 정도는 할 수 있어.'

결심을 굳힌 연희는 망설이지 않았다. 그의 손가락은 토독토독, 경쾌한 소리를 내며 키보드 위를 누볐다. 그는 그렇게 시간의 흐름에 몸을 맡겼다.

시간은 연희를 태우고, 물처럼 빠르게 흘러갔다. 노트북 화면 속의 문장이 마음에 들지 않을 때는 요동쳤고, 반대로 거침없이 문장을 써 내려갈 때는 온화했다.

"선배님?"

그때, 익숙한 목소리가 연희를 건져냈다.

"응?"

연희가 뒤를 돌아보며 물었다. 그러자 한 기자가 USB를 내밀며 말했다. 그는 택배 상자를 뜯어보고, 상자 안에 있던 USB를 숨긴 바로 그 기자였다.

"제보자한테 받았어요. 목사와 신부들의 횡령과 성폭력을 기록한 음성 파일이 들어있다고 하던데요."
"그래? 그럼 이번 아이템은 정해진 거네."
"네. 오늘 저녁 뉴스에 내보낼 수 있게, 열심히 할 생각이에요."

기자가 USB를 꽉 쥐며 결의에 찬 표정을 지어 보였다. 이에 연희는 힘내라는 말을 건네며 하던 일에 열중했다. 제 뒤에서, 후배 기자가 아무도 모르게 비웃음을 짓는 사실도 모른 채.
기자가 선배인 연희를 비웃는 이유는 아주 간단했다. 연희가 수현에 대한 정보를 쥐고 있었다는 사실은, 보도국장의 입을 타고 회사에 퍼진 지 오래였다. 그렇기에 기자는 연희를 하잘것없다고 생각했다. 특종을 갈구하는 주제에, 사이코패스 외계인에 대한 정보를 국정원에 얌전히 되돌려주는 기자가 세상에 어디 있다는 말인가?

'하연희 선배. 선배는 평생 구질구질하게 살아야 할 거예요.'

 기자가 연희의 시선을 피하며 비웃음을 흘렸다. 선을 넘지 못하는
자는, 이 업계에서 살아남을 수 없다. 그는 그렇게 생각했다.
 한편, 주선의 집에 도착한 진과 수현은 집 안을 꼼꼼히 살피며
정보를 찾아 나섰다. 그러던 중, 진이 찬장 안에서 정체불명의 플
라스틱 무더기를 찾아냈다. 플라스틱은 두께와 크기가 신용카드와
유사했으며, 상아색 빛이 감도는 흰색이었다.

"이것 좀 봐."

 진이 저를 부르자, 수현이 진의 곁으로 다가왔다. 그리고 찬장 안
에 있는 플라스틱 탑을 끄집어낸 진의 곁에 섰다.

"주민등록증이야."

 신분증 표면에 인쇄된 사진과 주민등록번호 그리고 거주지 주소
를 본 진이 중얼거리듯 말하며, 신분증들을 테이블 위에 늘어놓았
다.

"모두 나이가 제각각이네요." 신분증에 인쇄된 생년월일을 확
인한 수현이 말했다.

 그들은 신분증들을 헤아리기 시작했다. 문제의 신분증은 정확히
20장이었다. 심히 수상쩍었다. 대학교수의 집에서, 이리도 많은 사

람의 신분증이 어찌 나올 수 있겠는가? 이에 수현은 곧바로 이랑에게 전화를 걸었다. 주선이 또 다른 범죄의 연결고리라고 판단한 까닭이었다.

"서 순경님. 신원 조회 좀 부탁드려도 될까요?" 수현이 스피커 너머의 이랑을 향해 말했다.
"그 정도는 일도 아니죠."

이랑이 흔쾌히 부탁을 수락했다. 그러자 수현이 "고마워요."라고 말하고는, 신분증들을 5장씩 묶어서 4줄이 되도록 나열했다. 그런 다음 모든 신분증의 앞면을 촬영한 사진을, 이랑의 업무 메일로 보냈다. 이랑은 수현이 보낸 메일을 받자마자 첨부파일을 내려받아, 신원 조회 프로그램에 등록했다. 그러자 프로그램은 사진 속 텍스트를 순식간에 인식하였고, 이내 결과를 내놓았다. 이를 본 이랑은 조회 결과를 전화기 너머에 있는 수현에게 알려주었다. 그의 입에서는 "실종자예요."와 "가출 신고가 되어있어요."라는 말만이 반복적으로 흘러나왔다. 이랑의 목소리는 수현의 곁에 있는 진도 들을 수 있었다. 수현이 이랑에게 양해를 구한 다음, 진이 이랑의 목소리를 들을 수 있도록 조치했기 때문이다.

"채주선이, 사람들의 실종과 가출에 깊이 관여한 거야."

이랑이 조회 결과를 답하는 과정이 완전히 끝나자, 곁에서 묵묵히 있던 진이 확신에 찬 목소리를 입 밖에 냈다. 수현 역시, 진과 같은 생각이었다. 이렇게 서로의 생각을 확인한 두 사람과 이랑의 통화가 끝이 났고, 진과 수현은 곧바로 주선의 방으로 향했다. 둘은 그 어떠한 대화도 나누지 않았지만, 무엇을 해야 할지 알고 있었다. 이들은 한 치의 망설임 없이 주선의 방을 수색하기 시작했고, 책장 위에서 스마트폰이 출시되기 한참 전에 나온 구형 휴대전화기를 발견했다. 이에 두 형사는 구형 휴대전화기가 주선의 실제 동선을 숨겨주었을 가능성을 생각하며, 꺼져있던 전화기의 전원을 켰다. 그러나 비밀번호가 설정되어 있기에, 대포폰으로 추정되는 휴대전화기 안에 무엇이 있는지는 알 수 없었다.

결국, 휴대전화기에서 시선을 거둔 진과 수현은 바로 옆에 있던 데스크톱을 먼저 살필 수밖에 없었다. 구형 휴대전화기와는 다르게 데스크톱에는 비밀번호가 걸려있지 않은 터라, 두 형사는 별다른 과정 없이 자료를 들여다볼 수 있었다. 진은 바탕화면의 "신도 관리"라는 이름의 수상한 폴더를 더블클릭했다. 그러자 "봉헌금 회수 내역"이라는 제목을 달고 있는 문서와 "신도 명단"이라는 제목의 문서가 나타났다. 두 문서에 공통으로 언급된 이름들은 전형적인 한국인의 이름과는 거리가 먼, 기독교에서 사용하는 세례명이었다.

"존경할 만한 교수라더니… 실체는 타인의 노동력을 착취하는, 사이비 이단 종교인이었군."

진이 차가운 목소리로 읊조렸다. "봉헌금 회수 내역"이라는 문서 속, 매달 신도들에게서 받아낸 돈을 기록한 부분을 훑던 그의 시선은 "이번 달에 목사님께 보낼 봉헌금 총액"이라는 항목에 머물러 있었다.

"피해자들은 모두 가출했거나 실종됐으니, 교인들끼리 모여 집단 생활을 하는 중일 테고…… 자기 명의의 카드와 스마트폰은 일절 사용하지 않았겠네요. 채주선은 이들을 관리하는 관리자고요."

문서 속 문자들과 숫자들을 보던 수현이 입을 열었다. 그러자 진이 차가운 분노가 들끓는 눈빛을 한 채로 천천히 고개를 끄덕였다.

"……교주와 간부, 교인들 모두 대포폰으로 소통할 거야. 경찰의 눈을 피해야 하니까, 채주선처럼 추적이 어려운 구형 모델을 사용하고 있겠지." 말을 마친 진이 눈살을 찌푸리며 생각에 잠기더니, 금세 입을 열었다. "그런데…… 왜 교주를 죽이지 않고, 간부인 채주선을 죽인 거지?"

지금 시점에서, 주선을 살해할 만한 범행 동기를 지닌 사람은 정체불명의 사이비 이단 종교에 가족을 빼앗긴 사람뿐이었다. 그렇기에 진은 범인이 사이비 이단 종교에 대한 증오 때문에 주선을 죽였다고 가정했고, 나아가 해당 가설 때문에 발생한 의문점을 입 밖으로 끄집어냈다. 저와 수현은 주선의 집을 수색하기 전까지, 주선과 사이비 이단 종교의 연관성을 알아채지 못했다. 이는 정체불명의 사이비 이단 종교가 매우 폐쇄적이고 정체를 숨기는데 능하며, 최악의 경우 공권력과 유착했을 가능성을 시사했다. 이런 상황에서, 성욱과 손잡은 것으로 추정되는 살인자가 사이비 이단 종교에 대한 증오 때문에 살인을 저질렀다고 가정한다면…… "범인은 주선이 사이비 이단 종교의 간부라는 사실을 알고 있다."라는 명제와

"가족을 빼앗긴 살인범에게 접근한 최성욱이, 사라진 가족의 행방을 귀띔해 주었다."라는 명제는 자연스레 참이 된다. 그리고 이 명제로 인해 두 가지의 의문점이 생긴다. "살인자는 주선이 모시는 '교주(목사)'가 존재한다는 사실을 몰랐는가?"와 "교주가 누구인지 알고 있었는데도 '모종의 이유' 때문에 교주가 아닌 간부를 살해했는가?"라는 의문점이.

"어쩌면, 살인범은 교주의 신격화를 우려했던 게 아닐까요?" 진이 어떠한 생각을 했고 왜 의문을 표했는지 알아차린 수현이, 오른손을 입가로 가져가며 조심스레 운을 뗐다.

"그럴 수도 있지. '살해당한 종교 지도자'만큼, 신격화하기 좋은 게 없으니까. 비탄에 빠진 교인들의 단결은 덤이고. 아니면 또 다른 이유로, 교주가 아닌 간부를 죽인 거겠지."

진이 깊은 한숨을 내쉬더니, 이내 말을 이었다.

"최성욱은 민주주의로 민주주의를 파괴하려는 인간이야. 그래서 우리에게 '공공의 적'이라는 낙인을 찍고, 혼란과 혼돈을 불러오기 위해서 타투 살인 사건을 모방한 범죄를 사주한 거겠지. 나를 깎아내리는 것과 동시에, 사이비 이단 종교 간부의 피살 소식을 세상에 알려서…… 종교에 가족을 빼앗긴 사람들의 복수심과 살의를 자극하려고."

주선이 사이비 종교의 간부라는 사실이 전파를 탄다면, 또 다른 피해자들이 가만히 있을 리 만무했다. 주선의 죽음은 그들에게 용기를 불어넣을 것이고, 이는 결국 '복수를 위한 살인'을 부를 가능성이 컸다. 이 때문에 진은 이번 사건을 '최성욱과 채주선에게 원한을 품은 살인범 사이의 거래이면서, 또 다른 살인과 폭력을 촉발하기 위한 기폭제이자, 자신의 명예를 짓밟기 위한 함정'이라고 여길 수밖에 없었다.

진은 착잡함에 쓴웃음을 흘렸다. 어떤 이유든, 살인은 옳지 않다. 그러나 범죄자를 벌하지 못하고 피해자를 구제하지 못하는…… 종이호랑이로 전락한 법과 시스템이 있는 한, 이런 일은 영원히 반복되리라.

"윽."

그때, 머리를 쪼갤 것만 같은 두통을 느낀 진이 눈을 찌푸리며 고통을 호소했다. 그러자 수현이 진을 향해 팔을 뻗으며 걱정스러운 어조로 진을 불렀다.

"경위님!"

물론, 수현의 두 손은 진의 신체에 절대 닿지 않았다. 그는 그저, 제 곁에 있는 사람이 정신을 잃고 쓰러질 때를 대비하려고 했던 것뿐이었다. 그래서 그는 금세 평소의 모습을 되찾은 진을 확인하며 손을 거둬들였다.

"괜찮아."

진은 두통이 완전히 가셨다는 사실을 느끼며 호흡을 가다듬었다. 그런 다음 수현과 함께 데스크톱을 수색해 나갔고, 얼마 지나지 않아 "신위동 교회"라는 폴더에서 사이비 이단 종교의 간부들에 관한 상세한 기록 -물론 간부들의 가족에 대한 정보는 없었다- 과 신도들의 집단생활이 이루어지는 아지트에 관한 기록을 포함한 각종 자료를 찾아냈다. 이렇게 찾아낸 자료들을 종합한 끝에, 두 형사는 진실을 향해 성큼 다가갈 수 있었다.

 주선이 간부로 있는 종교 단체의 이름은 "신위(神威)동 교회"였다. 올해로 10년 정도 된 이 교회는 표면적으로는 '기성 교회'였으나, 본모습은 심적으로 불안한 신도들을 세뇌해 노동력을 착취하는 '사이비 이단 종교'였다. 이런 추악한 본모습을 숨기기 위해, 교주와 간부들은 부단히 노력했다. 덕분인지, 신위동 교회가 사이비 이단 종교 단체라는 사실은 지금까지 세상에 알려지지 않았다. 자료에 따르면 세뇌당한 신도들은 170여 명이며, 이들은 염전이나 값비싼 작물의 재배지에서 무급으로 장시간 일하거나 신원이 보장되지 않은 사람도 얼마든지 일할 수 있는 직종에 종사했다. 특히 후자의 경우는 월급이나 주급 혹은 일급을 무조건 현금으로 받았으며, 수중에 돈이 생기기가 무섭게 간부들에게 바친 것으로 보였다. 주선을 포함한 간부들은 모두 이런 식으로 자신이 관리하는 신도들의 노동력을 착취해 왔으며, 착취한 '봉헌금'의 액수에 따라 서열이 정해졌다. 물론 서열이 높을수록 더 많은 성과급을 받고 더 많은 경호 인력을 부릴 수 있었으며, 가장 실적이 좋은 세 사람에게는 교주인 "천의표" 목사가 제공한 저택에서 살 자격이 주어졌다. 하지만, 자료에 따르면 주선은 실적이 가장 낮은 간부였기에 앞서 언급한 '각종 혜택'을 전혀 누리지 못하는 상황이었다. 즉 간부라는 사실만 제외한다면, 노동력을 착취당하는 평신도와 다를 바 없었다.

"교주나 서열이 높은 간부들을 건드릴 자신이 없어서, 가장 약한 간부인 채주선을 노린 거였군."

자료를 모두 읽은 진이 중얼거리듯이 말했다. 그러자 수현이 들어올린 오른손으로 입을 가리며 생각에 잠기더니, 이내 운을 뗐다.

"나도 그렇게 생각해요. 다만⋯ 채주선은, 입원 중인 어머니 대신 죽은 걸지도 몰라요." 수현이 저를 바라보는 진의 시선을 똑바로 바라보며 말을 이었다. "내가 범인이라면, 간부의 가족을 죽이는 걸 진지하게 고려했을 거예요. 내가 겪은 지옥 같은 고통을, 누군가에게 가족을 빼앗긴 고통을⋯ 그자도 똑같이 느껴야만 하니까. 그래야 공평하잖아요?"

수현의 말에, 진이 눈살을 찌푸리며 수현의 추리를 뒤쫓았다. 그렇게 찰나의 시간이 흘렀고, 그는 마침내 수현의 생각을 따라잡았다.

"나를 깎아내리면서, 사이비 이단 종교에 가족을 빼앗긴 사람들의 복수심을 자극하기 위해서는⋯⋯ 타투 살인 사건을 반드시 재현해야 해. 하지만 가장 약한 간부의 유일한 가족을 이용해 타투 살인 사건을 재현하는 건 불가능에 가까운 일이야. 그래서 차선책으로 채주선을 택한 거지. 병원에 입원한 환자보다, CCTV 설치율이 낮은 지역의 신축 아파트 단지에 사는 채주선이 더 매력적인 사냥감일 테니까. 마침, 같은 아파트 주민 중에 가짜뉴스를 퍼트리는 게업인 기자가 있기도 했으니."

진이 눈을 빛내며 말하자, 수현이 고개를 천천히 한 번 끄덕였다. 이를 본 진이 짧게 앓는 소리를 내며 다시 말문을 열었다.

"네 추리대로라면, 지금 범인은 몸을 숨긴 채 또 다른 간부의 가족을 죽일 기회를 노리고 있다는 건데. 하지만… 일부 언론이 피해자에 대한 자세한 정보를 보도해 버린 상황에서, 살인을 저지르는 건 쉽지 않을 거야. 채주선의 죽음을 접한 간부들이, 자신과 가족의 안전을 위해 무엇이든 하려고 할 테니까. 그래…… 가족과 함께 잠적하거나, 이 나라를 뜨려고 하겠지."

진의 말에, 수현은 잠시 생각에 잠겼다. 그러다가 중요한 무언가를 떠올렸는지 오른손의 중지와 엄지를 마찰시켜 딱! 소리를 내며 말했다.

"혹시, 범인은 간부와 의절한 가족을 죽이려는 게 아닐까요? 신위동 교회의 악행을 알아차리고, 의절을 선언한 가족 말이에요!"

수현의 말에, 진의 얼굴이 창백해졌다. 그는 수현이 무얼 떠올렸는지 곧바로 알아차렸다.

"신위동 교회의 악행을, 세상에 알리지 않았다는 이유로?"

"네. 불의를 봤는데도 침묵하는 건, 불의에 동조하는 거니까요. 의절했다고 그 죄가 사라지는 건 아니잖아요? 뭔가…… 피치 못할 사정이 있는 게 아닌 이상은요." 수현이 말을 이어 나갔다. "의절한 가족을 죽여봤자, 간부한테 별 타격이 가지는 않겠지만…. 범인한테 그런 건 아무래도 상관없지 않을까요."

"그래. 간부한테 타격이 가든 말든, 범인한테 중요한 건 자기만족이겠지. 드디어 복수를 끝냈다는 생각에서 오는 해방감과 통쾌함, 그거면 충분할 거야."

두 사람의 움직임이 급박해졌다. 진과 함께, 수현은 구형 휴대전화기와 데스크톱을 챙겼다. 그리고 망설임 없이 차원 문을 열었다. 누군가의 목숨이 위험할 수도 있는 상황에서, 이것저것 따질 여유는 없었으므로. 설혹 수현이 지닌 기이한 능력으로 사건을 조작하려 한 게 아니냐는 오해를 받더라도, 사람을 살리는 게 더 중요했다. 그들은 그리 생각하며 차원 문 안으로 뛰어들었고, 특수사건전담팀에 도착했다.

차원 문이 닫히기가 무섭게, 진은 신위동 교회에 관해 상부에 이야기하고 오겠다며 잠시 자리를 비웠다. 신위동 교회의 간부들이 잠적하거나 해외로 뜨기 전에 검거해야 한다고 판단했기 때문이다. 한편 회의실에 남겨진 수현은, 데스크톱에서 입수한 자료를 십분 활용해 간부들의 가족에 대해 알아보았다. 그리고 얼마 뒤에 빠르게 보고를 마치고 돌아온 진과 힘을 합쳐, 마침내 살인범이 노릴만한 사람을 찾아내는 데 성공했다. 그들이 지목한 사람은 바로, 천의표 목사의 친딸 "천세리"였다. 그의 신상 정보는 친부모를 포함한 혈족이 열람할 수 없는 "열람 금지" 신청이 되어있는 상태였다. 행정 기록에 따르면, 현재 24세인 그는 치안이 좋지 않아 자연스레 집값과 땅값이 저렴해진 지역의 고시원에 살고 있었다. 이에 불길함을 느낀 진과 수현은 곧바로 세리의 상태를 확인해 보고자 했으나, 실패하고 말았다. 휴대전화기가 없는 세리와 연락할 수 있는 유일한 수단인 세리의 집 전화기는 그저 "고객이 전화를 받지 않아……."라는 말만 되풀이할 뿐이었다.

결국, 진과 함께 세리의 거주지를 확인해 보기로 한 수현은 세리가 사는 고시원으로 통하는 차원 문을 열었다. 이렇게 순식간에 고시원 앞에 도착한 두 형사는, 고시원 주인의 협조를 받아 세리의 방 안에 발을 들일 수 있었다. 고시원 방은 성인 두 명이 마음 놓고 움직이기 힘들었다. 하지만 두 형사는 아랑곳하지 않고 책상 위에 놓인 탁상용 주간계획표와 낡은 노트북 한 대를 살피기 시작했다. 노트북에는 비밀번호가 걸려있었던 탓에, 지금 이 자리에서 쓸만한 정보는 얻을 수 없었다. 그러나 탁상용 주간계획표는 많은 정보를 담고 있었다.

세리의 주간계획표에는 오늘 날짜에 해당하는 칸에 손으로 직접 쓴 "다솔이네 삼촌의 펜션"이라는 글씨가 적혀 있었다. 이 "다솔이네 삼촌의 펜션"이라는 글씨 바로 옆에는 콜론(:)이, 콜론 바로 옆에는 펜션의 주소지가 쓰여 있었다. 그리고 바로 다음 줄에는, 차례로 출발지에 해당하는 고속버스터미널의 이름과 오른쪽을 가리키는 화살표(→) 그리고 도착지에 해당하는 고속버스터미널의 이름을 적어놓은 메모가 있었다. 이러한 글씨들을 본 진과 수현은 "다솔"이라는 사람이 친구의 가면을 쓴 악인이라고 직감했다. 필시, "다솔"은 "삼촌"이라는 작자와 손잡고 세리를 해치려는 것이리라.

어떻게든 세리를 구해내겠다고 다짐한 수현은 계획표에 명시된, 출발지에 해당하는 고속버스터미널의 주소를 알아내고는 곧바로 차원 문을 열었다. 그런 다음 진과 함께 푸른빛을 내는 차원 문을 향해 발걸음을 내디뎠다. 고속버스터미널에 갑작스레 나타난 이들을 본 시민들은 혼비백산하며 달아났다. 하지만 그런 시민들을 신경 쓸 여력이 없었던 두 형사는 곧바로 예매한 승차권을 수령할 수 있는 창구로 향했다. 그리고 공무원증을 보여주며, 천세리가 예매한 승차권을 발권했는지를 물었다. 그러자 창구를 지키던 직원이 진이 알려준 정보를 입력하더니, 세리는 두 장의 승차권을 발권했으며 세리가 예매한 고속버스는 약 40분 전에 강원도의 한 고속버스터미널에 도착했다는 사실을 알려주었다.

40분 정도는, 고속버스터미널을 벗어나기 충분한 시간이었다. 어쩌면 남은 시간이 얼마 없을지도 모른다. 그리 생각한 수현은 주간 계획표에 적혀 있던 펜션의 주소를 떠올리며 차원 문을 열었다. 그러자 고속버스터미널과 펜션의 뒷마당이, 푸른 빛을 내뿜는 차원 문을 매개로 이어졌다. 원형의 차원 문에서 흘러나오는 푸른 빛은, 마치 초고온의 항성을 보는 듯했다.

*

천세리. 그는 중학생 시절부터 홀로 살아왔다. 아버지가 번 돈이 어떤 돈인지 우연히 깨달은 순간부터, 그는 죄책감에 시달렸다. 타인을 착취한 돈으로 살아갈 수 없다. 그럴 바에는, 차라리 죽는 게 나았다. 그는 그리 생각하며 집을 뛰쳐나왔고, 아버지인 천의표 목사의 만행을 경찰과 언론사에 고발했다. 하지만 그 어떠한 어른도 중학생의 말을 진지하게 듣지 않았다. 그저, 관심받고 싶은 어린아이가 말도 안 되는 거짓말을 늘어놓는다고 생각하며 무시하거나 코웃음 쳤을 뿐. 그때부터, 세리는 세상에 진실을 알리는 것을 완전히 포기했다. 오로지 자신만을 위해 살리라고 다짐하면서.

그렇다면, 지금의 세리는 어떠한가? 대학생인 그는 지금, 강원도를 향해 달리는 고속버스의 의자에 앉아 있었다. 그의 곁에는 둘도 없는 친구, "배다솔"이 자리를 지키고 있었다. 동갑내기인 그들은 고등학생 때부터 알고 지낸, 절친한 사이였다.

다솔의 말이 아니었다면, 세리는 친구와의 첫 여행길에 오르지 않았으리라. 고시원 월세와 생활비 그리고 학기가 시작될 때마다 내야 하는 수백만 원의 학비를 내는 것만으로도 벅찼으니까. 하지만 다솔의 입에서 나온 "삼촌께서 특별히 펜션 한 채를 통째로 내어주시겠대! 물론 음식도 잔뜩 준비해 두겠다고 하셨어!"라는 말에, 세리의 마음이 흔들렸다. 다솔의 말대로라면, 교통비만 부담하면 되는 상황이었기에. 결국, 고민 끝에 다솔의 여행 제한을 받아들인 세리는, 언젠가 생길지도 모르는 취미를 위해 오래전부터 조금씩 모아온 돈 일부를 저와 다솔의 교통비로 사용했다. 모처럼 호의를 받았으니, 미약하더라도 성의를 보여야 한다고 생각했기에.

시간이 흐르고, 세리와 다솔이 고속버스터미널에서 내렸다. 그런 그들을 마중 나온 사람은 50대 남성, 정명곤이었다. 두 청년은 온화한 웃음을 지은 명곤과 인사한 다음, 명곤의 승용차에 탔다. 그렇게 세 사람을 태운 자동차는, 구석진 곳에 있는 펜션으로 향했다. 펜션 근처에는 민가나 상점 등, 그 어떠한 건물도 없었다. 따라서 밤늦은 시간에 소리를 고래고래 지르며 놀아도, 시끄럽다는 항의가 들어올 리 만무했다. 무슨 일이 생겨도, 다른 사람의 도움을 받기 힘든 장소. 그곳을 향해 세리는 발을 들였고…… 얼마 지나지 않아 명곤에게 습격당했다.

애초에, 명곤은 다솔의 삼촌이 아니었다. 명곤과 다솔은 천 목사의 친딸, 천세리를 펜션으로 유인하기 위해 가족인 척 연기한 것이었다. 모든 것은 복수를 위해서였다. 경호원이 상시 곁을 지키는 천 목사보다 죽이기 쉬우면서, 천 목사의 눈에서 피눈물을 흘리게 할 방법. 이는, 세리를 죽이는 것뿐이었다. 그것도 괴롭고 외롭기 짝이 없는 죽음이 필요했다.

상처 입은 것도 모자라, 밧줄로 사지가 결박당한 세리는 큰 목소리로 "살려주세요!"라고 외치며 도움을 청했다. 그러나 아무도 그를 구하러 오지 않았다. 결국, 세리는 명곤과 다솔에게 목숨을 구걸할 수밖에 없었다. 하지만 무감정한 표정의 다솔은 묵묵부답이었다.

"세리야. 세상은 불공평해. 그래서 네가 직접 하지 않은 일에도 책임을 져야 할 때가 있단다. 바로 지금처럼 말이지." 명곤이 엷게 웃으며 운을 뗐다.

"……천의표 목사. 그 자식 때문이죠?"

세리가 입술을 짓씹으며 으르렁거렸다. 그의 눈 속에는 분노, 공포 그리고 억울함이 혼재돼 소용돌이쳤다.

"대체 저한테 왜 이러는 거예요?! 잘못은 천의표가 한 건데!"

명곤은 세리를 물끄러미 내려다보았다. 그리고 답을 주기 위해 입을 달싹였다.

"엄밀히 따지면, 잘못이 없는 건 아니지. 불의를 봤는데도 침묵했으니까."

"난 침묵하지 않았어요! 침묵한 건, 어른들이었지!!!" 세리의 입에서 갈라진 목소리가 터져 나왔다.

"그래? 그럼 그 어른들이 네 말을 들을 때까지 외쳤어야지. 목에 피가 나도록."

명곤의 말에, 세리는 움찔하며 입을 다물었다. 한편 그런 그를 뚫어지게 바라보던 다솔이 드디어 운을 뗐다.

"너나, 나나 지금까지 단 한 번도 부모님 이야기를 꺼낸 적이 없었지. 정말, 단 한 번도." 다솔이 잠시 말을 멈추고는, 밀려드는 감정의 파도를 애써 억눌렀다. 그러고는 말을 계속해 나갔다. "나는 집 나간 아빠를 떠올리기 싫어서 안 했던 거였지만, 너는 사이비 종교의 교주인 아버지가 싫어서 안 했던 거였어."

"다솔아……!"

하지만, 대화는 이어지지 않았다. 몸을 확 돌린 다솔이, 뒤도 돌아보지 않고 방을 나갔기에. 한편 그런 다솔의 뒷모습을 응시하던 명곤이 세리를 향해 작별 인사를 건넸다.

"내 아들의 복수를 위해, 죽어줘야겠다."

말을 마친 명곤은, 보일러의 조작 패널이 있는 벽면을 향해 발걸음을 옮겼다. 그러고는 세리가 있는 2층 방의 희망 온도를 30도로 설정했다. 그러자 조작 패널에 주황색의 불빛이 들어오며 가스보일러가 작동하기 시작했다. 가스보일러의 배기관은 명곤에 의해 절단된 상태였고, 일산화탄소 경보기 역시 철저히 망가진 상황이었기에 이대로라면 세리의 목숨은 서서히 사그라들 운명이었다.

"살려주세요! 제발, 누가 나 좀 살려줘!!!"

세리가 마지막 남은 힘을 그러모아, 쉬어버린 목소리로 고래고래 소리쳤다. 그 순간이었다. 그들이 있는 객실을 포함한 모든 방의 전등이 꺼지고, 전자기기가 작동을 멈춘 것은.
명곤은 마른침을 삼키며 보일러의 조작 패널을 노려보았다. 조금 전까지만 해도 주황색의 불빛이 흘러나오던 패널에서는, 그 어떠한 빛도 찾아볼 수 없었다.
그는 주머니로 손을 가져가, 숨겨뒀던 칼을 꺼내 들었다. 정전일 수도 있었지만, 누군가가 누전 차단기를 내렸을 가능성도 배제할 수는 없었다. 그는 숨소리를 낮추며 감각을 곤두세웠다. 그러자 저를 향해 다가오는 발소리가 들려왔다.

"여기…!"

퍼뜩 제정신을 차린 세리가 발소리의 주인을 향해 소리쳤다. 그러나 명곤의 발길질에 말을 끝맺을 수 없었다. 명치를 걷어차인 충격에, 세리는 눈물을 흘리며 꺽꺽거리는 수밖에 없었다.

이와 동시에, 그림자 하나가 명곤을 향해 달려들었다. 명곤은 곧바로 칼을 휘둘렀다. 본능적인 움직임이었다. 하지만 칼날은 그림자의 코트 깃을 아슬아슬하게 스치고 지나갔다. 이 틈을 놓치지 않고, 그림자는 힘을 실어 명곤을 넘어뜨리려 했다. 하지만 상황은 그가 원하는 대로 흘러가지 않았다. 명곤이 기지를 발휘해, 옆에 있던 의자를 무기 삼아 휘둘렀기 때문이다.

"윽!"

그림자가 고통에 찬 신음을 집어삼키며, 들고 있던 총을 놓치고 말았다. 복부를 노리고 달려드는 의자를 팔로 쳐낸 탓이었다.

명곤은 이를 놓치지 않았다. 그는 처음으로 자세가 무너진 그림자를 향해 달려들어 넘어뜨렸다. 그리고 그림자 위에 올라타, 들고 있던 칼을 내려찍었다. 아니, 내려찍으려고 했다. 저를 공격한 그림자의 얼굴을 알아보지 못했더라면, 그대로 내려찍을 생각이었다.

"너……!"

이성을 잃은 명곤의 눈이 분노와 광기로 번들거렸다. 저에게 달려든 그림자는, 다름 아닌 유 진이었다! 강렬한 푸른 빛을 뿜어내는 차원 문에 뛰어든 그와 수현은 곧바로 펜션의 뒷마당에 발을 디뎠다. 그런 그들을, 제발 살려달라는 절박한 외침과 누군가가 고의로 배기관을 자른 것처럼 보이는 가스보일러가 맞이했다. 이에 수현은 일산화탄소 중독을 유발할 가능성이 큰 가스보일러를 통째로 뜯어내기 위해 손을 뻗었다. 그러나 현장을 훼손할 셈이냐는 진의 말에 제정신을 차리고, 누전 차단기를 내렸다. 이 때문에 객실의 전등과 보일러의 조작 패널이 꺼진 것이었다.

한편, 위험을 감지한 진은 재빠르게 오른손을 들어 올렸다. 그리고 제 얼굴을 향해 날아든 칼날을 막기 위해, 칼을 든 명곤의 손목을 잡은 다음 있는 힘껏 반대로 밀어냈다. 그러자 명곤이 나머지 한 손을 가져와 칼 손잡이에 힘을 실었다. 이에 진 역시 왼손을 뻗어, 명곤의 또 다른 손목을 거칠게 잡았다.

그때, 객실의 전등이 켜졌다. 그새 옅은 어둠에 적응한 명곤의 눈은, 일순간 번쩍이는 빛을 허하지 않았다. 결국 명곤은 저도 모르게 눈을 질끈 감아버리고 말았다. 이를 절호의 기회라고 생각한 진은 온 힘을 쏟아부어 상반신을 일으키더니, 명곤을 들이받았다. 그러자 퍽! 하는 소리가 나며 명곤이 바닥에 나뒹굴었다. 이 틈을 타, 진이 자세를 다잡았다. 그런 다음 명곤이 들고 있었던 칼을 발로 차 멀리 날려버리고, 떨어뜨렸던 총을 오른손으로 집어 들었다. 그리고 명곤을 정조준하며 경고했다.

"두 손 들고, 무릎 꿇으십시오!"

진이 단호히 경고했다. 하지만 이성이 마비된 명곤은 진을 향해 달려들어 멱살을 잡았다. 그가 일순간 발휘한 초인적인 움직임은, 무려 베테랑 형사인 진이 일순간 대응하지 못할 정도였다.

"살인마 주제에!!!"

광기가 서린 명곤의 포효가, 객실을 가득 채웠다.

2. 비수

　명곤은 진의 멱살을 잡아, 벽을 향해 패대기쳤다. 그러자 쾅! 하는 소리가 객실을 울렸다.
　진은 입술을 짓씹으며 두 다리에 힘을 실어 몸을 지탱했다. 살인마라는 단어는, 제 멱살을 잡은 남자에게 어울리는 것이었다. 남자는 저와 세리를 죽이려 들었으니 말이다. 하지만, 남자는 객관적인 사실을 인지하지 못한 듯 고집스레 소리를 질러댔다.

　"내 아들을 죽여놓고, 여태껏 아무렇지도 않게……!"
　"대체 무슨 소리를 하는 겁니까?!" 진이 오만상을 찌푸리며 으르렁거렸다.
　"무슨 소리냐고?! 동물들을 재미로 죽인 것도 모자라서, 내 아들의 목숨까지 앗아간 주제에…!!!"

　진은 명곤의 억지를 더는 들어줄 생각이 없었다. 그는 다시금 총을 들어 올려, 명곤을 정조준했다. 그 순간, 갑작스레 들려온 환청이 진을 막아섰다.

　"말했잖아. 배가 고프면, 죽이라고. 대체 뭐가 문제야?"

　극심한 통증이 진의 머리를 엄습했다. 그는 왼손으로 머리를 감싸며 몸부림쳤다. 하지만 격통은 수그러들기는커녕, 점점 심해졌다.
　진은 이를 악물며 두 다리에 온 힘을 쏟아부었다. 범인 앞에서 약한 모습을 보일 수는 없었다. 하지만 기억의 파편은 그를 놓아줄 생각이 없었다.

 그는 총을 쥔 오른손으로 벽을 짚으며 필사적으로 버텼다. 기억은 그런 그를 압박하며 주변 풍경을 바꾸어 놓기 시작했다.

 암흑. 그리고 한기.

 제정신을 차린 진은 주변을 둘러보았다. 조금 전까지 펜션이었던 장소는, 어느새 화장실로 바뀐 상태였다. 그것도 어린 시절에 갇혀 지내던, 문제의 화장실로!

"배고프다고 울며불며 빌어도 소용없어. 그럴 시간에 세 마리만 더 죽여. 그럼 맛있는 걸 줄게."

 단호한 목소리로 살생을 명하는 사람은, 진의 친모였다. 악몽과도 같은 목소리를 들은 진의 눈에는 강렬한 분노가 소용돌이쳤다. 친모의 명령은, 어린 시절의 자신을 향한 것이기에.

 진은 고개를 홱 돌려 뒤를 돌아보았다. 그러자 피로 물든 화장실의 타일 바닥이 보였다. 그제야 피비린내를 감지한 그는, 시선을 움직여 핏줄기의 시작점을 찾았다. 비리고 붉은 액체의 시작점에는, 어린 시절의 자신이 있었다. 아이는 오른손에 피 묻은 돌을 든 채 흐느끼고 있었다. 그런 아이의 앞에는, 머리가 으깨진 동물 두 마리가 피의 강 속에 잠겨있었다.

 고깃덩이로 전락한 생명체는, 고양이를 연상케 하는 외형이었다. 그러나 엄밀히 말해 고양이라고 할 수는 없었다. 털의 빛깔은 그렇다고 쳐도, 털에 새겨진 문양은 난생처음 보는 것이었다.

아이의 뒤에는, 제 어미를 부르기 위해 작고 여린 울음소리를 내는 동물 새끼 세 마리가 있었다. 그들은 두 형제가 목숨을 잃은 줄도 모른 채 어미를 찾았다.

 '이, 이게 무슨……!'

 과거의 자신과 마주한 진은 저도 모르게 헛구역질을 했다. 그러고는 살생의 현장을 촬영 중인, 삼각대 위의 카메라를 노려보았다. 그의 내면에는 수많은 감정이 몰아쳤다. 처음에는 구역감이 밀려들었다. 다음은 타자를, 그것도 태어난 지 얼마 안 된 존재를 죽이고 살아남은 자신에 대한 혐오감이었다. 마지막은 무력감이었다. 과거의 제가 받은 선택지는 죽거나 죽이거나였다. 하지만 지금은 그 선택지조차 없었다. 그에게 과거를 바꿀 힘 따위는 없었기 때문이다.

 "죽어!!!"

 그때, 멀리서 울리는 듯한 소리가 들려왔다. 명곤의 목소리였다. 명곤은 지금이 진을 죽일 절호의 기회라는 것을 알아차렸다. 그래서 저 멀리서 나뒹굴던 칼을 집어 들고, 진을 향해 달려들었다. 하지만, 그의 염원은 끝까지 이루어지지 않았다. 기세 좋게 진을 향해 달려들던 명곤은 갑자기 멈춰서더니 비명을 질러댔다.
 그는 표정을 잔뜩 일그러뜨린 채, 자신의 손과 칼을 떼어놓으려는 무형의 힘에 저항했다. 그러나 전신을 속박한 무형의 힘은 압도적이었다. 결국, 명곤은 무형의 힘이 제 손가락을 칼 손잡이에서 하나씩 떼어내는 것을 두고 볼 수밖에 없었다.

이렇게 다섯 손가락이 칼 손잡이에서 모두 사라지자, 공중에서 버틸 재간이 없던 칼은 힘없이 마룻바닥으로 추락했다.

"연좌제는 예전에 없어진 거 아니었나요?"

수현의 나긋하고 점잖은 목소리를 들은 진과 명곤의 반응은 확연히 달랐다. 진은 제정신을 차렸지만, 분노에 사로잡힌 명곤은 제정신이 아니었다.
진은 굳은 얼굴로 제 두 손을 내려다보았다. 어린 시절의 자신은 오른손에 피를 묻혔다. 하지만 지금은… 손이 깨끗했다. 이를 통해, 그는 자신이 현실로 돌아왔다는 것을 직감했다.

"정말 복수가 하고 싶었으면, 천의표를 노렸어야죠."

수현이 바닥에 떨어진 칼을 꾸욱, 밟으며 조곤조곤 말했다. 그는 누전 차단기를 내린 뒤, 10초에서 20초 뒤에 원래대로 되돌릴 생각이었다. 그러나 갑작스레 밖으로 튀어나온 다솔을 체포하느라 예상했던 것보다 늦어지고 말았다. 다솔은 공무원증을 보여주며 자신의 이름을 묻는, 뉴스에서 봤던 '사이코패스 외계인'을 피해 필사적으로 도망쳤다. 하나 상대는 윤수현이었기에 추격전은 싱겁게 끝났다.
한편, 진은 가쁜 호흡을 추슬렀다. 그리고 총을 허리께의 권총집에 꽂아 넣은 다음, 수갑을 꺼내 명곤의 손목에 채우며 미란다 원칙을 읊었다. 모방범죄는 그렇게 막을 내렸고 명곤과 다솔은 진의 감시를 받게 되었다.

다음은 사지가 결박된 세리를 풀어줄 차례였다. 수현은 세리의 몸을 속박한 밧줄을 잘라내기 시작했다. 세리는 비교적 멀쩡한 편이었다. 다만 눈앞의 '사이코패스 외계인'이 어떻게 명곤을 제압하는지를 똑똑히 목격한 탓에, 세리의 낯빛은 두려움에 물든 상태였다. 세리 역시 TV를 통해 과장되고 왜곡된 정보를 접한 사람 중 하나였기 때문이다. 살해당할지도 모른다는 본능적인 두려움에, 그는 수현을 향해 냅다 주먹을 휘둘렀다. 수현은 그가 진정할 때까지, 저를 향해 날아드는 주먹질을 받아주었다. 세리의 공격 따위, 얼마든지 무위로 돌릴 수 있는데도. 이 덕분인지, 세리는 얼마 지나지 않아 숨을 몰아쉬며 공격을 멈추었다.

이렇게 평정을 찾은 세리와 진의 감시 아래에 놓인 두 사람을 이송하고, 살인 미수 사건이 벌어진 현장을 감식하기 위해 수현은 호송차와 119 구급대 그리고 감식반을 호출했다. 그런 다음, 세리에게 "무슨 일이 있었는지 말해줄 수 있나요?"라고 조심스레 묻고는 진술을 녹음하고 싶다는 의사를 내비쳤다. 녹음에 동의한 세리는 다솔과 자신이 어떤 관계인지, 어째서 자신이 이 펜션으로 오게 됐는지, 조금 전에 다솔과 다솔의 삼촌이라는 작자가 저에게 어떤 말을 했는지, 자신이 어째서 아버지와 의절하게 됐는지, 아버지의 악행이 왜 여태껏 세상에 알려지지 않았는지와 같은 '오늘 벌어진 사건과 밀접한 관련이 있는 이야기'를 입 밖에 냈다. 그러다가 피로를 호소하며 잠에 빠져들었다. 극한의 상황에 노출되었었던 탓이었다.

잠을 청하는 세리를 뒤로하고, 수현은 진과 다솔 그리고 명곤을 찾아갔다. 수현이 세리와 함께 있는 동안, 진은 두 살인 미수범의 이름과 주민등록번호 등, 기본적인 신원을 알아냈다. 다만 모든 것을 포기하고 순순히 자신의 기본적인 신상 정보를 제공한 다솔과는 달리, 명곤은 벌겋게 충혈된 눈으로 진을 노려보며 묵비권을 행사했다. 이 탓에, 진은 그의 지갑 속에 있던 신분증을 통해 "정명곤"이라는 이름과 주민등록번호 그리고 주민등록상의 주거지를 알아내야 했다.

 명곤과 다솔의 정보는, 펜션의 소유주를 확인하는 데 쓰였다. 진은 이랑에게 연락해, 명곤의 인적 사항을 말하며 "펜션의 소유주가, 정명곤입니까?"라고 물었다. 그러자 이랑이 키보드를 두드린 다음 "네. 경위님께서 말씀하신 '정명곤'이라는 사람이, 펜션의 주인이에요."라고 말하고는, 명곤이 펜션의 공식적인 소유주가 된 날짜를 알려주었다. 행정 기록상, 펜션은 진과 수현이 검찰 소환 조사와 청문회에 시달리던 때에 명곤의 명의로 바뀌었다. 이러한 이랑의 말은, 진을 거쳐 수현에게 전달되었다. 수현은 진의 말을 끝까지 경청한 다음, 세리의 증언을 정리해 진에게 말해주었다. 이에 진은 수현의 목소리를 들으며 고개를 천천히 한 번 끄덕였다. 그리고 무언가를 생각하는 듯 어두운 표정을 지으며 팔짱을 끼더니, 오른손을 들어 올려 입가로 가져갔다. 그러고는 입술을 아주 강하게 짓씹었다. 되찾은 기억을 반추한 탓이었다.

"경위님. 상처 좀 보여줄래요? 치료해 줄게요."

 진의 입술에 난 상처와 상처에 맺힌 피를 본 수현이 조곤조곤 말했다. 그러자 진이 입가로 가져갔던 오른손을 내리며, 고개를 까닥였다. 수현은 그런 그를 향해 다가가더니, 들어 올린 손을 상처 바로 위로 가져갔다. 그러자 진의 입술에 있던 상처가 순식간에 아물었다. 그러는 동안, 진은 수현과 시선을 똑바로 마주하는 것을 피했다.

수현은 잔뜩 일그러진 얼굴을 한 진을 물끄러미 바라보았다. 그는 진의 표정에서 감정을 읽어내려고 했지만, 수확은 없었다. 이에 수현은 자신이 외우지 못한 네 가지의 감정, 즉 죄책감, 공포, 수치심 그리고 혐오를 떠올렸다.

'용의자와의 싸움이 끝나고 시간이 어느 정도 흘렀으니…… 공포는 아니야. 그렇다면 죄책감이나 혐오, 수치심 중 하나인데. 아니면, 셋 다인가?'

수현은 찰나의 시간 동안, 진을 면밀히 관찰했다. 진은 두 손을 코트 주머니에 찔러넣은 채, 입술을 짓씹고 있었다. 분명, 심각한 생각에 잠긴 모양새였다. 그런 그에게서는 날카롭고 음울하기 짝이 없는 감정이 뿜어져 나왔다. 이를 감지한 수현은, 명곤과 다솔을 앞에 둔 채로 질문을 던질 수는 없다고 판단했다. 게다가 사이렌 소리가 점점 가까워지고 있었기에, 수현은 현 상황이 어느 정도 정리되고 난 뒤에 이야기를 꺼내기로 마음먹었다.

이로부터 얼마 뒤, 드디어 호송차와 119 구급대 그리고 감식반이 도착했다. 호송차는 명곤과 다솔을, 구급차는 세리를 태운 뒤 현장을 떴다. 먼저 떠나간 호송차와 구급차와 달리, 감식반의 차량은 펜션 안팎에 도청 장치나 불법 촬영용 카메라의 설치 여부가 확인되고 현장에서 채취한 증거를 실은 다음에야 움직일 수 있었다. 이렇게 감식반까지 현장을 떠나자, 현장에는 진과 수현만이 남았다.

"경위님. 아까부터 왜 그래요? 혹시, 뭐 잘못한 거라도 있어요?"

긴 기다림이 끝나자, 수현이 조심스레 물음을 던졌다. 그는 진이 심한 죄책감에 사로잡혔다고 판단했다. 이런 수현의 목소리에, 진이 흠칫하며 그를 바라보았다. 그러고는 떨림을 애써 억누른 목소리로, 명곤이 저를 향해 내뱉었던 말을 수현에게 들려준 다음 불완전한 문장을 나직이 얹었다.

"정명곤 말이 맞아. 나는 동물을 죽였어. 태어난 지 얼마 안 된 새끼들이었고, 최소 다섯 마리. 최대는…… 나도 몰라."
"설마… 그 사람들이 시켰어요?!"

수현이 경악하며 물었다. 그가 말한 '그 사람들'이란, 당연히 진의 친부모를 일컬은 것이었다.

"실수가 아니야. 고의였어… 며칠 동안 아무것도 못 먹고 굶었는데, 죽여야만 밥을 주겠다고 했단 말이야. 그것도 모자라서, 그런 나를 카메라로 찍었고……."

진의 목소리가 갈라지다 못해 허공에서 흩어졌다. 그런 그를 보는 수현의 눈빛이 일순간 흔들렸다.

진은 풀썩, 쭈그리고 앉았다. 그는 살아남기 위해 태어난 지 얼마 안 된 존재를 죽인 자신을 용서할 수 없었다. 물론 이 세상의 모든 생명체는 타자의 피와 살을 집어삼켜야지만 목숨을 부지할 수 있다. 그러나, 주린 배를 채우기 위해 고기를 먹는 것과 돌로 잔혹하게 내려쳐 죽이는 것은 하늘과 땅 차이였다.

"경위님!"

보다 못한 수현이 진을 불렀다. 하지만, 진은 여전히 죄책감의 늪에 빠져 허우적대고 있었다. 결국, 그는 처음으로 진의 이름을 소리쳐 불렀다.

"유 진!"

진이 천천히 고개를 들어, 수현을 올려다보았다.

"'죽거나 혹은 죽이거나'와 같은 극단적인 선택지는, 평범한 상황이라면 절대 받아볼 수 없어요. 경위님도 잘 알잖아요."

죽거나 혹은 죽이거나. 이는 전쟁터에서나 통용되는 선택지였다. 수현은 진이 처했던 상황이 전쟁터와 같다고 말하고 있었다. 먼저 죽이지 않으면, 살해당하는 전쟁터 말이다.

"경위님은 잘못한 거 없어요. 잘못은, 어린아이한테 그런 극단적인 양자택일을 강요한 어른들한테 있다고요!"

수현의 말에, 진이 움찔했다. 그의 말이 옳았다. 어린 시절의 저는 무력했다. 하지만, 그저 자기 합리화에 불과한 게 아닌가? 혹시, 무력함을 핑계로 도망치려는 게 아닐까? 진은 그리 생각했다.

진은 숨을 크게 들이쉬었다. 그리고 천천히 내쉬며, 호흡과 감정을 가다듬었다. 맞다. 자기 합리화일지도 모른다. 무력함을 핑계 삼아, 고개를 돌리려는 것일지도 모른다. 그렇기에 마주해야만 했다. 두 발로 땅을 딛고 일어서, 몸부림쳐야만 했다. 죄책감에 찌든 채 아무것도 하지 않는 것이야말로, 무책임하기 짝이 없는 행동이었다.

"그러니까, 자책하지 말아요."

수현이 손을 내밀며 나직이 말했다. 어서 제 손을 잡고 일어나라는 의미였다. 진은 그런 수현을 올려다보더니, 천천히 손을 뻗어 수현이 내민 손을 잡았다. 그리고 두 다리에 힘을 실어 일어섰다.

"……최성욱이, 내 과거를 정명곤한테 알려준 거야. 틀림없어." 진이 수현의 손을 놓으며 성욱을 정조준했다.

"경위님은, 최성욱이 '그 사진'을 샀다고 생각하는 거죠?" 수현이 말한 '그 사진'이란, 어린 시절의 진이 학대당하는 모습을 찍은 사진이었다.

"맞아. 그렇지 않다면, 최성욱이 내 과거를 알고 있을 리 없으니까." 진이 잠시 침묵하더니, 다시 입을 열어 나직이 말했다. "기억을 되찾은 시점 모두, 최성욱과 관련돼 있기도 했고."

황지혜 사건과 정명곤 사건. 그리고 본색을 드러낸 최성욱과 맞서기로 마음먹은 시점. 이 셋 모두 진이 기억 일부를 되찾은 순간이었다. 특히 황지혜 사건과 이번에 발생한 정명곤 사건은, 그가 성욱의 사주를 확신한 사건이기도 했다.

"그런데요, 정명곤은 어째서 경위님이 동물을 죽였다는 사실을 세상에 알리지 않았을까요? 경위님을 깎아내리는 데는, 동물살해만큼 좋은 게 없잖아요. 물론, 경위님의 과거를 폭로하면 자연스레 아동 학대 혐의까지 추가되겠지만…… 살인을 결심한 사람이, 그깟 아동 학대 혐의를 두려워할 리 없어요."

수현이 의문을 표하자, 진이 눈살을 찌푸리며 동의했다.

"그렇지. 객관적으로 봤을 때…… 내가 학대당하는 것을 보고도 방관했거나, 나를 직접 학대한 사람이 아닌 이상은… 나도 모르는 내 과거를 알고 있을 리 없으니까." 말을 마친 진이 흐음, 하는 소리를 내며 생각에 잠겼다. 그리고는 이내 말을 이어 나갔다. "아무래도…… 내가 학대당했던 때의 기억과 직접 마주하기를 바라는 것 같은데. 그렇지 않은 이상, 정명곤이 지금껏 입을 다물고 있었을 리 없어." 진은 다시금 침묵하더니, 생각 끝에 입을 열었다. "좋아, 그렇다면…… 황지혜가 나를 물고문한 게, 우연이 아니라 최성욱의 설계였던 거로군. 내가, 물고문당했던 때의 기억을 되찾길 바랐던 게 분명해."

의문에 대한 나름의 추리를 내놓은 진은, 일단 정명곤 사건을 마무리하기로 마음먹었다.
푸른 빛의 차원 문은, 진과 수현을 주선의 거주지인 신축 아파트 단지로 데려다 놓았다. 진은 아파트 단지 안에 주차되어 있던 자신의 전기차에 몸을 실었고, 조수석에 수현을 태운 채로 차를 몰았다. 그렇게 그들을 태운 자동차가 도로 위를 달리다, 한 검찰청 앞에서 멈춰 섰다. 명곤의 집 수색 등에 쓰일 각종 영장을 신청하기 위해서였다. 얼마 뒤, 자동차는 두 형사를 태우고 다시 달리기 시작했고 이랑의 근무지 앞에서 멈춰 섰다. 이랑에게 다솔과 명곤의 스마트폰을 맡긴 그들의 최종 목적지는 서울청 광수대였다. 광수대에 도착하면, 아직 호송차에 있는 다솔과 명곤의 가족에 대한 정보부터 확인해야겠군. 진은 그리 생각했다. 하지만 그가 세운 계획은 물거품이 되고 말았다. 바로, 갑작스레 날아든 SOS 요청 때문이었다.

지금, 전국 광수대의 형사들을 비롯한 경찰들은 주선의 대포폰과 데스크톱 안에 담긴 정보를 기반으로 신위동 교회의 간부들을 검거하기 위해 모든 힘을 쏟아부었다. 이미 이 나라를 뜬 천의표 목사와 몇몇 간부는 국제수사팀이 맡기로 했으니, 국내 어딘가에 몸을 숨긴 간부들이라도 어서 찾아내야 하는 상황이었다. 하지만 일은 쉽게 풀리지 않았다. 존경할 만한 교수라고 알려진 주선이 실은 사이비 이단 종교의 간부였다는 사실이 보도된 직후부터, 또 다른 사이비 종교의 간부로 추정되는 사람들을 향한 사적 제재가 물밀듯이 쏟아지는 바람에 경찰은 극심한 인력난에 시달리고 있었다. 이런 연유로, 다솔과 명곤을 검거하고 한시름 놓은 진과 수현 역시 잠적한 신위동 교회의 간부를 추적하는 일에 힘을 보탤 수밖에 없었다. 그래도 두 형사는 다른 형사들에 비하면, 간부들을 추적하고 검거하는 일에 오랜 시간을 보내지 않아도 됐다. 얼마 지나지 않아서, 다솔과 명곤이 서울청 광수대에 도착했고 신청했던 각종 영장이 발부됐으니 말이다. 이에 진과 수현은 광수대로 돌아가, 다솔과 명곤을 신문하기 전에 두 사람의 가족에 대한 행정 기록을 확인했다. 데이터베이스에 입력된 행정 기록에 따르면, 다솔의 아버지는 대략 8년 전에 가출했으며 명곤의 배우자와 아들 "정대원"은 대략 한 달 간격을 두고 사망한 상태였다.

'정명곤은, 나 때문에 정대원이 죽었다고 했다.'

명곤의 입에서 나왔던, 말도 안 되는 소리를 떠올린 진이 표정을 잔뜩 구겼다. 행정 기록상 대원과 대원의 친모가 사망한 시점은 신위동 교회가 나타나기 훨씬 전이었으며, 고등학교 3학년이었던 제가 수험생 생활을 성공적으로 끝냈을 무렵이기도 했다.

'……설마.'

진의 두 눈이 날카롭게 빛났다. 그는 명곤이 어째서 저를 '정대원을 죽인 살인마'라고 정의했는지 짐작했다. 하지만 그 이유를 입 밖에 내지는 않았다.
이렇게 두 사람의 가족에 대하여 알아본 진과 수현은, 차례로 다솔과 명곤을 만났다.
자포자기한 지 오래인 다솔은 막역한 친우인 세리를 해치기로 마음먹은 이유를, 자신의 맞은편에 앉은 수현에게 이야기하기 시작했다. 그의 말에 따르면, 명곤은 평소와 다를 바 없는 어느 날 -진과 수현이 검찰 소환 조사와 청문회에 시달리던 때- 다솔을 찾아와 다짜고짜 "네 친아버지는, 사이비 종교에 빠져서 가출한 거다. 그리고 그 사이비 종교의 교주는, 네 친구인 천세리의 친아버지인 천의표 목사야. 중학생 때 아버지의 정체를 우연히 알게 된 천세리는, 의절을 선언한 다음 아버지의 악행을 세상에 폭로하려다 결국 포기했어. 어른들이 자기 말을 진지하게 들어주지 않는다면서 말이야. 참으로 위선적인 인간이지? 정말 폭로할 생각이었다면, 어른들이 관심을 가질 때까지 외치는 게 정상인데."라고 말했다. 이에 다솔은 저를 찾아온 중년 남자가 말도 안 되는 소리를 한다고 생각하며 무시하려 했지만, 남성이 제시한 물증과 심증을 보고는 그가 진실만을 말하고 있다는 사실을 깨달았다. 그리고 세리가 친아버지를 불편하게 여겨, 부모님에 관한 이야기를 꺼내지 않았다는 사실도 깨달았다. 가출한 아버지를 떠올리기 싫어 부모님에 관한 이야기를 꺼내지 않은 자신과 비슷하면서도 다른 상황이었다. 진상을 파악하고 온갖 부정적인 감정의 소용돌이 안에서 허우적거리는 그에게, 이번에는 달콤한 말이 쏟아져 내렸다. 내가 신위동 교회의 간부 중 가장 약하고 죽이기 쉬운 사람을 죽일 터이니, 너는 교주인 천의표에게 가족을 잃는 고통이 무엇인지 알려주어라. 무대는 내가 마련했으니까, 너는 불의를 보고도 침묵한 천세리를 무대로 끌어내기만 하면 된다. 손에 피를 묻힐 일은 절대 없을 거다. 나도 타인의 악의로 말미암아 가족을 잃은 사람이라, 네 심정을 잘 안다. 그래서 도와주려는 거다. 겸사겸사, 내 아들의 원한도 풀어주고. 명곤이 그리 말했다. 여기까지 진술한 다솔은 잠시 말을 멈추더니, 이내 다시 입을 열어 자백을 이어갔다.

"아버지를 앗아간 사람에게, 복수하고 싶었던 것뿐이에요. 제가 느낀 고통을…… 가족을 잃은 고통을, 똑같이 되돌려주고 싶었던 것뿐이라고요."

다솔이 어금니를 악물며 분을 삭였다. 수현은 그런 그를 바라보다가, 복잡한 표정을 짓고는 옅은 한숨을 내쉬며 운을 뗐다.

"경찰에 신고하는 방법도 있었어요."
"지금의 법과 제도로는, 천의표를 제대로 벌할 수 없어요. 세뇌당한 신도들이 선처를 호소할 테고, 천의표는 지금까지 축적해 온 재산으로 이 나라 최고의 로펌에 소속된 변호사들을 선임할 테니까. 여기에 '진심으로 반성하는 척'까지 더해지면, 판사는 천의표에게 가벼운 징역형을 선고할 게 뻔하잖아요?" 다솔이 수현의 말을 차갑게 비웃은 다음, 진술을 계속했다. "아저씨. 저는요, 후회 따위 절대 안 해요. 천세리는…… 죽어 마땅한 위선자니까."

형형한 눈빛의 다솔을 물끄러미 바라보던 수현이, 조곤조곤한 어조로 말문을 열었다.

"배다솔 씨. 만약에, 당신이 천세리 씨였다면. 아버지의 경제적인 지원을 거부하고, 집을 뛰쳐나올 수 있었을까요? 그것도 성인도 아닌, 중학생이?"

수현의 말에, 일순간 다솔의 눈빛이 강풍에 휘말린 갈대처럼 가차없이 흔들렸다. 이를 감지한 수현은, 기회를 놓치지 않고 다솔을 몰아붙였다.

"그리고…… 세리 씨의 폭로를 '관심받고 싶은, 철없는 어린애의 장난'이라고 치부해 버린 어른들은 왜 탓하지 않죠?"

날카로운 지적에, 다솔은 입을 꾹 다물며 시선을 피했다. 수현은 그런 그를 바라보며 거침없이 말을 이어 나갔다.

"천세리 씨는, 위선자가 아니에요."

타인의 불행 위에 자신의 삶과 행복을 쌓을 수 없다고 단호히 외치며 진창길을 선택하는 용기는, 칭송받아 마땅했다. 그리 생각하며, 수현은 신문을 마쳤다. 이렇게 다솔의 자백이 끝나고, 진은 수현과 역할을 바꾸었다. 즉 이번에는 진이 취조실에서 신문을 하고, 수현이 취조실 옆 관찰실에서 상황을 지켜보게 되었다.
취조실 안으로 성큼 발을 내디딘 진의 시야에, 손목에 수갑을 찬 채 책상 앞에 앉아 있는 명곤이 들어왔다. 진을 본 명곤은 자리에서 벌떡 일어나 으르렁거렸다. 하지만 수갑과 책상을 연결하는 쇠사슬 때문에 옴짝달싹할 수 없었다. 진은 그런 명곤의 맞은편을 향해 걸어가더니, 의자에 앉았다. 그리고 무감정한 어조로 진술거부권을 행사할 수 있다는 사실 등을 읊은 뒤, 본격적으로 신문을 개시했다.

"정명곤 씨. 당신은 '타투 살인 사건'을 흉내 냈고, 피해자인 채주선의 옷가지를 HBS에 보냈으며… 신위동 교회의 교주 천의표의 친딸, 천세리를 죽이려고 했습니다. 내 말이 틀렸습니까?"

명곤은 입을 다문 채, 한마디도 하지 않았다. 그는 그저 증오가 담긴 눈으로 진을 노려보기만 했다. 이에 진은 한숨을 내쉬며, 검지로 책상을 톡톡 두드렸다.

"천의표를 벌하겠답시고, 아무런 잘못도 없는 천세리를 죽이려 들다니. 그것참 대단한 계획입니다?"

진의 말에, 낮게 으르렁거리던 명곤의 입에서 갈라진 목소리가 터져 나왔다.

"살인마 주제에, 번지르르한 소리를 잘도…!"
"살인마라……."

진이 건조한 어조로 중얼거리며, 펜션에서 있었던 일을 떠올렸다. 저를 향해, "내 아들을 죽여놓고, 여태껏 아무렇지도 않게……!"라고 외치던 명곤을.

"아무리 생각해 봐도, 사람을 죽인 적은 없습니다만."

진은 짐작했던 바가 있었음에도, 명곤의 증언을 끌어내고자 아무것도 모르는 사람처럼 굴며 명곤을 자극했다. 그러자 명곤이 실소를 터트리며 자리에 앉았다.

"없다고? 그럼 내 아들은 뭔데?!"

"만약에 내가 살인마였다면."

진이 잠시 뜸을 들였다. 그리고 오른손을 들어 올리더니, 검지로 명곤을 가리키며 말을 이어갔다.

"당신이 앉은 그 자리에 앉아 있었을 겁니다."

"이 나라는 법보다 돈이야. 인화 그룹 후계자라면 돈으로 무마할 수……."

"말씀드렸을 텐데요? 나는 아무도 안 죽였다고."

진이 명곤의 말을 가차 없이 잘랐다. 그런 그를, 명곤이 이를 악물며 노려보았다. 그러자 진이 기다렸다는 듯이 본론을 꺼냈다.

"하지만… 정명곤 씨는, 내 과거를 알고 있었죠. 즉, 당신의 말을 헛소리라고 치부할 수 없다는 이야기입니다. 그러니… 일단 들어나 봅시다. 내가 당신 아들을 어떻게 죽였는지!"

진이 승부수를 던졌다. 그러자 명곤의 눈에 핏발이 섰다. 명곤에게 진은, 제가 죽인 희생자의 죽음을 자세히 설명해 보라는 사이코패스 살인마였다.

"이게!"

명곤이 두 손으로 책상을 내리쳤다. 그러나 진은 단 한 발자국도 물러서지 않았다.

"아실 텐데요. 기억하지 못하는 사람을 비난하는 것만큼 무의미한 건 없다는 걸."

진은 저를 노려보는 명곤을 똑바로 보며, 도발을 이어갔다.

"그러니까, 나를 찢어 죽이고 싶다면…… 내가 죄책감에 시달리다 파멸하는 모습을 보고 싶다면, 이야기하는 게 좋을 겁니다."

명곤은 어이가 없다는 표정으로 진을 쳐다보았다. 그리고 뒤틀린 웃음을 지으며 마침내 입을 열었다. 그의 입에서, 오래된 이야기가 흘러나오기 시작했다.

*

정명곤에게는, 투병 중인 배우자와 하나뿐인 아들 '정대원'이 있었다. 어린아이는 아버지를 도와 아픈 어머니의 자리를 채웠다. 힘들었지만, 그렇다고 마냥 불행하기만 한 것은 아니었다. 세 사람은 나름대로 행복한 삶을 꾸려나갔다. 하지만, 이들의 행복은 대원이 중학생이 된 직후부터 금이 가기 시작했다. 대원의 학원비에, 이전보다 더 큰 액수의 입원비가 더해진 탓이었다. 그랬다. 명곤의 배우자이자 대원의 친어머니… 그의 상태가 급격히 나빠지고야 말았다.
하지만 명곤은 그 무엇도 포기할 수 없었다. 그는 아들의 꿈인 경찰대학교 진학을 위해 그리고 배우자의 입원비를 마련하기 위해 밤낮없이 일했다. 경찰대학교를 졸업하면, 곧바로 간부 중 가장 낮은 직급인 "경위" 계급을 부여받았기에…… 경찰대학교는 치열한 경쟁에서 승리한 수험생, 즉 "대학수학능력시험(수능)"의 성적이 최상위에 속한 학생들에게 인기가 많았다. 이를 달리 말하면, 수능에서 매우 우수한 성적을 거두지 못한다면 경찰대에 입학할 수 없다는 의미였기에 명곤은 대원의 미래를 위한 '투자'를 멈출 수 없었다.

  고난의 시간은 순식간에 흘러갔다. 고등학교 3학년, 즉 수험생이 된 대원은 제게 주어진 기회가 단 한 번뿐이라는 것을 알고 있었다. 물론 아버지는 대학 입시에 실패해도 몇 번이고 도전해도 된다며 자신을 응원했지만, 이는 무의미한 위로일 뿐이었다. 그는 아버지가 빚까지 져가며 과외비와 학원비 그리고 입원한 어머니의 치료비를 감당하고 있다는 사실을, 그 누구보다 잘 알았다. 그렇기에 몸을 혹사하면서까지 공부에 열중했다. 하지만 이런 노력은 끝내 빛을 보지 못했다. 대원은 불합격 소식을 통보받았고, 절망 끝에 "전부 불합격이다. 지금까지의 모든 노력이 허사가 됐다. 재수는…… 모르겠다. 남은 건 빚뿐인데, 어떻게 재수하겠다는 말을 할 수 있을까."라는 내용의 유서를 남기고 스스로 목숨을 끊었다.

  결국, 끝을 알 수 없는 절망에 이성을 빼앗긴 명곤은 비척거리는 발걸음을 옮겨 로비로 나왔다. 그러자 로비 옆에 설치돼 있던 TV에서 흘러나온 목소리가 그의 심장을 파고들었다.

"이번에도, 재벌가 출신의 수험생 여럿이 경찰대에 합격했다는 소식인데요. 교수님, 이런 것도 모종의 '부모 찬스'라고 할 수 있지 않나요?"

'재벌가 출신의 수험생'과 '경찰대' 그리고 '부모 찬스'라는 단어에, 명곤의 몸이 얼어붙었다. 하지만 이를 알 리 만무한 TV 속의 인물들은, 대화를 계속했다.

"부모 찬스라고 하기에는 어폐가 있습니다만…… 부모의 재력이 자식의 학력을 결정짓는 건, 틀림없는 사실입니다."
"정리하자면, '부의 대물림은 곧 학력의 대물림이다.'라는 건가요?"
"그렇습니다. 이대로라면, 이 나라의 교육 격차는 점점 커질 겁니다."

명곤은 핏발이 선 눈으로 TV를 노려보았다. 로비의 사람들은 그가 TV 속 사람들을 본다고 생각했다. 하지만, 명곤이 노려본 것은 "경찰대에 합격한, 재벌가 출신의 수험생들"이라는 자막이었다. 그는 피눈물을 흘리며, 얼굴도 이름도 모르는 존재를 가슴에 새겼다. 명곤에게 "경찰대에 합격한, 재벌가 출신의 수험생들"이란, 부모의 재력을 무기로 삼아 대원의 자리를 빼앗은 존재일 뿐이었다. 경찰대에 진학하지 않아도, 재벌가 사람들은 얼마든지 편한 인생을 누릴 수 있다. 그런데도 굳이 경찰대 진학을 택하여, 내 아들의 자리를 빼앗는가? 명곤은 그리 생각했다.
불행은 쉼 없이 들이치는 파도처럼 들이쳤다. 기둥 하나가 무너진 건축물이 무게를 지탱하지 못하고 순식간에 무너지듯이, 한 가정이 완전히 무너지는 데에는 오랜 시간이 필요치 않았다. 약 1개월.

즉, 한 달 정도면 충분했다. 아들의 자살 소식을 접한 어머니는 삶의 의지를 완전히 놓아버렸고, 결국 병원의 침대 위에서 숨을 거두었다.

돈이 조금씩 모이기 시작한 시점은, 바로 이때부터였다. 부양해야 할 가족이 사라졌으니, 지출도 자연스레 줄었다. 명곤은 빚을 청산하고 적금 통장을 만들었으며 여윳돈으로 투자를 시작했다. 간절히 원할 때는 모이지 않던 돈이, 그다지 필요하지 않은 상황이 되니까 비로소 모이기 시작했다. 이렇게 모인 돈 중 일부를 사용해, 수도권 외곽 지역에 있는 집 한 채를 구매한 그는 죽은 아들과 아내의 묏자리를 집에 딸린 정갈하고 넓은 마당으로 옮겼다. 드디어 세 가족이 한집에 머물게 된 셈이었다.

*

'역시, 짐작했던 대로군.'

진이 들어 올린 손으로 얼굴을 감싸 쥐었다. 그는 행정 기록에 남은 대원의 생몰년과 사망일을 통해, 죽기 직전의 대원이 경찰대학 최종 합격 통보를 받았던 자신과 동갑이었다는 사실을 깨달았었다. 만일 대원이 취업이 아닌 대학교 진학을 선택했다면, 사망일 무렵에 합격자 발표 공지를 확인하고 있었으리라. 경찰대학교 합격 여부를 확인하던 자신처럼 말이다. 이러한 생각을 명곤의 가족관계를 살폈던 당시에 했었기에, 진은 명곤이 자신을 '정대원을 죽인 살인마'라고 정의한 이유를 짐작할 수 있었다.

"그러니까. 내가 경찰대에 진학한 탓에 정대원이 떨어졌고⋯⋯ 실패를 비관해 자살을 택했으니, 내가 죽인 것과 다를 바 없다?"

진이 어이가 없다는 표정을 지으며 으르렁거렸다. 그러자 명곤이 거칠게 포효했다.

"그래! 네가 경찰대에 지원하지만 않았어도, 내 아들은 멀쩡히 살아있었을 거야. 네가 앉은 그 자리에, 대원이가 앉아 있었겠지!"

궤변이었다. 처음부터 끝까지, 전부. 진은 어이가 없다는 듯 헛웃음을 흘렸다. 그런 그에게, 절규가 섞인 말이 폭우처럼 쏟아져 내렸다.

"유소영이 남긴 돈으로 만족했어야지!!! 그 정도 돈이라면, 평생 먹고살 수 있었을 텐데!!!"

유소영은, 다름 아닌 진의 이모였다. 인영의 친언니이기도 한 소영은, 진이 중학생 때 세상을 떠났다. 배우자도, 아이도 없었던 그는 진에게 막대한 유산을 상속해 주었다. 물론 이러한 사실은 진이 인화 그룹의 후계자라는 사실이 널리 알려지면서 같이 알려진 것이었다.

"작작 해! 나는 내가 하고 싶은 걸 할 뿐이야. 내가 뭘 하든, 내 자유라고!!!"

참다못한 진이 주먹으로 책상을 내려치며 외쳤다. 그러자 명곤이 비웃음을 흘리며 응수했다.

"돈 많은 것들은 항상 이런 식이지. 세상 모든 것을 독차지하는 주제에, 양보라는 걸 몰라!"

명곤의 계속되는 궤변에, 진은 눈을 형형히 빛내며 명곤을 노려보았다. 그리고는 신문을 이어 나갔다.

"……나는, 당신이 누군가의 지시대로 움직였다고 생각했습니다." 한기가 서린 말이 명곤을 정조준했다.
"그래?" 매우 흥미롭다는 표정을 지으며, 명곤이 짧게 대꾸했다.
"그 사람이, 당신에게 내 과거와 신위동 교회에 관해 알려주고…… 나를 깎아내리는 게 곧 복수라면서, 내가 해결했던 사건 중 하나인 '타투 살인 사건'을 모방하라는 지시를 내린 거 아닙니까?"

명곤은 정면에서 저를 공격해 온 진을 바라보더니, 뒤틀린 웃음을 지으며 입을 열었다.

"맞아. 대원이를 잃고 슬퍼하는 나를, '그분'께서 찾아오셨지."

그는 저를 뚫어져라 바라보는 진을 위해 회상을 겸한 설명을 시작했다. 이어지는 말에 의하면, 대원의 시신은 입관 이후 생전에 기거했던 집의 뒷산에 묻힌 모양이었다. 명곤은 매일같이 대원의 묏자리를 찾아가 울부짖었다. 그런 그의 앞에 '그분'이 나타났다. '그분'은 명곤에게 "당신이 끔찍하게 사랑한 아들의 자리를 빼앗은 사람은, 인화 그룹의 유인영이 입양한 아이입니다."라고 말하더니, "듣기로는, 그 아이…… 동물을 죽이며 즐거워한다더군요."라는 말과 "유소영이 남긴 돈이면, 평생 놀고먹을 수 있을 텐데. 경찰 간부 자리까지 탐을 내다니, 욕심이 과해도 너무 과하지 않습니까?"라는 말을 덧붙였다. 그러고는 대원을 죽인 무자비한 살인마에게 복수하고 싶지 않으냐고 물었다. 이에 명곤은 '그분'이 내민 손을 덥석 잡았다. 망설일 이유 따위는 없었다. 그의 머릿속에는, 구세주와 복수라는 단어만이 가득했다. 이렇게 명곤은 '그분'의 뜻을 따르는 충실한 수족이 되었고, 마침내 복수의 때가 다가오자 '그분'께서 지시한 대로 '신위동 교회를 향한 원한으로 인해 살인을 저지른 범죄자'를 연기하기 위해 급매물로 나온 별장을 구매하고 다솔에게 접근했다. 그런 다음, '타투 살인 사건'을 모방해 주선을 죽였다. 진이 해결했었던 살인 사건이, 실은 해결되지 않은 미완의 사건이라는 인식을 심어주어야 했으므로. 여기까지가, 명곤의 주장이었다.

"이참에 하나 더 알려주지. 내가 보낸 택배에… 과연 채주선의 옷가지만 들어있었을까? 그것도 특종과 단독 보도에 미쳐있는 언론사에?"

말을 마친 명곤이 입술을 핥으며 다시 입을 열었다. 그의 얼굴에서는 여전히 비웃음이 뚝뚝 떨어져나왔다. 이를 본 진은 일순간 불길함을 느꼈다.

"택배 상자 안에는, USB도 들어있었어. 세상과 사람을 위한다고 지껄이는 종교가, 얼마나 위선적이고 추악한지를 증명해 줄 자료가 담긴 USB가."

진은 킬킬대는 명곤을 바라보며 분주히 사고회로를 작동시켰고, 마침내 답을 도출해 냈다. 그가 생각하기에, 명곤이 종교의 위선과 추악함을 증명할 자료를 언론사에 보낸 이유는… 단 하나뿐이었다.

"……신을 향한 사람들의 믿음을 끊어내기 위해서?"

진이 아연실색하며 외쳤다. 그는 '신(神)을 죽이는 행위' 혹은 '신을 죽이는 자'를 일컫는 단어인 "deicide"를 떠올렸다.

신과 종교. 고대부터 막대한 권력을 행사해 온 존재들. 하지만 정교가 분리되고 과학이 발전함에 따라 이들의 영향력은 한풀 꺾였다. 그러나, 유신론과 종교는 여전히 수많은 사람에게 강력한 영향력을 행사한다. 이는 진과 같은 무신론자와 무종교인이 전 국민의 70% 이상을 차지하는 대한민국도 예외는 아니었다. 이 때문에, 권력을 쥐려는 야심을 품은 성욱은…… 신과 종교라는 개념을 반드시 절멸시키겠다고 다짐했으리라. 왜냐하면, 그에게 신과 종교는 자신에게 흘러들어야 할 믿음을 야금야금 빼앗는 잡초에 불과할 테니. 진은 그리 생각했다.

"정답이야. 신을 죽이는 건 쉬워. 돈과 믿음을 바치는 신도들이 없으면, 아무것도 아니니까!"

명곤의 비웃음에, 최선을 다해 성욱의 계획을 저지했다고 생각했던 진은 저의 오판을 탓했다.

'최성욱의 진짜 목적은, 신을 죽이고 그 자리를 빼앗는 거였어.'

하지만 이대로 투쟁을 포기할 수는 없었기에, 그는 문제의 택배 상자를 개봉한 기자가 USB를 빼돌렸다고 확신하며 생각을 이어 나갔다.

'종교 지도자 한 명의 행동이, 종교 전체의 이미지를 좌지우지하기도 한다. 최성욱은 이러한 사실을 이용해, 종교의 권위를 떨어뜨릴 계획을 세운 거야. 종교의 권위가 땅에 떨어지면, 신의 권위 역시 떨어질 수밖에 없으니까.'

상황은 진의 추리대로 흘러가는 모양새였다. 진이 신문하는 장면을 지켜보던 수현은 스마트폰을 꺼내 방송국의 뉴스가 업로드된 동영상 플랫폼과 인터넷 언론사의 기자가 작성한 기사를 살폈다. 그리고 저와 진이 신위동 교회의 간부들을 추적하던 때 HBS가 "단독"이라는 수식어를 붙여 기성 종교 지도자들의 추악한 모습을 최초로 보도했으며, 다른 언론사들은 이를 인용하거나 가공하여 폭로전에 뛰어들었다는 사실을 깨달았다.

"경위님."

 빠르게 상황을 파악한 수현이, 허리를 살짝 숙여 관찰실에 설치되어 있는 마이크에 대고 말했다. 그러자 진이 의자에서 일어난 다음, 곧바로 관찰실로 향했다. 수현은 그런 그에게 현 상황을 설명했다. 수현이 설명을 마치자, 진이 굳은 표정으로 자신이 추리한 바를 입 밖에 냈다. 마치, 수현에게 "너도 그렇게 생각하지?"라고 물으려는 것처럼.

 "최성욱은⋯⋯ 종교 지도자들의 타락한 모습을 보고 실망한 수많은 신도 중, 신을 대신할 새로운 구원자를 찾아 헤매는 사람들을 노린 거야."
 "나도, 그렇게 생각해요."

 수현이 나직이 말하며 고개를 한 번 끄덕이더니, 사견을 덧붙였다.

 "신을 대신하겠다니⋯⋯ 정말, 오만함의 극치네요."

 말을 마친 수현이, 취조실과 관찰실 사이에 설치된 반투명거울 너머의 명곤을 바라보았다. 그러자 진 역시 시선을 옮겨 명곤을 바라보았다. 반투명거울의 특성상, 관찰실의 두 사람은 명곤을 볼 수 있었으나 취조실의 명곤은 두 사람을 볼 수 없었다. 하지만 명곤은 반투명거울 너머의 취조실이 똑똑히 보이는 것처럼, 진과 수현을 보며 행복에 겨운 조소를 터뜨렸다. 드디어 아들의 복수에 성공했다. 드디어 극악무도한 살인마가 지키고자 하는 민주주의를, 민주주의의 이름으로 무너뜨릴 수 있게 됐다!

"'그분'은 이 나라 모든 국민의 구세주가 될 거야. 너는 절대 그분을 막을 수 없어. 너도 나처럼, 아무것도 남지 않은 폐허에서 피눈물을 흘리게 될 거다!"

하지만, 명곤의 조롱은 진에게 어떠한 타격도 주지 못했다. 진은 마이크가 설치된 테이블을 향해 다가가, 두 손을 마이크가 설치된 테이블 위에 올려놓았다. 그러자 그의 상체가 자연스레 숙어졌다.

"정명곤 씨. 지금까지 주고받은 대화와 방금 한 말, 한 글자도 빼놓지 않고 모두 녹화됐습니다. '그분'이 누구인지는 모르겠지만, 조만간 꼭 밝혀내도록 하죠."

진이 마이크에 대고 말하자, 그의 목소리가 취조실에 울려 퍼졌다. 바로 그때였다, 명곤이 돌연 태도를 바꾼 것은. 이를 본 진은, 명곤이 진술을 번복하려 한다는 것을 본능적으로 직감했다.

"형사님. 설마 제가 여태껏 한 말을 믿으신 겁니까?" 명곤이 정색하며, 반투명거울 너머의 진을 향해 이야기했다. 조금 전까지만 해도 반말을 내뱉던 명곤은, 온데간데없었다.
"그래, 일이 이렇게 쉽게 풀릴 리 없지." 진이 중얼거리듯이 말했다. 그러고는 다시 목소리를 높였다. "내 과거는 어떻게 안 겁니까?"

"형사님의 과거? 설마, 내가 정말로 형사님의 과거를 알고 그런 말을 했다고 생각하신 겁니까?" 파안대소를 터뜨린 명곤은 한참을 끅끅대더니, 겨우 진정하고는 다시 입을 열었다. "언론에서 형사님을 하도 사이코패스라고 하니, 그냥 해본 말이었습니다! 사이코패스들은, 어린 시절에 동물을 죽인다고 하길래!"

명곤의 말에, 진이 어이가 없다는 표정을 지었다. 이를 아는지 모르는지, 명곤은 차분한 어조로 새로운 진술을 해나갔다.

"형사님이 인화 그룹의 후계자라는 것도, 경찰대 출신이라는 것도, 유소영의 재산을 상속받은 것도…… 모두 최근에 알게 된 겁니다. 형사님에 대해 알려진 시점은, 인화 제약 연구원 살인 사건이 벌어진 직후잖습니까?"

"그렇습니까? 그럼 '그분'에 관한 이야기는 뭡니까?" 진이 무감정한 어투로 물었다.

"형사님께서, 내가 누군가의 지시를 받고 움직였다고 말해서요. 헛된 망상에 사로잡혀 있는 게 불쌍하면서도, 놀려보고 싶기도 하고. 뭐…… 그래서 그랬습니다." 명곤의 입가에 엷은 웃음이 감돌았다.

"……신위동 교회에 관한 건, 어떻게 설명할 겁니까?"

"나처럼 다른 사람의 악의로 가족을 잃은 사람들을 도와주고 싶어서, 이런저런 일을 하다가 신위동 교회에 대해 알게 됐습니다. 정신적으로 불안정하고 나약한 사람들을 세뇌해 노동력을 착취하는 범죄자들이 괘씸해서, 단죄하기로 마음먹었죠. 그러던 중에 대원이를 죽게 만든 사람이 형사님이라는 사실을 알게 돼서, 형사님이 해결했다고 알려진 타투 살인 사건을 모방해 채주선을 심판했습니다. 형사님의 명예를 짓밟는 것만큼 확실한 복수는 없다고 생각했으니까요. 겸사겸사 신위동 교회의 간부를 심판할 수도 있고." 일필휘지하듯이, 막힘없이 이야기하던 명곤은 잠시 말을 멈추었다. 그러고는 다시금 진술을 이어갔다. "HBS에 USB를 보낸 것도, 사람들을 돕기 위해서 한 일이었습니다. 위선투성이인 종교의 민낯을 세상에 폭로하면, 신도들이 더는 피해를 받지 않을 테니까요!"

길고 긴 진술을 마친 명곤에게서는 한 치의 부끄러움도 찾아볼 수 없었다. 이에 진은 형형하게 빛나는 두 눈으로 명곤을 뚫어져라 바라보았다. 그러고는 책상에 설치된 마이크의 전원을 끈 다음 상체를 일으켜 세우며 팔짱을 꼈다.

"진술 번복이라니, 최악이군."

진이 간단한 감상을 내뱉었다. 수사받을 때 했던 진술 혹은 자백을 법정에서 번복하면, 그 진술 혹은 자백은 증거 능력을 잃게 된다. 하물며 법정에 가기도 전에 진술을 번복한다면, 이전에 했던 진술의 증거 능력은 더 이상 논할 가치가 없다. 거짓말 탐지기 검사 역시, 논할 가치가 없는 것은 매한가지였다. 거짓말 탐지기 검사는 대상자의 동의가 없으면 시도조차 할 수 없으며, 애초에 거짓말 탐지기를 활용한 검사 결과는 법적인 증거 능력이 없다. 검사 결과를 100% 확신할 수 없어, 그저 참고 자료로만 쓰일 뿐.

"이렇게 된 이상, 압수 수색에 희망을 걸 수밖에요."

수현이 나직이 말했다. 아직 명곤의 집을 수색하지 않은 상황이었기에, 희망을 버릴 필요는 없었다. 그는 그리 생각했다. 다만, 그렇다고 해서 희망에 도취할 생각은 추호도 없었다. 그저 가능성을 염두에 둔 것일 뿐.

"그렇지. 최성욱이 이번 사건과 관련되어 있다는 증거는 찾지 못할 가능성이 크지만…… 직접 확인하기 전까지는 모르는 일이니까."

진 역시, 작은 가능성을 염두에 두는 정도로 그쳤다. 그러고는 수현과 함께 관찰실을 떠났다. 신문을 통해 유용한 정보를 얻을 수 없다고 판단한 까닭이었다.

진과 수현은 정명곤이 칭한 '그분'의 존재를 밝히기 위해 분주히 움직였다. 그들은 명곤의 집으로 가기 전, 주선의 옷가지와 USB가 들어있던 택배를 개봉한 기자에게 연락을 취했다. 만일을 대비해 연락처를 받아놓았었기에 가능한 일이었다. 진의 차가운 분노에 잔뜩 겁먹은 기자는 결국 덜덜 떨리는 목소리로 USB를 제출하겠다고 말했고, 얼마 지나지 않아 저를 찾아온 진과 수현에게 USB를 돌려주었다. 그런 그를 향해 진은 구속 수사까지는 하지 않겠다며 재차 경고한 다음, 수현과 함께 명곤의 집으로 향했다. 다솔의 집은, 직접 볼 필요성이 낮다고 판단했기에 과학수사관들이 수색을 맡기로 하였다.

이윽고, 진과 수현을 태운 전기자동차와 과학수사관들을 태운 과학수사대의 차량 몇 대가 담장으로 둘러싸인 집 앞에서 멈춰 섰다. 차에서 내린 두 형사와 과학수사관들은 주변에 CCTV가 없다는 사실을 가장 먼저 확인한 다음, 대문을 통해 마당 안으로 발을 들였다. 그러자 두 개의 봉분이 모습을 드러냈다. 가정집 마당에 있는 봉분의 존재는 매우 낯설었으므로, 진과 수현 그리고 과학수사관들의 시선은 봉분들을 향해 쏠릴 수밖에 없었다. 이런 까닭에, 이들은 한 봉분의 표면 일부가 뒤엎어진 것을 단박에 알아차렸다. 누군가가 무덤을 파헤치지 않은 이상은 일어날 수 없는 일이었기에, 진과 수현 그리고 과학수사관들은 정대원이라는 이름이 새겨진 묘비를 향해 다가갔다. 그런 다음 문제의 무덤을 조심스레 살피기 시작했고, 얼마 지나지 않아 새하얀 미농지 뭉치가 든 나무 상자를 발견했다. 7개나 되는 미농지 뭉치 안에는, 백골이 들어있었다! 뼈의 정체는 아래턱뼈(하악골)와 위턱뼈(상악골) 일부였으며, 위턱뼈는 치아의 뿌리가 끝나는 부분 바로 위까지만 존재하는 상태였다. 이 두 뼈를 미농지로 일일이 감싸놓은 점을 보아, 추측하건대 미농지 한 뭉치 안에 들어있던 아래턱뼈와 위턱뼈는 한 사람의 몸에서 나왔을 가능성이 컸다. 아무래도, 여러 사람의 뼈가 뒤섞이지 않게 할 생각으로 벌인 일 같아 보였다. 그렇지 않다면 이런 수고를 할 필요가 없지 않은가.

뼈와 치아를 관찰하던 수현은 지금까지 쌓아온 지식과 경험을 바탕으로, 고인 중 절반 이상이 10살도 채 되지 않은 어린이이며 나머지는 성인과 10대 청소년이라는 사실을 알아냈다. 그는 이러한 사실을 진에게 알린 다음, 법치의학(法齒醫學) 전문가인 '법치의학자'에게 연락을 취했다. 치아에 한해서는, 의사인 저보다 치의학을 전공한 법치의학자가 필요했기 때문이다. 다행히도,

수현의 연락을 받은 법치의학자는 현장 방문 요청을 흔쾌히 수락했다.

진과 수현은 상자를 파묻은 사람이 정명곤 본인이거나 성욱의 명령을 받은 자라고 생각했다. 전자라면 뒤틀린 사고방식의 소유자인 명곤이 아들의 무덤을 훼손하면서까지 성욱을 위해 움직인 것일 테고, 후자라면 성욱이 이용 가치가 없어진 명곤을 가차 없이 버린 것이리라. 두 형사는 그리 생각하며, 전자든 후자든 이번 사건에서 성욱의 이름이 거론될 일은 일어나지 않으리라고 결론지었다. 간단한 이치였다. 상자를 파묻은 자가 명곤이라면, 명곤이 '그분'의 정체를 누설할 리 없다. 상자를 파묻은 자가 성욱의 사주를 받고 움직였다면, 성욱은 명곤이 자신의 이름을 절대 이야기하지 않으리라고 확신하고 있다는 이야기였다. 즉, 어찌 됐든 최성욱과 정명곤이 손잡았다는 진술이나 물증이 나올 일은 없다는 게 진과 수현의 생각이었다.

두 형사는 압수 수색을 계속해 나갔다. 명곤의 집에는 CCTV가 단 한 대도 없었기에, 백골을 파묻은 사람이 누구인지는 여전히 알 수 없었다. 물론 진과 수현은 명곤이 CCTV를 설치했을 가능성 따위는 기대조차 하지 않았기에, 실망하지 않았다. 자신의 배후에 '그분'이 있다는 것을 한사코 부인하는 명곤이, '그분'이 보낸 사람이 찾아올 가능성을 고려하지 않고 CCTV를 설치할 리 없지 않은가? 이는 명곤의 배후에 있는 '그분'도 마찬가지였는지, 명곤의 집에서는 그 어떠한 도청 장치나 불법 촬영용 카메라도 발견되지 않았다. 반면에, 주선을 죽일 때 쓴 흉기로 추정되는 아이스픽과 죽은 주선의 몸에 글씨를 새길 때 쓴 것으로 추정되는 커터칼은 손쉽게 찾아낼 수 있었다. 이들은 옷장과 서랍 안에 있던 옷가지

등과 함께 국과수로 옮겨질 예정이었다. 책장에서 발견된, 합법적으로 운영되는 탐정 사무소와 불법적인 일을 도맡아서 하는 흥신소의 홍보물 역시 주의를 기울여 살필 필요가 있어 보였다.

그때, 때마침 법치의학자가 도착했다. 과장하자면 초음속 비행기를 모는 것처럼 차를 운전하여 현장에 당도한 그는 치아와 뼈를 꼼꼼히 살핀 끝에, 미농지 뭉치 안에 들어있던 아래턱뼈 하나와 위턱뼈 하나가 한 사람에게서 나온 것으로 보인다고 하였다. 그리고 수현의 추측대로, 고인 중 네 사람이 10살도 채 되지 않은 어린이로 보이며 나머지는 10대 중반 청소년 하나와 20대 후반에서 30대 초반의 성인 둘로 추정된다는 의견을 내놓았다. 이렇게 기본적인 사실을 알려준 법치의학자는 성인을 제외한 고인들의 치아 상태가 그리 좋지 않은 것을 보아, 진찰만 받고 치료를 안 받았거나 최악의 경우 진찰조차 받아본 적이 없을지도 모른다는 말을 남기고는 자리를 떴다. 좀 더 상세한 정보는, 과학이 알려주리라.

얼마 뒤, 압수 수색을 끝내고 나온 진과 수현은 명곤을 다시 찾아갔다. 백골에 대한 명곤의 반응을 확인하기 위해서였다. 뼈로 채워진 나무 상자의 등장을 접한 명곤의 낯빛은 일순간 허옇게 질렸고, 눈빛은 사정없이 흔들렸다. 필시, 성욱이 언질을 주지 않은 게 분명했다. 하지만 그뿐이었다. 이대로라면 연쇄 살인 혐의를 받게 될 텐데도, 명곤은 꿋꿋이 침묵으로 일관했다. 그런 그를 보며, 진은 기계 부품을 떠올렸다. 쓸모가 다하면, 곧장 버려지는 기계의 톱니바퀴. 하지만 명곤은 저항하기는커녕 기계 부품의 삶을 기꺼이 받아들였다. 이는 성욱이 명곤의 정신을 완전히 지배했다는 방증이었다.

나무 상자를 성욱의 수족이 파묻었다고 판단한 두 형사는, 명곤의 집 인근 도로에 설치된 CCTV와 주변에 주차된 자동차의 블랙박스를 확인할 계획이었다. 상자를 파묻은 자에 대한 단서가 나오리라고는 기대조차 하지 않았지만, 그렇다고 아예 들여다보지 않을 수는 없었으므로. 물론, 결과는 그들이 예상한 대로였다. 명곤이 사는 지역은 인구 밀도가 낮고 한적하기 그지없어, CCTV 설치율이 낮았다. 즉 감시의 시선을 피할 사각지대가 너무나 많았다. 이러한 사정은 인근에 주차된 자동차의 블랙박스에도 적용되었다. 명곤이 사는 지역은 집과 집 사이의 거리가 멀었기에, 주민들의 차가 한 장소에 모여있을 일이 없었다. 오히려 멀찍이, 띄엄띄엄 주차되어 있는 게 당연한 일이었다. 이 때문에 진과 수현은 CCTV와 블랙박스에서 수상한 사람을 찾아낼 수 없었다.

영상 기록에 단서가 없다면, 다른 길을 찾아야 했다. 두 형사는 이랑에게 명곤의 데스크톱과 택배 상자를 개봉한 기자가 제출한 USB를 넘겼다. 그러고는 이랑이 건네준, 명곤의 통화 기록과 메시지를 주고받은 기록 등을 기반으로 명곤과 연락을 주고받은 사람들이 누구인지 확인에 나섰다. 하지만, 진과 수현은 자신들의 추리가 옳다는 결론만 얻었을 뿐이었다. 역시나 명곤과 최성욱이 직접적으로 연락을 주고받은 기록은 존재하지 않았다. 그나마 눈여겨볼 만한 것은, 명곤이 탐정 사무소 그리고 흥신소와 연락을 주고받은 흔적이었다. 탐정 사무소와 흥신소의 전화번호와 SNS 계정 주소는, 그의 집 책장에서 발견된 홍보물에 적혀있던 것이었다. 이는 "나처럼 다른 사람의 악의로 가족을 잃은 사람들을 도와주고 싶어서, 이런저런 일을 하다가 신위동 교회에 대해 알게 됐습니다."라는 명곤의 진술에 힘을 실어줄 만한 강력한 증거가 될 수 있었다.

결국, 진과 수현은 이러한 방식으로는 명곤의 배후에 성욱이 있다는 것을 절대 밝혀낼 수 없다고 결론지었다. 명곤의 집에서는 대포폰으로 추정되는 그 어떠한 휴대전화기도 발견되지 않았기에, 더욱 그러하였다. 이러한 판단에는, 이랑의 디지털 포렌식 결과도 한몫했다. 그 역시 명곤의 데스크톱과 택배 상자 안에 있던 USB에서, 최성욱과 관련된 정보를 찾지 못했다.

형편이 이러니, 두 형사의 관심은 자연스레 백골에 집중될 수밖에 없었다. 수현은 국과수로 백골을 옮긴 법치의학자의 곁에 머무르며, 백골이 정밀 감식을 거치는 과정을 두 눈으로 직접 보기를 원했다. 진 또한 그와 같은 마음이었다. 하지만 진은 저에게 쉴 시간이 필요하다는 것을 잘 알고 있었다. 검찰 소환 조사 때부터, 저는 제대로 쉰 적이 없지 않았던가. 그리 생각한 진은 수현에게 양해를 구했고 수현은 양해를 구할 일도 아니라며 아예 쉬지 않는 것보다 조금이라도 쉬는 게 훨씬 낫다고 말했다. 이에 진은 싱긋 웃으며, 수현을 국과수까지 태워다주기 위해 차를 몰았다. 그러는 동안 수현은 세리에게 메시지를 보냈다. 메시지는 수사 진행 상황을 알리고자 찾아가려고 한다, 언제쯤 찾아가는 게 편한지 알려달라는 내용을 담고 있었다.

*

진은 조간신문이 놓여있는 가판대로 다가갔다. 그리고 모든 신문사의 신문을 각각 한 부씩 구매했다. 이렇게 신문을 한가득 손에 쥔 그는, 맨 위에 놓인 신문 한 부를 내려다보았다. 그러자 「종교의 민낯 : 신을 판 자들」이라는 헤드라인이 눈앞에 펼쳐졌다. 이에 그는 한숨을 내쉬며 다른 신문들을 살폈다. 하지만 다른 언론사의 신문 역시 「새빛 교회 앞으로 몰려간 시민들」, 「특집 : 어쩌다 종교는 타락하게 됐는가?」, 「종교의 타락 : 도덕과 진리는 허상이다」라는 헤드라인으로 가득했다.

많고 많은 신문 중, 진은 「종교의 타락 : 도덕과 진리는 허상이다」라는 헤드라인이 실린 신문을 맨 앞에 두었다. 그리고 긴 사설을 읽기 시작했다.

'종교는 신의 뜻대로 올바르게 살라고 가르친다. 하지만 어제 쏟아진 폭로를 보면, 신과 도덕의 존재를 의심케 하는 사건의 연속이다.'

그의 시선은, 기고자가 써낸 활자를 따라 내달렸다.

'…세상에는 도덕도 진리도 없다. 이 세상에서 가치 있는 것은, 오로지 돈뿐이다.'

진은 이를 악물며 신문을 반으로 접었다. 기고문은 극단적인 비관주의와 삶에는 아무런 의미가 없다는 허무주의로 가득했다. 그는 음울함이 점철된 신문들을 모두 챙겼다. 그리고 수현을 만나기 위해 국과수를 향해 차를 몰았다.

진이 살아 숨 쉬고 움직이는 것처럼, 세상 역시 그러하였다. 어제 구조대를 파견한 경찰청과 소방청은 오늘 합동 기자회견을 열어, 집단생활지에서 생활하던 신위동 교회의 신도들을 무사히 구출해 냈다는 소식을 세상에 알렸다. 그리고 구출된 신도 중,

건강 상태가 양호한 사람들은 가족과 함께 인근 국공립 체육관에 잠시 머물고 있다는 정보를 덧붙였다. 뉴스를 통해 이를 접한 사람 중 일부는 기부금을 전달하고 싶다는 의사를 밝히거나, 체육관에 물품을 직접 기부하기도 했다. 성욱은, 명백히 후자에 속했다. 가장 많은 사람이 모여있는 체육관을 찾은 그는 인부들과 힘을 합쳐 기부 물품을 전달하고, 신도들과 그들의 가족을 위로하며 착실히 호감을 쌓았다. 여당과 야당의 국회의원들은, 그런 성욱에게 접근해 정식으로 입당을 권했다. 성욱이 어떤 야망을 품었는지 알면서도 말이다. 현직 국회의원들을 비롯한 정치인들은 누구보다 빠르게 '새로운 질서'에 적응했는데, 이러한 현상의 이면에는 음흉함이 도사리고 있었다.

최성욱. 순식간에 지지율을 쌓아 올린 사업가. 하지만 정치에 대해 아는 것 하나 없는 정치 신인. 그렇기에 의원들은 성욱을 영입한 다음 멋대로 주무르겠다는, 참으로 단편적이기 그지없는 생각에 빠져있었다. 국회의원이라면, 정치인이라면 당연히 시민과 국가가 우선이어야 하나…… 이러한 원칙을 져버릴 정도로, 최성욱은 매력적인 대권 주자였다. 성욱의 선택에 따라서, 여당과 야당이 갈리고 다른 당과 협의 없이 독자적으로 개헌이 가능한 200석의 의석 -혹은 그 이상의- 을 쥔 거대 정당이 될 수 있을 테니.

그러나, 성욱은 정치인들의 생각만큼 만만한 사람이 아니었다. 그는 사람 좋은 미소를 지으며, 속내가 뻔히 들여다보이는 제안을 혼잣속으로 비웃었다. 그러고는 기부 물자를 받기 위해 제 앞으로 몰려든 사람들이 들을 수 있도록, 큰 목소리로 운을 뗐다.

"여러분! 절대로 희망을 잃어서는 안 됩니다. 희망만이 우리를 이끌고, 삶에 의미를 부여하기 때문입니다. 여러분께서 여태껏 버틸 수 있었던 것도, 소중한 사람을 다시 만날 수 있으리라는 믿음 덕분 아니었습니까?"

"맞습니다!"

성욱은 환호하는 수많은 사람을 스윽, 훑어보았다. 그의 시선에 닿은 사람들은 차례로 입을 다물며, 존경심이 담긴 반짝이는 눈빛으로 성욱을 올려다보았다.

"그러니, 여러분. 이 나라를 위해, 제안을 하나 하고자 합니다."

성욱이 말을 마치기가 무섭게, 유리가 성욱에게 배지(badge)를 건넸다.

"이게 바로, '세 번째 희망'을 형상화한 배지입니다."

성욱이 배지를 들어 올렸다. 금으로 도금된 원 모양의 배지 위에는 별을 형상화한 문양이 양각으로 새겨져 있었다.

"어둠 속에서도 찬란히 빛나는 별을 본떠서 만들었죠. 희망을 표현하기에 안성맞춤이지 않습니까?"

천장에서 쏟아져 내리는 빛을 받은 배지가 황금빛으로 찬란히 빛났다. 사람들은 찬연한 자태의 배지에 넋을 빼앗겼다. 유리는 그런 사람들의 사이를 분주히 오가며 배지를 나누어주었다. 이렇게 희망이라는 가면을 뒤집어쓴 기만자가, 무색무취의 연무가 돼 퍼져나갔다.

한편, 국과수에 도착한 진은 수현이 기다리는 부검실 안으로 발을 들였다. 그러자 부검대 위에 놓인 아래턱뼈와 위턱뼈들이 그의 시선을 사로잡았다.

백골에서 시선을 거둔 그는, 이내 수현을 향해 시선을 옮겼다. 수현은 정밀 감식 결과서를 정독하고 있었다.

"결과는?"

진의 물음에, 수현이 읽던 서류를 가지런히 정리한 다음 진에게 건넸다. 진은 그가 내민 서류를 받아들고는, 지면의 활자를 읽어나가기 시작했다. 정밀 감식 결과에 따르면, 명곤의 집에서 입수한 아이스픽과 커터칼 그리고 검은색 가죽장갑에서 주선의 DNA가 극소량 검출되었다. 또한 두 개의 봉분이 있는 마당에 찍힌 발자국들은, 명곤의 집 신발장에 있던 신발 밑창과 크기가 같았으며 밑창에 새겨진 문양 역시 그러하였다. 대원의 무덤에 백골을 묻은 자의 흔적은, 보고서 속 어디에서도 찾을 수 없었다.

예상을 한 치도 벗어나지 않는 상황에, 진은 혀를 차며 종이를 넘겼다. 그러고는 백골에 관한 서술을 읽기 시작했다. 역시나, 미농지 한 뭉치 안에 있던 위턱과 아래턱은 한 사람의 몸에서 나온 것이었다.

'10살이 채 되지 않은 아이들이 넷이고, 10대 중반 남자아이 하나. 그리고……?'

DNA 대조 작업을 끝마쳤는데도 신원을 밝혀내지 못한 5명에 관한 기록을 읽던 진은, 일순간 숨 쉬는 것조차 멈추고 말았다. 왜냐하면, 고인 중 오직 둘 뿐인 30대 성인이…… 제 친부모일 확률이 99.999%라는 감식 결과를 똑똑히 보았기 때문이다.

갑작스레 부고를 맞이한 탓에, 진은 아무런 말도 할 수 없었다. 경기도 도원시 단독주택 방화 사건은, 끝내 범인을 검거하지 못한 채로 공소시효가 지나버린 영구미제사건 중 하나였다. 범인들이 생활반응 하나 남기지 않은 채, 흔적도 없이 증발한 탓이었다. 하지만 도원시 단독주택 방화 사건 담당자인 국정원 요원은 포기하지 않았다. 범인들이 죽었을 가능성까지 고려한 요원은, 신원불상자에 대한 신고가 경찰에 접수될 때마다 진의 DNA와 신원불상자의 DNA를 국정원 시설에서 대조해 왔다. 이러한 신원 파악 작업은, 수현의 정체가 폭로되고 도원시 단독주택 방화 사건이 세간에 알려지면서 자연스레 경찰과 국과수의 몫이 되었다. 지금까지 숨겨온 국가 기밀이 드러났으니, 국정원이 개입해 진과 신원불상자의 DNA를 일일이 대조할 필요가 없어졌기 때문이다.

서류를 쥔 채, 진은 한참 동안 침묵했다. 저를 악몽 속에 가두고 망가뜨렸던 인간들의 최후를 봤음에도, 해방감이나 행복 따위는 느낄 수 없었다. 죄인에게 죽음은 도피처일 뿐이다. 그 어떠한 책임도 질 필요가 없고, 참회 따위 하지 않아도 되는 편한 낙원 말이다. 그렇기에 지금 이 상황은, 그가 가장 바라지 않은 형태였다.

"……정말 죽어버렸네. 살아있었으면 했는데."

진이 쓴웃음을 지으며 툭 던지듯이 말했다. 그리고 저를 말없이 바라보는 수현을 향해, 한 마디 덧붙였다.

"살아가는 게, 죽는 것보다 수백 배는 더 힘드니까 말이야. 안 그래?"

수현은 입을 열어 답하는 대신, 천천히 고개를 끄덕였다. 이를 보며, 진은 다시 보고서를 읽어 나갔다. 과학은 나무상자 표면에 묻은 흙과 백골에 묻은 흙의 성분이 완전히 다르다는 결론, 즉 백골이 묻혀있던 토양과 명곤의 집 마당을 이루는 토양이 완전히 다르다는 결론을 도출해 냈다. 그리고 7명 모두가 같은 토양에 묻혀있었다는 분석 결과도 내놓았다. 이러한 사실은, 고인들이 같은 장소에 묻혔을 가능성을 시사했다. 이어지는 보고는 그들이 죽은 시점에 관한 것이었다. 이에 따르면 고인들은 모두 비슷한 시기에 사망했으며, 이들이 목숨을 잃은 시점은 지금으로부터 23년에서 25년 전으로 추정되었다.

보고서에는 아이들의 영양 상태와 생전에 섭취했던 음식에 관한 서술도 있었다. 과학은 아이들의 영양 상태가 좋지 않은 편이며, 다섯 아이 모두에게 동일한 식단이 제공되어 왔을 가능성이 크다고 분석했다.

"23년에서 25년 전이라면…… 24년 전이겠지. 내 친부모는, 나를 버리고 도망간 직후에 죽었다고 봐야 해." 진이 무미건조한 목소리로 친부모에 대한 추리를 펼쳐놓은 다음, 분노를 꾹꾹 눌러 담은 목소리를 얹었다. "7명 모두 비슷한 시기에 사망했다고 했으니, 나머지 5명 역시 그때쯤에 죽은 거겠지."

"나도 그렇게 생각해요. 그리고…… 완전히 다른 성분으로 이루어진 두 종류의 흙이 검출됐다는 건, 동일한 장소에 암매장했었던 사람들의 뼈를 정명곤 씨 집 마당에 파묻었다는 의미고요."

수현이 조심스레 사견을 덧붙였다. 이에 진은 동의한다는 의미로 고개를 한 번 까딱한 다음, 다시 입을 열었다.

"내가 학대당하는 모습이 찍힌 사진을, 최성욱이 '모으기만' 했다고 생각했는데…… 아무래도 아닌 모양이네."

진은 친부모를 포함한 고인들과 최성욱이 서로 연관된 것만큼은 확실하다고 생각했다. 그렇지 않다면, 아이들과 제 친부모가 같은 장소에 묻혔을 리 없으니까. 이러한 생각은, 성욱이 아동 학대를 방관하기만 한 게 아니라는 추리를 끌어내는 데 큰 영향을 끼쳤다.

"모두 최성욱 때문에 고통받은 거야. 내 친부모는 최성욱의 사주를 받고 나를 학대한 거고…… 이번에 발견된 아이들도 나와 같은 처지였던 거겠지." 잠시 말을 멈춘 진은, 다시 입을 열었다. "혼자였던 나와는 달리, 이 아이들은 같은 공간에서 생활했을 거야. 그렇지 않다면…… 아이들에게 동일한 식단이 제공됐을 리 없어."

진이 담담한 어조로 말을 끝맺었다. 과거에 그는 국정원 요원에게서, 단독주택에서 세 사람 -유 진, 진의 친부모- 을 제외한 또 다른 사람의 흔적은 찾을 수 없었다는 말을 들었다. 이러한 정보에, 방금 읽은 보고서를 토대로 한 추리를 더하면…… 단독주택에 살았던 사람은 저와 친부모뿐이라는 결론이 나왔다. 만일 자신과 다섯 아이가 단독주택에서 함께 생활했다면? 아이들은 저와 함께 불타는 단독주택에 갇혔어야 했다. 저와 함께, 불 속에서 괴로워했어야 했다. 그리고 끝내 숨이 멎었어야 했다. 그래야 아이들과 자신의 친부모가 비슷한 시점에 죽었다는 분석 결과가 나올 수 있으며, 이들이 같은 장소에 매장되었다는 점을 시사하는 분석 결과가 나올 수 있다. 하지만 수현의 도움 덕에, 저는 살아남았다. 그는 불이 난 단독주택에서 완전히 빠져나오기 전, 수현이 저를 품에 안은 채로 집 안 곳곳을 돌아다니며 꺼지지 않은 불씨를 처리했던 장면을 똑똑히 기억하고 있었다. 분명, 그때 그 단독주택 안에는 저와 수현을 제외하고는 아무도 없었다. 산 자도, 죽은 자도…… 오로지 저와 수현뿐이었다. 이러하였기에 그는 이번에 발견된 아이들이, 저와 함께 살았던 적이 없다고 확신했다. 한편, 수현은 그저 조용히 진의 말을 경청했다.

'정명곤 사건과 이번에 발견된 백골은…… 아무런 관련이 없어. 완전히 다른, 별개의 사건이다.'

진의 사고회로가 빠르게 작동하기 시작했다. 자신의 어두운 과거인 동물살해를 논했던 명곤, 아동 학대를 지시한 최성욱. 그리고 때마침 나타난 친부모의 백골까지. 이는 한 가지 가능성을 시사했다.

"……학대와 관련된 기억을, 완전히 되찾으라는 거로군."

진이 중얼거렸다. 그는 펜션에서 제가 수현에게 했던 "아무래도…… 내가 학대당했던 때의 기억과 직접 마주하기를 바라는 것 같은데. 그렇지 않은 이상, 정명곤이 지금껏 입을 다물고 있었을리 없어."라는 말을 떠올렸다. 수현 역시, 진이 했던 말을 떠올린 듯했다.

"그런 것 같네요."

수현이 나직이 말했다. 진은 그런 수현을 물끄러미 바라보다, 눈을 가늘게 뜨며 의문을 제시했다.

"안 말리네? 함정일 가능성이 큰데 말이야."

진은 자신의 과거가, 최성욱의 도덕성과 고결함에 치명상을 입힐수 있는 무기라고 생각했다. 하지만 최성욱은 저와 생각이 다른 모양인지, 오히려 진실을 밝혀보라는 듯이 비웃음 섞인 도발을 감행해 왔다. 이에 진은 함정이 도사리고 있을 가능성을 점쳤고, 수현역시 저와 같은 결론을 내렸으리라고 생각했다. 하지만 수현은 저를 저지하지 않았다. 마치 함정이 있다는 것을 눈치채지 못한 사람처럼, 혹은 함정의 존재를 직감했으나 전혀 개의치 않기로 다짐한사람처럼.

"그럼에도 불구하고, 경위님은 어두운 과거를 똑바로 마주할 생각이잖아요?"

수현이 나긋한 어조로 굳은 신뢰를 드러냈다. 그러자 진이 강인한 어조로 화답했다.

"맞아. 지금껏 애써 외면해 왔지만, 실낱같은 희망을 잡을 수 있다면…… 얼마든지, 몇 번이고 한다. 그리고, 이대로라면 정명곤은 저지르지도 않은 살인에 대한 죗값을 치르게 될 거야. 그런 건 절대 용납 못 해."

진은 명곤을 내버려 두지 않을 요량이었다. 물론 명곤은 채주선을 죽인 것도 모자라, 천세리까지 죽이려고 한 범죄자였다. 하지만, 그렇다고 해서 저지르지도 않은 범죄에 대한 벌을 받아도 된다는 것은 아니었다. 이는 이 세상 모든 사람에게 적용돼야 하는 정의(正義)였다.

"그럼, 나한테 경위님을 말릴 자격 같은 건 없어요."

수현이 담담한 어조로 의견을 갈무리했다.

"감당할 자신이 없어서, 모조리 잊고 도망친 주제에……."

그 순간, 비웃음이 어린 목소리가 진의 귓가를 들쑤셨다. 이에 진은 고개를 홱 돌려, 목소리가 흘러나온 방향을 노려보았다. 그러자 친부의 형상을 한 환영이 모습을 드러냈다.

"경위님? 왜 그래요? 괜찮아요?"

한편, 이를 알 리 없는 수현은 고개를 갸웃하며 진에게 말을 걸었다. 그러나 진은 아무런 대꾸도 하지 않은 채, 환영을 노려보았다. 그는 환영의 정체가, 자신의 무의식이 만들어 낸 부정적인 감정의 집합체라는 것을 명확히 인지하고 있었다.

"정말 이해할 수가 없구나. 인제 와서, 대체 뭘 하겠다는 거지?"
환영이 만면에 웃음을 띠며 물었다.
"무엇이든. 내가 할 수 있는 걸 할 거야."

진이 주먹을 쥐며 읊조렸다. 그러자 환영이 뒤틀린 웃음을 지었다.

"원론적인 이야기뿐이구나. 나약하기 그지없어."

환영의 말이 진의 심장을 깊이 파고들었다. 진은 심장에 새겨진, 보이지 않는 상처를 여실히 느낄 수 있었다. 그는 존재하지 않는 혈액의 향과 흘러내리는 감촉을 생생하게 느끼며, 환영을 노려보았다.

"그래. 나는 나약하기 짝이 없는 놈이야. 어릴 때도, 지금도."

진은 잠시 숨을 고르며, 천천히 눈을 감았다가 떴다. 그리고 어절 하나하나에 힘을 실어, 환영을 있는 힘껏 베어냈다.

"이런 내가 유일하게 할 줄 아는 건, 몸부림치는 것뿐이지."

결의가 담긴 말이 끝나기가 무섭게, 환영은 순식간에 종적을 감추었다. 진은 환영이 있던 자리에서 시선을 거두었다. 그러자 수현이 기다렸다는 듯이 입을 열었다.

"도원시로 갈 생각이죠?"
"응. 가서, 이 두 눈으로 직접 볼 거야." 말을 마친 진이, 중얼거리듯이 말을 덧붙였다. "백골이 든 상자가, 내가 살았던 집 주변에서 나온 건지도 확인해야 하고. 뭐, 애초에 그 일대에 묻혔을 리 없지만…… 가는 김에, 확인해 봐야지."

진은 아이들과 자신의 친부모가, 자신이 살았던 단독주택 일대가 아닌 다른 장소에 묻혔으리라고 확신했다. 불이 났던 단독주택과 그 일대는, 24년 전부터 국정원이 관리해 왔다. 따라서 국정원 요원들이 단독주택 일대에 몰려들기 전에 시신을 묻었다면, 요원들이 진즉에 암매장된 시신을 찾아냈을 터였다. 반대로 국정원이 관리하기 시작한 뒤에 시신을 암매장하려 했다면, 단독주택 일대가 봉쇄됐다는 사실을 깨달은 즉시 계획을 철회했으리라. 시신을 암매장할 만한 장소가, 세상에 거기 하나만 있는 게 아니므로.

"그렇다면… 차원 문을 열 필요는 없겠네요."

수현이 손을 입가로 가져가며 중얼거렸다. 그는 진이 직접 도원시를 찾아가리라고 판단했다. 자신의 어두운 과거와 정면으로 마주하려는 사람이라면, 타인의 도움을 바랄 리 없을 테니.

이런 수현의 예상은 적확했다. 진은 직접 차를 운전해 도원시를 찾을 요량이었다. 이번만큼은, 시작부터 끝까지 제 손으로 해야 의미가 있었다. 다만 진은 곧장 도원시로 향할 생각은 아니었는데, 이는 세리가 보내온 메시지 때문이었다. 수현이 작성한 메시지를 읽은 세리는, 지금 저를 찾아와도 좋다는 내용이 담긴 답장을 보내왔다. 이리하여 진과 수현은, 도원시로 향하기 전에 세리를 찾아가기로 하였다.

*

세리는 줄곧 1인 병실에서 시간을 보냈다. 만일 사비를 들여야 했다면, 세리는 가장 저렴한 다인실을 택했으리라. 하지만 그는 범죄 피해자였다. 그것도 심리적으로 안정이 필요한, 살인 미수 사건의 피해자. 이러한 사실을 고려해 의사는 세리를 1인실에 입원시켰고, 국가는 범죄 피해자의 치유를 위해 조성한 기금을 사용해 세리의 입원비를 부담했다.

침대 위에 앉은 채로, 진을 바라보던 세리는 이내 고개를 살짝 움직여 수현을 물끄러미 바라보았다. 수현은 고급 수제 쿠키가 가득 들어있는 선물용 패키지를 들고 있었다. 이에 세리는 '이래서 이 아저씨가 문자로 못 먹는 음식이 있느냐고 물어봤구나.'라고 생각했다.

"선물이에요." 수현이 해사한 웃음을 지으며 쿠키가 든 상자를 내밀었다.
"감사합니다……."

세리가 속삭이듯이 감사를 표하며 선물을 받아들었다. 그리고 상자를 꼭 끌어안으며, 이전에 보았던 뉴스를 떠올렸다. 당시 뉴스에 출연한 시사 평론가 -그는 오래전부터 극우 평론가라는 비판을 받아온 사람이었다- 는, '사이코패스 외계인'이 이 나라의 순결한 여성들을 겁탈해 '순수하고 자랑스러운 한국인의 핏줄'을 더럽힐 게 불 보듯 뻔하다며 핏대를 세웠던 것도 모자라…… 윤수현이 오로지 쾌락을 좇기 위해 사람을 죽일 게 뻔하다는 주장을 펼쳤었다.

'인류의 적이라는 거… 다 거짓말이야.'

이어서, 세리는 수현에게 주먹질했던 과거를 다시금 떠올렸다. 제대로 알지도 못하는 타인을, 멋대로 평가하다니. 참으로 부끄럽다. 그는 그리 자책하며, 선한 사람의 이름과 명예를 실추시킨 대중매체를 혼잣속으로 비판했다.

"……정말 죄송합니다."

수현이 말릴 새도 없이 침대에서 내려온 세리가 고개를 꾸벅, 숙이며 갈라진 목소리로 말했다. 이에 당황한 수현은 어쩔 줄 몰라하며 세리를 만류했다. 그는 세리가 어째서 저를 향해 고개 숙이는 지 알아챘다. 분명, 공포에 사로잡힌 채 마구잡이로 주먹을 휘두른 일 때문일 터였다. 하지만 수현은 오해로 말미암아 저를 공격한 사람에게 악감정을 품을 생각은 추호도 없었다. 아니, 애초에 악감정을 품을 일도 아니라고 여겼다. 그야, 사이코패스 외계인이라고 알려진 자신과 처음 마주했던 세리의 심정을 충분히 이해할 수 있었으니까.

그런 세리와 수현을 말없이 바라보던 진은, 세리가 침대 위에 걸터앉자마자 배다솔과 정명곤에 관한 이야기를 꺼냈다. 물론 명곤의 집 마당에서 백골이 든 나무 상자가 발견된 사실과 명곤의 배후에 '그분'이 있다는 말은 하지 않았다. 명곤이 저지르지도 않은 범죄에 대한 벌을 받을지도 모른다는 이야기 역시, 구태여 입 밖에 내지 않았다. 세리에게 필요한 정보는, 다솔과 명곤의 입에서 나온 자백 그리고 두 범죄자가 훗날 받게 될 처벌에 대한 것이었으므로. 이렇게 다솔과 명곤에 관해 이야기한 진은, 이번 사건과 관련된 정보를 언론과 같은 대중매체에 알리지 말아 달라는 말을 덧붙였다. 그는 세리가 사건과 관련된 이런저런 이야기를 떠들고 다닐만한 사람이 아니라고 생각했기에, 신신당부까지는 하지 않았다. 그저 형식적인 말을 덧붙이는 것으로 끝냈을 뿐. 한편 진의 말을 들은 세리는 알겠다고 말하는 대신, 고개를 연신 끄덕였다.

병문안을 마친 진과 수현은 곧바로 주차장을 향해 발걸음을 옮겼다. 해야 할 일이 명확한 상황에서 망설일 이유는 없었다. 그렇게 운전대를 잡은 진은, 악몽의 시작점을 향해 가속페달을 밟았다.

진의 전기차가 넓은 도로를 내달리는 동안, 주변의 풍경은 시시각각 형태를 바꾸었다. 그렇게 서울시를 벗어난 지 얼마나 되었을까.

한 분기점을 지나자, 도원시를 비롯한 다른 시의 이름이 적힌 표지판이, 풍경과 함께 순식간에 나타났다가 사라졌다.

'도원시…….'

진이 쓴웃음을 지으며 상념에 잠겼다. 도원시의 "도원(桃源)"은 유토피아를 뜻하는 도원경(桃源境)에서 따온 이름이었다. 분명, 이상(理想)을 꿈꾼 사람들이 붙인 이름이리라. 하지만 차마 입에 담을 수 없을 정도로 잔혹한 아동 학대 사건으로 말미암아, 이름 모를 누군가의 이상이 담긴 "도원"이라는 이름은 결국 그 찬란한 빛을 잃었다.

진은 본래의 뜻을 잃은 "도원"이라는 이름이, 참으로 기만적이라고 생각했다. "도원"이라는 지역명만 보아서는, 아동 학대를 전혀 떠올릴 수 없지 않은가. 언어라는 것이, 이토록 기만적이었던가. 그는 그리 생각하며, 고찰을 계속해 나갔다.

"도원시도, 민주정도…… 고결함을 잃어버렸어. 둘 다, 이상을 꿈꾸면서 붙인 이름일 텐데."

진이 중얼거리듯 말하자, 조수석에 앉아 바깥 풍경을 바라보던 수현이 진을 바라보았다.

"지금은, 사람들을 기만하고 우롱하기만 하잖아."

국민을 위해 일하겠다던 사람들은, 당선되는 순간 군림하려 든다.

정당 이름에 온갖 좋은 뜻을 갖다 붙이지만, 정작 그 뜻을 이루기 위해 행동하지는 않는다. 앞에서는 정의를 외치지만, 뒤에서는 불의를 행하는데 거리낌이 없다. 그렇기에 진은 '이 시대의 정치는, 인간을 기만하는 존재'라는 결론을 내렸다. 그답지 않은, 비관주의로 점철된 결론을. 그러나 이는 불완전한 결론, 즉 최종적인 결론을 내리기 위한 과정에 불과했다.

"그래도, 세상을 바꿀 수 있는 건… 정치뿐이야."

절망에 현혹돼, 눈을 감고 외면할 것인가? 아니, 그래서는 안 된다. 정치에 대한 혐오와 무관심이야말로, 유권자를 기만하는 정치인들이 간절히 바라는 것이다.

그럼에도 불구하고. 그는 몇 번이고 되뇌었다. 자신을 이루는 구절이자, 생을 지탱해 온 원동력을.

진과 수현이 탄 차는 침묵 속에서 움직였다. 진은 정치에 대한 희망을 논한 뒤 단 한마디도 하지 않았고, 수현은 줄곧 말을 아꼈다. 그렇게 도로 위에서 시간을 보낸 그들은, 마침내 불이 났었던 단독주택 일대에 도착했다. 만일 그들이 도원시 단독주택 방화 사건과 아무런 연관이 없었다면, 어떤 수를 써도 이 일대에 접근하지 못했으리라. 하지만 그들은 사건 당사자였기에 아무런 제지를 받지 않았다.

차에서 내린 진은, 저와 수현을 맞이한 요원들에게 백골에 관해 물었다. 그러자 요원들은 국정원이 이 일대를 관리하기 시작할 때부터 지금까지 암매장된 시신은 발견된 적이 없다고 단언했다. 이렇게 자신의 추리가 옳다는 것을 확인한 진은, 수현과 함께 다시

차에 올랐고 얼마 지나지 않아 단독주택의 앞마당에서 멈춰 섰다.

진은 차에서 내리며 낯익은 풍경을 말없이 눈에 담았다. 과거의 제가 살던 집은 우거진 나무들 사이에 우두커니 서 있었다. 보통이라면 가차 없이 헐어버렸을 테지만, 국정원의 보존 요청을 무시할 수는 없었다. 누군가의 악몽은, 그렇게 보존 가치가 있는 역사적인 자료가 되었다.

이윽고, 진은 건물을 향해 다가갔다. 그리고 철제문이 뜯겨 나간 자리를 물끄러미 바라보았다. 출입구는 마치 동굴 입구처럼 서늘한 어둠을 품고 있었다. 호흡을 가다듬은 다음, 그는 어둠 속으로 발을 내디디며 천천히 거실을 둘러보았다. 새카맣게 그을린 가구와 벽지. 여기에 20여 년이라는 세월이 더해져, 가구들의 표면 위에는 회색빛의 먼지가 가득했다.

다음 목적지는 친부모의 방이었다. 그는 발걸음을 옮겨, 그들의 방을 둘러보았다. 역시나 옷장과 침대, 화장대 등의 가구가 방치돼 있었다.

진은 곧장 몸을 돌려 친부모의 방을 빠져나왔다. 이 이상 오래 머무를 이유도, 가치도 없었기 때문이다. 그는 입술을 짓씹으며 마지막 목적지인 화장실로 향했다. 워낙 오랫동안 사용하지 않아서인지, 화장실 특유의 습한 공기는 느낄 수 없었으며 먼지가 잔뜩 쌓인 욕조와 세면대는 작고 허름하기 그지없었다.

그 순간, 코를 찌를 듯한 피 냄새가 밀려들었다. 이에 진은 눈살을 찌푸렸다. 그는 비린내의 근원지가 현실이 아닌 자신의 기억이라고 확신했다. 그러나, 환각은 더욱더 구체적이고 생생해져만 갔다. 숨을 쉬기조차 어려운 피비린내, 갓 태어난 동물들의 울음소리까지.

진은 두 손을 들어 올려 제 머리를 감쌌다. 그러고는 가빠지는 호흡을 억지로 다스렸다. 그렇게 평정을 되찾은 그는, 조용히 발걸음을 옮겨 밖으로 나오더니 수현을 향해 성큼성큼 걸어갔다. 수현은 진의 전기차 옆에서 조용히 주변의 정경을 바라보고 있었다. 하지만 이내 인기척을 느꼈는지, 진에게 시선을 주었다.

"이번에 발견된 아이들이, '합법적인 의료기관'에 가봤을 리 없어."

진이 수현의 앞에서 멈춰 서며 나직이 운을 뗐다. 그는 친부모와 같이 묻힌 사람들을 통해, 제 과거를 찾을 생각이었다. 이를 알아챈 수현은, 진의 의견에 찬동하며 추리를 이어받았다.

"그럼, 고인들의 치아와 진료 기록을 일일이 대조하는 방식으로는… 누가 누구인지 알아낼 수 없겠네요."
"그렇지. 애초에, 출생신고가 된 건지도 불분명하기도 하고." 말을 마친 진은 잠시 생각에 잠기더니, 해답을 찾아냈는지 다시 입을 열어 말을 이어 나갔다. "아이들이 묻혀있었던 장소를 알아내려면…… 20여 년 전부터, 땅이 뒤엎어진 적이 없는 사유지를 찾으면 될 거야. 뭐, 당연히… 최성욱 명의의 땅은 아니겠지만." 그는 제가 한때 살았던 건물을 흘끗 보면서 말했다. "만일 거기에, 말이 좋아 단독주택이지 실질적으로는 산장에 가까운 건물이 있다면…… 아이들은 생전에 살았던 장소에 암매장된 거라고 봐야겠지."

진의 말에, 수현은 고개를 한 번 끄덕였다. 그리고 목적을 달성한 진과 함께 단독주택 일대에서 벗어났다. 전기차는 그들을 태운 채로 도로 위를 내달렸다.

그때, 수현의 스마트폰에서 진동음이 흘러나왔다. 이에 수현은 전화를 받았다. 스마트폰 너머의 목소리는 잠시 망설이더니, 무언가를 말하기 시작했다. 그렇게 대화가 이어졌고, 시간이 지날수록 수현의 표정은 서서히 얼어붙었다.

"…알겠습니다." 수현이 나직이 답하며 전화를 끊었다.
"왜 그래?"

불길함을 느낀 진이 곧장 물어왔다. 그러자 수현이 스마트폰을 들지 않은 손으로 눈두덩을 꾹꾹 누르며 갈라진 목소리로 답을 해왔다.

"희망 보육원 말이에요."
"희망 보육원이 왜?"

기억하지 못할 리 없었다. 수현이 직접 만든 빵과 과자를 기부한 곳이자, 예도윤의 손에 스러져간 아이들의 보금자리를 어찌 잊을 수 있겠는가.

"원장님이…… 살해당했대요."

반복되는 비극에도, 수현은 담담했다. 비록 눈물을 흘리지는 않았으나, 슬픔을 표현하기에는 충분했다.

*

 진은 수현의 뒷모습을 물끄러미 바라보았다. 수현은 엉망이 된 사설 보육원을 하염없이 바라보았다. 출입구의 CCTV는 시위대의 습격에 산산이 조각난 채였고, 건물을 둘러싼 담벼락에는 새빨간 스프레이로 쓴 글귀들이 들어차 있었다. 멀쩡한 것은 조금 전에 보육원 앞에 멈춰 선, 진의 전기차뿐이었다.
 그들은 담벼락에 휘갈겨진 문장들을 마음속으로 읽기 시작했다. 각각의 글귀는 다른 말을 하는 듯했다. 그러나 자세히 뜯어본 결과, '보육원은 세금 낭비 시설'이라는 주장을 변주한 것에 불과했다. 글귀를 쓴 장본인들은 "부모 손에서 자라지 않은 보육원의 아이들은 가정교육이 엉망인 문제아들이며, 보육원은 이런 문제아들을 수용하는 장소다. 즉, 우리 동네의 집값을 떨어뜨리는 혐오 시설일 뿐이다."라며, 언어라는 예리한 칼날을 마구잡이로 휘둘렀다.

 "저기…… 윤수현 씨 맞으시죠?"

 그 순간, 낯선 목소리가 무겁기 짝이 없는 분위기를 비집고 날아들었다. 목소리의 주인은 다름 아닌 형사였다. 그는 수사 도중, 보육원장인 60대 여성 "노정숙"과 수현이 아는 사이임을 깨달았다.
 형사는 고민에 빠졌다. 그는 수현에게 악감정이 없는, 소수의 사람 중 하나였다. 그러나 악감정이 없다고 해서, 우호적이라는 뜻은

- 153 -

아니었다. 그는 전형적인 방관자 타입이었기에, 어떻게든 수현을 피하고 싶은 생각뿐이었다. 자칫했다가는, 자극적이고 별 시답지 않은 기사를 써대는 기자들의 연락을 받게 될 게 뻔했으므로. 하지만 자신이 노정숙 살해 사건을 맡을 경우, 정숙의 지인 중 하나인 외계인을 조사해야만 했다.

형사가 보기에, 윤수현은 결백했다. 만일 이 외계인이 범인이라면, 차원 문을 열든지 아니면 다른 기이한 힘을 사용해 정숙의 시신을 숨겼으리라. 하지만 현장에는 시신이 남아있었다. 따라서, 윤수현이 범인일 리 없다. 그러나…… 아무리 결백해 보이더라도, 형식적인 조사는 해야 하는 게 원칙이었다. 물론, 그랬다가는 윤수현과 직접 만나서 이야기를 주고받아야 할 테고. 이런 식으로 앞으로 벌어질 일을 헤아려 보던 그는, 결국 "피해자와 친하셨던 모양인데… 저보다는 윤수현 씨가 직접 수사하는 게 나을 것 같아서요. 수사에 필요한 영장은, 신청해 두었습니다."라고 말하며 수사 자료를 수현에게 건넸다.

"그럴싸한 핑계로군."

진이 점점 멀어지는 형사의 뒷모습을 흘끗 보며 말했다. 하지만 수현은 전혀 신경 쓰지 않는 눈치였다.

"괜찮아요. 익숙하니까."

수현은 보육원을 향해 한 발자국 내디뎠다. 그러나 그것도 잠시, 그는 제자리에 멈춰 섰다. 분명 무언가를 망설이는 듯한 모양새였다.

"왜 그래?"

수현의 뒤를 따라가려던 진이 물었다. 수현은 몸을 돌려, 그런 진을 바라보았다.

"경위님. 원장님 사건은 나 혼자 할게요. 경위님은 아이들이 누구이고 어디서 왔는지를 알아내야 하잖아요."

수현의 판단은 지극히 합리적이었다. 진에게 주어진 시간은, 그리 많지 않았다.

"…무리하지 마."

진이 한숨을 쉬며 작별을 고했다. 그러자 수현이 싱긋 웃으며 나직이 인사를 건넸다.

"경위님도요."

진은 수현에게 손을 가볍게 흔들어 주었다. 그러고는 우두커니 서 있던 차를 향해 다가갔고, 이내 전기차와 함께 자리를 떴다. 한편 멀어지는 자동차를 바라보던 수현은, 형사에게서 건네받은 서류를 펼쳐 들었다. 그런 다음 지면 위를 수놓은 활자와 현장 사진에 집중했다. 수사 기록에 따르면, 피해자의 잘려 나간 두 귀 그리고 피해자의 목숨을 앗아간 것으로 추정되는 예리한 흉기는 현장에서 발견되지 않았다. 즉 범인이 흉기와 피해자의 신체 일부를 가져간 것으로 추정되는 상황이었다. 사진 속 피해자는 흉기에 몇 번이고 찔렸는지, 처참하기 그지없는 상태였다. 그나마 다행인 것은, 지문이 훼손되지 않은 상태였기에 피해자가 누구인지 알아내는 데 큰 어려움이 없었다는 점이었다. 이렇게 피해자의 이름을 되찾아 준 형사는, 사건 현장에서 수집한 각종 증거물 그리고 피해자의 소유물로 추정되는 스마트폰과 스마트폰 케이스에 들어있던 신용카드를 국과수로 보냈다. 그런 다음 정숙에 대해 알아보았고, 그에게 가족이 없다는 사실을 알아냈다.

 이어지는 내용은, 본격적인 수사에 관한 것이었다. 최초 신고자는 청소 업체 직원이었는데, 형사는 그에게 명확한 알리바이가 있다는 점 그리고 정숙과 그가 아무런 연관이 없다는 점을 고려해 신고자를 용의선상에서 제외했다. 이를 시작으로, 좀 더 심층적인 수사가 이어졌다. 현장에서 발견된 스마트폰이 정숙의 소유라는 사실이 확인된 즉시 형사는 정숙의 동선을 파악했고, 이렇게 파악한 동선을 참고해 인근에 설치된 CCTV를 확인했다. 하지만 수상한 사람은 끝내 찾아내지 못했다. CCTV를 확인하면서 주변에 있던 자동차의 블랙박스도 같이 살폈으나, 결과는 매한가지였다. 그러던 중, 포렌식 작업이 끝났다는 연락을 받은 형사와 그의 동료들은 정숙과 최근 며칠간 연락을 주고받은 사람들에게 접촉했다. 그리고 이들 모두에게 알리바이가 있다는 사실을 확인했으며, 애초에 이들 중 정숙에게 살의를 품을만한 사람은 없다는 결론을 내리고는 이를 기록으로 남겼다.

 이윽고, 서류를 완독한 수현이 보육원 건물 안으로 발을 내디뎠다. 보육원 내부는, 마치 이사를 준비하는 사무실 같았다. 아이들의 손과 손을 오가던 장난감들은 어느새 상자 안에 우두커니 놓여있었다. 책장에 가득 꽂혀있던 책들은, 몇 권씩 나누어 노끈으로 묶인 채 덩그러니 자리를 차지하고 있었다. 아이들이 모두 사라진 보육원에, 온기 따위는 남아있지 않았다.

 수현은 사건 현장인 원장실을 향해 발걸음을 옮겼다. 그러자 원장실 바닥에 쌓여있는 서류들과 책이 그를 반겼다. 그는 서류와 책에서 시선을 거두고는, 벽에 단단히 고정된 책장 앞을 물들인 혈흔을 물끄러미 바라보았다. 그렇게 몇 분 동안 혈흔을 바라보던 수현은 눈을 천천히 감았다. 그러자 따스했던 때의 풍경이 눈앞에 펼쳐졌다. 정성 들여 만든 과자를 나누어주는 자신. 과자를 받고 행복해하는 아이들. 그리고 이를 행복한 눈빛으로 바라보던 정숙까지.

 아이들이 수현을 삼촌으로 여긴다는 사실을 깨달은 정숙은, 수현에게 아이들의 소원은 부모님의 손을 잡고 놀이공원에 가는 것이라고 말했다. 그리고 이러한 바람은 절대 이루어질 수 없다는 말을 덧붙였다. 그런 그의 말을 잠자코 듣던 수현은 골똘히 생각에 잠겼고, 얼마 뒤에 자신이 찾아낸 답을 입에 담았다.

 회상을 마친 수현이 눈을 천천히 떴다. 그러고는 생전의 정숙에게 했던 말을, 그대로 읊조렸다.

"나는… 부모는 돼줄 수 없지만, 놀이공원에는 같이 가줄 수 있어요."

 듣는 이 하나 없는 서늘한 공간을, 수현의 나직한 목소리가 물들였다. 그는 잠시 숨을 고른 뒤, 넘겨받은 서류를 꽉 쥐었다. 그리고 천장 위의 CCTV를 물끄러미 올려다보았다. 좀 전에 읽은 서류에 따르면, CCTV는 아이들이 독살당한 이후에 작동을 멈췄다. 돌볼 아이들이 없으니, 교사들 또한 보육원에 올 필요가 없었기에…… 정숙이 텅 빈 보육원의 CCTV를 꺼버린 것으로 추정되는 상황이었다.

한참 동안, 말없이 사건 현장을 바라보던 수현은 서류철을 쥔 손에 힘을 잔뜩 실었다. 그러고는 몸을 돌려 원장실을 빠져나왔다. 정숙의 시신을 직접 부검하기로 작정한 그는, 거침없이 국과수로 향했다.

얼마 뒤, 수현은 싸늘한 공기가 그득히 담긴 부검실에서 정숙의 시신과 마주했다. 정숙은 머리부터 발끝까지 흰색 천으로 덮인 상태였다. 수현은 그런 그를 물끄러미 내려다보며 생각에 잠겼다. 저를 친아들처럼 아끼던 정숙은, 자신의 정체가 세상에 폭로된 이후로부터 연락 한 통 해오지 않았다. 이는 수현 역시 마찬가지였다. 그는 정숙에게 쏟아질 스포트라이트를 우려해, 일부러 연락을 끊었다.

수현은 정숙이 연락을 끊은 이유를 짐작해 보았다. 사이코패스 성향이 있는 내가, 외계인인 내가 무서워서? 아니면 친아들이라고 생각했던 사람이, 실은 자신보다 나이가 훨씬 많았다는 사실 때문에? 그러나 어떠한 추리도 명확한 답을 알려주지는 않았다. 이에 답답함을 느낀 그는 한숨을 내쉬었다. 제가 아무리 타인의 감정에 민감하다지만, 고인이 생전에 품었던 생각까지 읽어낼 수는 없었다.

결국, 수현은 추리를 그만두었다. 지금 이런 것을 고민해봤자, 아무런 의미가 없었다. 그는 손을 뻗어 흰색 천을 걷어낸 다음, 사진

기로 시신 곳곳을 촬영하며 시신을 꼼꼼히 살폈다. 정숙의 몸은 예리한 칼날이 만들어 낸 상처로 가득했다. 수많은 상처는 식칼에 의해 생긴 것으로 보였으며, 대부분 등 아래쪽에 집중돼 있었다. 이러한 단서를 통해, 수현은 범인이 책장을 바라보던 정숙의 등 뒤에서 접근했다는 사실을 알아냈다.

관찰을 마친 수현은 메스를 집어 들었다. 그러고는 천천히 눈을 감으며, 오른손으로 쥔 메스를 살인범이 흉기를 쥐었을 법한 모양새로 고쳐 쥐었다. 그렇게 메스의 뾰족한 부분이 그의 앞쪽으로 향했다.

만반의 준비를 마친 수현이, 드디어 눈을 떴다. 그러자 부검실은 어느새 원장실로, 그가 쥔 메스는 식칼로, 그가 끼고 있는 부검용 장갑은 검은색 가죽장갑으로 변했다. 그는 책장을 살피는 정숙을 향해 소리 없이 발걸음을 옮겼다. 그리고 오른손에 칼을 쥔 채로 정숙의 뒤를 덮쳤다. 비록 상상 속에서 벌인 일이었지만, 잔혹하기 짝이 없었다.

수현의 내면에 도사리고 있던 사이코패스 성향이, 날카로운 송곳니를 드러내며 날뛰었다. 그는 정숙의 죽음에 슬픔을 느꼈다. 하지만…… 슬픔은 그가 상상 속에서 정숙의 죽음을 재현하는 데 그 어떠한 영향도 미치지 못했다. 어차피 제가 살해하려는 존재는, 허상에 불과했다. 따라서 죄책감을 느낄 이유 따위는 없었다. 물론, 애초에 죄책감이 무엇인지 모르기도 했거니와.

수현은 감정과 이성을 철저히 분리한 채, 담담히 추리를 이어 나갔다. 그는 왼손으로 정숙의 입을 단단히 틀어막으면서, 벽에 단단히 고정된 책장을 향해 정숙을 밀어붙였다. 그러자 정숙의 몸이 책장에 밀착되었고, 수현은 그런 그를 짓누르며 칼을 고쳐 쥐었다.

그러고는…… 칼로 정숙의 등과 허리를 몇 번이고 찔렀다. 제가 헤아린 상처의 개수를 모두 채울 때까지, 몇 번이고.

얼마 뒤, 수현이 움직임을 멈추었다. 책장 앞에는 혈흔이 생겼고, 정숙은 숨을 거둔 지 오래였다. 이제, 마지막 남은 작업을 할 차례였다. 그는 정숙을 바닥에 눕히며 자세를 낮추더니, 숨이 끊어진 정숙의 두 귀를 잘라 내는 것을 끝으로 재현을 마쳤다. 그러자 그가 빚어낸 사건 현장은 연기가 되어 흩어졌다.

현실로 돌아온 수현은 눈을 천천히 깜빡였다. 아무래도, 범인은 분노와 증오 때문에 정숙을 죽인 것 같았다. 그리고…… 분노와 증오가 불러온 살인 끝에는, 강렬한 쾌락이 있었던 게 분명했다. 이에 수현은, 어쩌면 범인이 저와 비슷한 성향을 지녔을지도 모른다고 생각했다. 물론 자신은 살인을 통한 쾌락을 추구하지도 않으며, 애초에 그런 생각 따위는 접은 지 오래였다. 이런 점에서, 저와 범인은 다른 성향을 지닌 인간이었다. 하지만…… 죄책감을 느끼지 못한다는 점만 본다면, 저와 비슷하다고 할 수 있으리라. 수현은 그리 생각하며, 범인에 대한 추리를 이어갔다. 아무래도, 범인은 보육원 내 CCTV가 작동하지 않는다는 사실을 알고 있었을 가능성이 컸다. 이런 조건들을 충족시키는 사람들을 알고 있는 수현은, 부검을 마친 다음 '그들'을 대표하는 사람을 찾아가 보기로 하였다.

드디어 수현의 메스가 정숙의 몸을 가르며 부검이 시작되었음을 알렸다. 수현은 신속하면서도 정확한 손놀림으로 부검을 진행한 끝에, 정숙이 어젯밤 11시에서 오늘 오전 2시 사이에 살해당했으며 그의 두 귀가 사후에 잘린 게 확실하다는 결론을 내렸다. 사인은… 과다출혈이었다.

부검을 통해 원하는 정보를 얻어낸 수현은 정성을 다해 시신을 수습한 뒤, 부검실을 나섰다. 그리고 때맞추어 나온 정밀 감식 결과를 확인했다. 희망 보육원에서는 원장 노정숙과 독살당한 아이들 그리고 자원봉사자 등으로 추정되는 사람들의 DNA가 검출됐으며, 정숙의 몸과 옷에서는 타인의 DNA가 검출되지 않은 상황이었다. 이는 곧, 명확한 단서가 없다는 의미이기도 했다. 범인이 단서를 남기지 않기 위해 갖은 애를 썼다면…… 사건 현장에서 발견된 단서 중 이번 사건과 관련된 것은 존재하지 않을지도 모르는 일이었으므로.

지면을 가득 채운 기록을 모두 읽은 수현은, 서류의 표지가 맨 앞으로 오도록 하였다. 그러고 나서, '그들'을 만나고자 국과수를 나섰다. 시간이 흐르고, 그가 도착한 곳은 극우 성향의 시민단체 "시민을 위한 윤리와 정의"의 본부였다. 수현을 마주한 시민단체의 직원들은 잔뜩 겁에 질리다 못해 완전히 압도당한 상태였다. 덕분에 수현은 별다른 마찰 없이, "시민을 위한 윤리와 정의(시윤정)"의 수장인 김택수를 만날 수 있었다. 수현을 본 택수는 잔뜩 날을 세웠으나, 그 역시 수현의 서늘한 웃음에 압도되어 입을 다물었다. 수현은 그런 그를 내려다보았다. 그러고는 시선을 옮겨, 대표실 안을 흘끗 둘러보았다. 명품에 관심이 없는 수현이 보기에도, 택수의 방은 심히 사치스러웠다. 책상 위에 자리 잡은 명패는 기업의 회장이나 쓸법했고 천장의 화려한 샹들리에는 파티장을 연상케 했다.

방을 훑어본 감상을 삼킨 그는 옆에 있던 의자의 등받이를 잡아, 택수의 맞은편에 놓은 다음 착석했다. 이렇게 두 사람은 책상을 가운데 두고 마주했다.

"다, 당신이… 여기에는 왜……?"

공포에 질린 택수의 시선이 머물 곳을 잃고 헤맸다. 이에 수현이 서늘한 웃음을 지었다.

"그러게요. 왜 왔을까요?"

택수는 마른침을 삼키며 두 손으로 주먹을 꽉 쥐었다 펴는 동작을 반복했다. 수현은 그런 그를 압박하기 위해, 일부러 침묵을 택했다. 침묵이 계속될수록, 택수는 불안할 수밖에 없다. 왜냐하면, 자신이 택수보다 더 많은 정보를 알고 있으니까. 수현은 그리 생각했다.
이런 수현의 전략은 매우 효과적이었다. 얼마 지나지 않아, 택수는 식은땀을 뚝뚝 흘렸다.

"노정숙 씨 아시죠?" 수현이 기회를 놓치지 않고 포문을 열었다.
"…희망 보육원의 원장 아닙니까?"
"네, 맞아요. 당신들이 매일같이 찾아와서 시위하던 보육원의 원장이었죠."

수현이 나직이 답했다. 그 순간, 택수의 태도가 급변했다. 잔뜩 겁먹었던 중년 남성은, 어느새 의기양양한 태도로 반박해 왔다.

"그게 뭐 어쨌다는 겁니까? 집회와 시위는 헌법에서 보장하는, 국민의 권리입니다만?"

수현은 택수를 물끄러미 바라보았다. 그리고 망설임 없이 다음 수를 두었다.

"노정숙 씨, 살해당했어요."

전혀 예상치 못한 소식이었는지, 택수가 얼빠진 표정을 지었다. 그런 그를 향해, 수현이 단어 하나하나에 힘을 실었다.

"다시 한번 말해줘요? 희망 보육원의 원장, 노정숙 씨가 살해당했습니다."
"자, 잠시만요. 그, 그게… 그게 나하고 무슨 상관입니까!?" 당황한 택수가 목소리를 높였다.
"무슨 상관이냐고요? 당신들만큼 노정숙 씨를 미워한 사람이 또 있나요?"

수현이 조곤조곤하면서도 명확한 음성으로 정곡을 짚자, 택수는 할 말을 잃었다. "시민을 위한 윤리와 정의"의 회원들이 희망 보육원 앞에 몰려가 막말을 내뱉고, 아이들과 정숙을 위협한 것은 숨길 수 없는 진실이었다. 즉 "보육원은 집값과 땅값을 떨어뜨리는 혐오 시설이며, 이런 혐오 시설에 우리가 낸 세금이 쓰인다"라고 주장한 장본인은 바로 이들이었다! 이들 때문에 희망 보육원에 CCTV가 들어섰으며, 정숙이 이들을 경찰에 신고하는 일까지

벌어졌다. 그러나 경찰은 "시위대가 직접적인 물리력을 행사한
것은 아니다. 우리는 평화적인 집회와 시위를 지지한다."라는
성명을 발표하고는 개입을 거부했다.

"……다른 건 몰라도, 우리는 사람을 죽이지는 않습니다."

택수가 한참 만에 입을 열었다. 그러나 수현에게 초라한 변명은
통하지 않았다. 수현은 인상을 쓰며 낮게 으르렁거렸다.

"그래? 당신들 때문에 자살한 사람이 몇 명인지 알기는 해?"

시윤정의 습격을 받은 곳은 희망 보육원만이 아니었다. 임대아파
트 단지, 특수학교, 유기 동물 보호 센터, 장애인 복지 시설 등. 이
루 말할 수 없을 정도로 많은 단체와 사람이, 시윤정의 회원들이
휘두르는 칼날에 고통받았다.

"때려 부수고, 칼로 찌르고, 총을 쏴서 죽이는 것만 폭력인 줄 아
나 본데요. 언어폭력이라는 말이 왜 생겼겠어요?"

명백한 악의를 품고 휘두르는 폭력은 두 가지 형태로 나뉘었
다. 첫 번째는 태곳적부터 존재해 왔던 '물리적인 폭력'. 두 번
째는 형태가 없으며 비교적 최근에 등장한 개념인 '정신적인
폭력'.
수현은 두 가지 모두 저열하기로는 우열을 가릴 수 없다고 생
각해 왔다. 그러나 굳이 '좀 더 저열한 쪽'을 고르자면, 당연히

후자였다. 정신적인 폭력은 물리적인 폭력과 다르게 그 어떠한 증거도 남기지 않는다. 가해자는 이러한 특성을 십분 활용해 피해자를 가해자로 둔갑시킨다. 그렇기에 정신적인 폭력은 물리적인 폭력보다 저열하다고 할 수 있었다.

한편, 계속되는 수현의 질책을 듣던 택수의 얼굴은 점점 일그러졌다. 택수는 이를 악물더니, 주먹을 쥔 오른손으로 책상을 내리쳤다. 그러자 쾅! 하는 소리가 사무실을 갈랐다.

"어쩔 수 없었습니다!"

수현은 의문이 가득한 표정으로 택수를 바라보았다. 그러자 택수가 울컥한 목소리로 말을 이었다.

"우리도 억울하다고요!"
"억울?" 수현이 어이가 없다는 듯 말했다.
"아무도 우리 말을 안 들어줍니다! 심지어 시민을 위해 봉사하겠다던 국회의원조차도, 우리 말을 무시해요! 이렇게라도 해야 관심을……."
"이상하네요. 기자들이 들어줄 텐데?"

수현이 날카로운 어조로 택수의 말을 끊어냈다. 택수는 입술을 잘근잘근 씹기만 할 뿐이었다. 그는 변명을 위해 머리를 열심히 굴렸으나, 상황을 타개할 만한 핑계는 끝끝내 떠오르지 않았다. 수현은 그런 그를 물끄러미 바라보았다. 그리고 택수가 되지도 않는 변명을 늘어놓기 전에 선수를 쳤다.

"말을 안 들어준다는 건, 핑계에 불과한 거죠? 당신들은 그냥 스트레스 해소용 샌드백이 필요했던 거잖아. 정치적인 신념이나 목적 따위는, 애초에 없었고."

수현의 촌철살인이 택수를 비롯한 사람들의 폐부를 꿰뚫었다. 그러나 수현은 멈추지 않고 말을 이어갔다.

"그래서 약한 사람들을 괴롭혔던 거잖아요? 제 몸도 지키기 버거운 사람들만큼… 완벽한 샌드백은 없었을 테니까. 내 말이 틀려요?"
"무, 무슨 말씀을 그렇게…!"

택수가 수현의 말을 애써 부정했다. 그러자 수현이 팔짱을 낀 채, 한 손을 입가로 가져가며 조곤조곤한 어조로 응수했다.

"그야, 당신들이 그렇게나 싫어하던 특수학교와 임대아파트 단지가 생긴 뒤에…… 오히려 집값이 올랐으니까요. 물론, 땅값도 같이 올랐답니다."

완벽한 논파였다. 수현이 제시한 증거는, 시윤정 회원들의 주장과 행동을 뒷받침하던 정당성을 부정했다.
드디어 모든 암막이 걷히고, 눈 부신 햇살이 쏟아져 내렸다. 햇살은 정의를 외치던 사람들이 뒤집어쓴 가면을 벗겨냈다. 그렇게 자칭 정의의 사도들은, 저열하고 비열한 본모습을 내보였다.

수현은 싱긋 웃었다. 그는 택수와 회원들의 내면에 숨어있던 감정을 똑똑히 보았다. 작고, 연약하기 짝이 없는 감정을.

"당신들이 두려워하는 게 뭔지 알겠어요."
"…말하지 마십시오."

 택수가 잔뜩 갈라지고 잠긴 목소리로 웅얼거렸다. 택수의 청에도, 수현은 그저 엷은 웃음을 짓기만 할 뿐이었다. 부탁을 들어줄 생각이 없다는, 무언의 선언이었다.

"말하지 말란 말입니다!!!"

 택수가 주먹을 쥐며 불같이 성을 냈다. 그러자 수현이 기다렸다는 듯이 방화수를 들이부었다.

"당신들이 두려워하는 건, 다른 사람들의 무관심도 경제적인 손해도 아닌…… '무력하기 짝이 없는 자기 자신'이에요."

 택수는 식은땀을 줄줄 흘리며 멍하니 책상을 내려다보았다. 그는 감히 수현의 시선을 마주할 수 없었다. 그럴 용기도, 체면도 없었기 때문이다. 지금 그가 가진 것은, 속내를 간파당했다는 사실이 만들어 낸 수치심뿐이었다.
 수현은 바람 빠진 풍선처럼 쪼그라든 택수를 물끄러미 바라보았다. 그러고는 해사한 웃음을 지으며 그를 완전히 짓밟아 놓았다.

"'시민을 위한 윤리와 정의'라는 이름이 참 아깝네요."

말을 마친 수현은 뒤도 돌아보지 않고, 두 번째 가능성을 찾아 떠났다. 유력한 용의자인 시윤정의 혐의점이 소멸했으니, 다음은 다른 형태의 분노, 즉 '범인이 분노와 증오를 정숙에게 투사했을 경우'를 고려할 차례였다. 만일 살인자가 품은 분노와 증오가 애먼 사람을 향해 송곳니를 드러냈다면, 그리고 이러한 과정에서 범인이 쾌락을 느꼈다면…… 이번이 첫 살인일 리 없다. 분명히, 쾌락 살인범의 손에 목숨을 잃은 이들이 더 있으리라. 그리 생각한 수현은, 범인이 피해자의 신체 일부를 가져간 점을 상기했다. 그러고는 범인의 목적 중 하나가 '신체 수집'일지도 모른다고 생각하며, 단서를 찾아 발걸음을 옮겼다.

한편, 홀로 남겨진 택수는 수현이 앉아있던 의자를 멍하니 바라보았다. 그는 수현의 눈빛과 웃음을 기억 속에서 지우려 애썼다. 하지만 이는 수현에게서 느낀 섬뜩함을 증폭시키는 역효과만 가져왔다.

그는 덜덜 떨리는 손으로 대포폰을 꺼내 전화를 걸었다. 뚜, 뚜 하며 울리는 신호음은 실제로는 몇 초에 불과했지만, 택수에게 '몇 초'는 영원이었다. 하지만 얼마 지나지 않아, 스피커에서 흘러나온 소리가 영원을 찰나로 바꾸어 놓았다.

소리의 정체는 TV에서 흘러나온 뉴스 진행자의 목소리였다. 그는 최근에 설립된 시민단체이자 최성욱의 지지 세력인 "세 번째 희망"이 극우 시민단체인 시윤정을 비판하는 성명을 냈다는 소식을 전했다. 그리고 "여태껏 시윤정이 벌여왔던 일을 세 번째 희망의 회원들이 대신 수습하고 있습니다. 이들이야말로 바람직한 시민단체의 표본입니다."라는 사견을 곁들였다.

"김택수 씨?"

그 순간, 성욱의 목소리가 앵커의 목소리를 집어삼켰다.

"회, 회장님. 조금 전에 윤수현이 찾아왔습니다…!"

택수가 속삭이듯이 말했다. 그의 목소리에는, 수현이 저를 죽일지도 모른다는 공포가 담겨있었다. 하지만 성욱은 쓸데없는 걱정을 한다는 듯 웃음을 터트렸다.

"괜찮습니다. 윤수현, 그 멍청이는… 사람을 죽이는 방법은 그 누구보다 많이 알고 있지만, 정작 죽이지는 못합니다."

성욱은 택수를 진정시킨 뒤, 전화를 끊었다. 그리고 만족스러운 웃음을 지었다. 모든 게 예상대로였다. 지지자들이 자발적으로 결성한 세 번째 희망은, 시윤정과 대립각을 세웠다. 그렇게나 증오하는 극우 시민단체를, 자신들이 열렬히 지지하는 사람이 그것도 몇 년 동안 은밀히 지원해 온 사실도 모른 채로.

*

수현과 헤어지고 난 뒤, 진은 전국의 지방자치단체와 한국지질자원연구원에 연락을 취했다. 그의 연락을 받은 담당자들은, 진이 부탁한 자료를 모두 보내주었다. 이렇게 받은 자료를 토대로, 진은 '산장에 가까운 건물이 있는, 20여 년 전부터 땅이 뒤엎어진 적이 없는 사유지'를 찾아내는 작업에 착수했다.

이로부터 시간이 얼마나 흘렀을까. 드디어 그의 앞에 유력한 후보지가 모습을 드러냈다. 그가 찾아낸, 단 하나뿐인 후보지의 이름은 "황연(晃然) 마을"이었다. 황연 마을에는 '말이 좋아 단독주택이지, 실질적으로는 외딴곳에 있는 산장'에 가까운 건물 한 채가 들어선, "황연산(晃然山)"이라는 사유지가 있었다. 이에 진은 황연 마을에 살던 아이들이, 죽어서도 황연 마을을 벗어나지 못했다는 것을 직감했다.

진은 쥐고 있던 볼펜으로 지면을 톡톡 두드렸다. 심이 볼펜 밖으로 나오지 않은 상태였기에, 검은 잉크가 종이에 묻는 일은 일어나지 않았다. 입수한 서류에 따르면, 사유지와 건물의 주인은 지금으로부터 약 24년 전에 바뀌었다. 이전의 주인이 교통사고로 생을 마감한 까닭이었다. 기록은 전 주인이 한 지방자치단체의 공무원이었으며, 41세의 나이에 교통사고로 생을 마감하기 전까지 산속 건물에서 홀로 살았다는 사실을 알려주었다. 이 산속 단독주택이 황연산의 유일무이한 건축물이라는 점은, 지금까지 변함이 없었다.

볼펜을 책상 위에 내려놓은 진은, 황연산과 산속 단독주택의 현 소유주이자 행정 기록상 산속 건물에서 홀로 살아온 70대 초반 여성에 대한 서류를 내려다보며 스마트폰을 꺼냈다. 그러고는 지면에 표기된 전화번호를 스마트폰에 입력한 뒤에 통화버튼을 눌렀다. 그러자 신호음이 귓전을 때렸고, 얼마 지나지 않아 낯선 사람의 목소리가 들려왔다. 이에 진은 자신의 이름과 소속을 밝힌 다음, 황연산과 백골에 관한 이야기를 꺼냈다. 그리고 "행정 기록에는, 산속 집에서 혼자 사신다고 되어있습니다만. 맞습니까?"라고 물었다. 진의 이야기를 듣던 그는 잔뜩 당황한 기색을 내비치더니, "네. 혼자 사는 게 맞습니다."라고 대답하고는 수사에 적극적으로 협조하겠다는 말을 덧붙였다. 진은 그런 그에게 "지금 가도 되겠습니까?"라고 물었고, 그에게서 "당연히 되지요! 마침 오늘 나갈 일도 없고, 찾아올 사람도 없습니다."라는 말과 "출입로 문에 인터폰이 없으니, 대신 문을 열 수 있는 비밀번호를 알려드리겠습니다. 출입로와 연결된 길을 따라서 약 15분 정도 걷다 보면, 건물이 한 채 보일 겁니다. 그 건물 안에서 기다리고 있겠습니다. 아, 참. 그리고 마을에 도착하기 20분에서 30분 전에 연락 한 번 해주셨으면 합니다."라는 대답을 얻고 나서 통화를 마쳤다. 이렇게 두 사람의 목소리가 사라지자, 전담팀 회의실은 다시금 고요함에 휩싸였다.

그 순간, 점잖은 노크 소리가 상념에 잠겨있던 진을 끌어냈다. 그는 고개를 돌려, 문을 열고 들어오는 수현을 바라보았다.

"경위님. 특수사건전담팀으로 이관된 사건 중에, 가해자가 피해자의 신체 일부분을 잘라간 케이스도 있나요?"
"왜? 연쇄 살인 같아?"

진이 고개를 갸웃하며 물었다. 그러자 수현이 고개를 끄덕이며 자초지종을 설명했다. 정숙의 사인, 쾌락 살인범이 품은 극도의 분노와 증오 그리고 유력한 용의자였던 극우 시민단체의 수장과 나눈 대담까지. 짧으면서도 핵심만 짚은 말들이, 그의 입에서 흘러나왔다.

"피해자의 신체 일부를 수집하는 쾌락 살인범이라면…… 연쇄 살인범일 확률이 높지. 분노와 증오를, 전혀 상관없는 사람에게 투사한 경우라면 더더욱."

말을 마친 진은 눈살을 찌푸리며 머릿속의 서재 안으로 뛰어들었다. 하지만 아무리 살펴보아도, 수현이 찾는 종류의 사건은 없었다. 그는 마지막 가능성, 그러니까 문 옆에 있던 상자들을 향해 시선을 주었다. 상자 안에는 제가 검찰 소환 조사를 받았을 당시부터 지금까지 인계받은 사건 서류들이 가득했다. 이는 평소였다면 진즉에 읽은 뒤 정리했을 것들이었다.

그런 진의 눈빛에 담긴 의도를 간파한 수현은 상자를 향해 다가갔다. 그리고 두 손을 뻗어 상자를 들어 올린 다음, 책상을 향해 발걸음을 옮겼다. 진은 수현이 상자를 놓을 자리를 마련하기 위해, 재빠르게 서류들을 그러모았다. 그렇게 빈자리가 마련되자, 수현이 상자를 책상 위에 조심스레 올려놓았다.

"경위님은 어때요? 찾아낸 거라도?"

수현이 눈을 천천히 깜빡이며 물었다. 이에 진은 그가 자리를 비운 동안 알아낸 사실을 설명했다.

"한 군데뿐이라니, 정말 다행이에요." 수현이 안도의 한숨을 내쉬었다.
"그렇지. 이리저리 돌아다닐 필요가 없어졌으니까."

진이 한 손을 들어 올려, 눈두덩을 꾹꾹 누르며 대꾸했다. 제가 마주해야 할 과거도, 과거로 향하는 길도 하나뿐이었다.

그는 자리에서 일어섰다. 그리고 수현을 똑바로 바라보며, 나직이 선언했다.

"이기고 올게. 보란 듯이."

수현이 엷은 웃음을 지으며 고개를 끄덕였다. 진은 그런 수현에게서 시선을 거두었다. 그리고 결심한 듯 힘차게 발걸음을 옮겨 전담팀을 떠났다.

수현은 멀어지는 진의 뒷모습을 물끄러미 바라보았다. 그의 눈빛에는 걱정이 깃들어 있었다. 하지만 그는 진을 믿었기에, 속마음을 내비치지는 않았다.

걱정을 애써 지워낸 수현은 다시 책상 위의 상자로 시선을 옮겼다. 상자 안에는 수많은 서류철이 한가득 쌓여있었다. 상자를 향해 손을 뻗은 그는 서류를 읽으며, 날아드는 연락을 틈틈이 확인했다. 수현에게 연락해 온 사람들은 각 지역 경찰청에 설치된 미제 사건 전담팀의 형사와 강력계의 형사들이었다. 몇 시간 전, 수현은 이들에게 정숙과 유사한 방식으로 살해당한 피해자가 있는지를 확인해달라고 요청했다. 이에 형사들은 자신들이 맡은 사건을 모두 확인한 다음, 몇 번이고 확인해 보았으나 유사 사건은 찾지 못했다는 말을 전해 왔다.

이렇게 서류를 확인하면서 형사들의 연락을 받는 작업을 반복한 지 얼마나 되었을까. 마지막 남은 서류까지 모조리 읽어치운 수현은 한숨을 내쉬었다. 모든 서류를 살폈는데도 끝끝내 원하는 단서를 얻지 못해서였다.

'아니야. 아직…… 경기청 미제 사건 전담팀의 연락을 받지 못했으니까, 기다려 보자.'

지금까지 수현이 받은 연락 중에, 유사 사건이 존재한다는 소식은 전무했다. 이에 수현은 마지막이 될 연락을 기다릴 수밖에 없었다.
그때, 수현의 스마트폰이 진동했다. 수현에게 전화를 건 사람은, 경기경찰청 미제 사건 전담팀의 형사였다. 그는 유사한 사건을 찾았다며, 초기 수사 내용이 기록된 사건 파일을 가져가라고 말했다. 그러잖아도 과중한 업무에 시달리고 있던 터라, 여태껏 서류를 살피는 것조차 하지 못했던 사건을 수현에게 넘기지 않을 이유가 없었다.
형사와의 통화를 마친 수현은 곧장 경기청 미제 사건 전담팀으로 향했고, 유사 사건을 기록한 서류를 손에 든 채 주차장으로 돌아왔다.

'다리 절단 살해 사건…….'

주차된 전기차에 올라탄 그는 표지에 적힌 텍스트를 마음속으로 읽으며, 서류를 펼쳐 들었다. 그러자 부검 당시의 사진과 결과지가 모습을 드러냈다. 기록에 따르면, CCTV가 없고 인적이 뜸한 골목길에서 살해당한 피해자는 60대 후반 여성이었으며 사망 추정 시각은 자정에서 오전 3시 사이였다. 또한, 그의 등과 허리에는 수십 개의 자창이 남아있었다. 자창의 형태를 보아, 추측건대 흉기는 식칼일 가능성이 컸다. 이런 점들만으로도, 다리 절단 살해 사건은 "참혹하기 그지없는 범죄"라는 평을 듣기 충분할 터였다. 하지만 범인은 세간의 평 따위는 신경 쓸 생각이 없는 듯, 목숨이 끊어진 피해자의 무릎 부분을 절단했다. 이렇게 잘린 두 다리는 범행 현장을 비롯한 그 어디에서도 발견되지 않았다. 필시, 범인의 수집품 중 하나가 된 게 분명했다.

기록을 모두 읽은 수현은 서류를 만지작거리며, 정숙의 죽음과 관련된 정보가 기록된 서류와 다리 절단 살해 사건을 다룬 서류에 공통으로 언급된 "나호율"이라는 이름에 주목했다.

"호율"이라는 이름은 이 나라에서 흔히 찾아볼 수 없는 이름이었다. 그러나 수현은, 오늘 호율이라는 이름을 두 번이나 보았다. 사건 파일 속 "나호율"은, 정숙의 스마트폰 전화번호부 앱과 "다리 절단 살해 사건"의 피해자인 곽미자의 오래된 다이어리에서 발견된 이름이었다. 이 나호율이라는 사람은, 동명이인이 아니라 동일인이었다. 만일 동일인이 아니라 동명이인이라면, 정숙의 스마트폰에 저장된 나호율의 정보와 미자의 다이어리에 적힌 나호율의 정보가 완벽히 일치할 리 없었다.

기록에 따르면, 곽미자를 살해한 자를 찾아 나섰던 형사는 정형외과 의사이자 "초극 의원"의 주인인 32세 남성 나호율을 용의선상에서 제외했다. 알리바이가 확실했고, 미자를 살해할 이유가 없다고 판단했기 때문이다. 하지만 수현은 초동 수사를 맡은 형사의 의견에 동의하지 않았다. 미자와 정숙을 죽인 자가 동일범일 가능성이 매우 큰 상황에서, 동일인의 이름이 거론된 게…… 우연일 리 없기에.

실마리를 얻은 수현은 빠르게 종이를 넘겨, 미자의 유일한 혈육이

자 여동생인 곽미경에 관한 정보가 기재된 부분을 찾아냈다. 그는 미자의 다이어리를 직접 제출한 미경이 호율에 대해 알지도 모른 다고 생각하며, 스마트폰에 미경의 전화번호를 입력한 뒤 통화버튼 을 눌렀다. 그러자 신호음이 몇 초간 들리더니, 경계심이 묻은 목 소리가 스피커를 뚫고 튀어나왔다.

"안녕하세요. 저는 서울청 광수대 특수사건전담팀의 윤수현이라고 합니다." 수현은 미경의 경계를 누그러뜨릴 겸 자기소개를 하였다.
"…언니 사건 때문인가요?"

각종 미디어에 언급된 존재의 갑작스러운 연락에, 미경의 심정은 복잡하기 그지없었다. 기대, 걱정, 슬픔, 옅은 경계심 등의 감정이 유리처럼 투명한 돔 안에서 이리저리 뒤섞였다.

"네. 유력한 용의자에 대한 정보가 필요해서, 연락했습니다."
"유력한…… 용의자요?" 미경이 멍한 표정을 지으며 중얼거리듯 이 말했다.
"초극 의원의 정형외과 의사, '나호율'입니다."

수현의 차분한 목소리에, 미경은 입술을 꽉 깨물며 침묵했다. 수 현은 그런 그의 침묵을 말없이 기다려 주었다. 미경에게 마음을 추 스를 시간이 필요하다고 판단해서였다.

"……초극 의원은, 언니가 다리 수술을 받은 병원이에요. 나호율 은 언니의 다리를 고쳐준 정형외과 의사고요." 미경의 갈라진 목소리가 사방을 할퀴고 지나갔다. "언니는 다리가 좋지 않아서, 잠깐 걷는 것조차 버거워했어요. 그런데도, 끼니를 거르는 아이들이나 노숙자들을 위한 푸드트럭을 운영했었죠. 단 하루도 빠짐없이요."

그는 천천히 미자에 관한 이야기를 털어놓기 시작했다. 미경의 증언에 따르면, 미자는 푸드트럭 운영에 열정을 아끼지 않았다. 그가 정성을 들여 만든 음식은 끼니조차 챙기지 못할 정도로 가난한 학생들과 노숙자들에게 제공되었고, 후원자들은 그런 그를 위해 십시일반으로 모은 돈을 쾌척하거나 직접 만든 음식을 기부하는 등 미자의 선행에 동참했던 모양이었다.

"물론, 저는 뜯어말렸어요. 그럴 시간에, 언니 자신이나 돌보라고요. 하지만 언니는… '선생님 덕분에 이 정도 걸을 수 있게 된 거야. 그러니까, 받은 만큼 베풀어야 하지 않겠니? 미경아, 난 지금이 제일 행복해.'라고 말하더군요."

미경이 입술을 짓씹으며 진술을 마쳤다. 그는 방금 제가 입에 담은, 미자의 자원봉사와 관련된 진술이 사족에 가깝다고 생각했다. 감정을 이기지 못하고 내뱉은, 사건 해결에는 하등 쓸데없는 말. 그러나 누군가에게는 말하고 싶었던. 하지만 수현은 미경의 말을 사족으로 치부하지 않았다.

'행복?'

모두가 누려야 마땅한 가치이자, 헌법이 보장하는 권리. 그러나

누군가에게는 목숨을 걸고 투쟁해야지만 겨우 쟁취할 수 있는······ 불공평함의 진수. "행복"이라고 명명된 바로 그것이, 수현을 붙잡았다.

수현은 팔짱을 낀 채, 오른손을 들어 올려 입가로 가져갔다. 그리고 검지로 제 입술을 가볍게 톡톡 두드리며, 희망 보육원의 아이와 함께 놀이공원에 갔던 때를 떠올렸다.

그의 기억 속 아이는 수현의 손을 꼭 잡은 채, 사방을 둘러보며 연신 탄성을 터트렸다. 부모님과 함께 놀이공원에 가고 싶다는 소원이 이루어졌다고 생각했기 때문이다. 물론 수현은 그의 양육자가 아닌 자원봉사자에 불과했으나, 아이는 개의치 않았다. 그에게 수현은 '이상적인 아버지상(像)'에 가장 가까운 존재였으므로.

주변을 둘러보던 아이는 이윽고 수현의 표정을 유심히 살폈다. 수현 역시, 자신과 마찬가지로 들떠있었다. 이를 본 아이는 수현에게 "아저씨도 놀이공원 좋아하세요?"라고 물었다. 그러자 수현이 해사하게 웃으며 "네. 다들 행복해하니까, 보기 좋잖아요?"라고 답했다. 그런 그의 웃음을 본 아이는, 수현의 옷자락을 잡아당기며 "원장님도, 아저씨하고 똑같은 표정을 지었어요. 아, 그리고 우리 목소리만 들어도 행복하다고도 하셨어요!"라며 조잘거렸다.

'목소리만 들어도 행복하다는 게, 관용구가 아니라··· 말 그대로, 듣는 것만으로도 행복하다는 소리라면······.'

짧은 회상을 끝낸 수현이 눈을 가늘게 떴다. 불변하는 과거 속에서, 그는 마침내 심연 속 진실을 꿰뚫어 보았다.

"……질투한 거예요."

수현이 읊조리듯이 말했다. 하지만 그가 말하고자 하는 바를 이해하지 못한 미경은 의문이 가득 깃든 표정을 지을 뿐이었다. 그런 그를 위해, 수현이 설명을 차근차근 이어 나갔다.

"나호율은 곽미자 씨를 질투한 겁니다. 곽미자 씨가 행복해하는 모습이, 아니꼬웠던 거예요."

수현은 다음 문장을 입 밖으로 내기 직전, 찰나의 간극을 만들어 냈다. 그러고는 그 틈을 타 혼잣속으로 중얼거렸다.

'그래서 신체 일부를 가져간 거야. 아이들의 목소리를 들으며 행복해하던 원장님의 귀를, 걸을 수 있는 것만으로도… 봉사하는 것만으로도 행복하다고 말한 곽미자 씨의 다리를!'

점과 점을 거침없이 이어 선을 만들어 낸 그는, 올곧은 다짐을 입에 담았다.

"반드시, 잡겠습니다. 그러니 조금만 더 기다려 주세요."

이어, 미경에게 인사를 건네는 것으로 통화를 마친 수현은 운전대에 손을 올려놓으며 잠시 생각에 잠겼다. 호율의 손에 목숨을 잃은 사람이 둘뿐이라는 점은…… 아무리 생각해 보아도 부자연스러웠다.

"내가 나호율이었다면, 고작 두 명으로 만족하지 않았을 텐데……."

혼잣말을 중얼거린 수현은, 호율이 미자를 시작으로 살해 방식을 바꿨을 가능성을 떠올렸다. 그런 다음, 최소 두 사람을 죽인 것으로 추정되는 자를 찾아가기 위한 작업에 착수했다.

일단, 수현은 스마트폰을 사용해 "나호율"과 "초극 의원"에 대한 정보를 얻어냈다. 초극 의원의 세련된 홈페이지에는 휴가를 다녀오기 위해 나흘간 진료를 쉬겠다는 공지글 그리고 희망 보육원을 비롯한 각종 시설과 자매결연을 했다는 홍보 글이 등록되어 있었다.

수현이 홈페이지에서 얻은 정보는 이뿐만이 아니었다. 그는 병원 홈페이지와 연동된 호율의 개인 SNS를 통해, "황연 마을"이라는 글자가 새겨진 표지석을 찍은 사진과 "24년 만의 귀향."이라는 짤막한 글을 접했다. 그가 본 사진과 글은, 지금으로부터 약 3시간 전에 업로드된 것이었다.

황연 마을, 24년 전. 익숙한 키워드에, 수현은 일순간 굳고 말았다. 황연 마을이라면, 진의 목적지가 아니던가? 게다가 24년 전이라면… 제가 지구의 땅을 밟은 때이자, 진을 구했던 바로 그때였다!

'…우연일 리 없어.'

그는 사진 아랫부분에 적혀있는 작은 글씨에 주목했다. 글씨는 황연 마을의 주소를 시(市) 단위까지 알려주었다. 이는 SNS 플랫폼에서 지원하는 "사진 위치 표시 기능" 때문에 가능한 일이었다. 게시글에 기재된 주소는, 진의 목적지인 황연 마을의 주소와 똑같았다!

수현은 눈살을 살짝 찌푸리며 상황을 분석하기 시작했다. SNS에 글과 사진이 올라온 시점은 지금으로부터 몇 시간 전이었으므로, 호율이 지금도 황연 마을에 있다고 장담할 수는 없었다. 이에 수현은 호율의 현재 위치와 과거사를 알아내고자 시간을 들였고, 호율이 현재 황연산 안에 있다는 사실과 그가 8살 때부터 얼마간 보육원에서 살았다는 사실을 알아냈다. 기록에 따르면 호율의 보육원 생활은 한 가정에 입양되면서 끝났다. 입양은 호율과 그의 친생부모의 관계를 완전히 끊어놓았다. 이로 인해 수현은 호율의 친부모가 누구인지 알 방도가 없었다. 대신, 그의 양부모가 몇백 년 만의 기록적인 폭우가 부른 희대의 도심 침수 사태에 휘말려 허망하게 목숨을 잃었다는 사실은 확인할 수 있었다.

'24년 전에 교통사고로 사망한, 황연산의 전 소유주. 60대 여성인 노정숙과 곽미자에 대한 강렬한 증오……'

수현은 잠시 무언가를 생각하더니, 진에게 전화를 걸었다. 저와 진은 각자 다른 길을 걸었건만, 결과적으로 같은 목적지에 도달했다. 그렇기에 진실을 공유할 필요가 있었다.

통화 연결음이 다시금 스피커를 비집고 흘러나왔다. 삐, 삐, 하는 소리는 진을 찾아 하염없이 뻗어나갔다.

*

  진은 제가 우주를 외로이 떠도는 우주비행사 같다고 생각했다. 저를 둘러싼 어두운 과거는 사방이 어둠으로 뒤덮인 우주요, 몸을 실은 전기차는 고요한 우주선이었다. 이러한 감상에는, 전기차의 소리가 많은 영향을 끼쳤다.

  그의 전기차는 두 가지 소리를 지니고 있었다. 하나는 침묵. 그리고 다른 하나는 우주선이 텅 빈 우주를 항해할 때 내는 소리. 이는 모두 전기차 고유의 특성 때문이었다. 전기 자동차에는 내연기관, 즉 엔진이 없다. 그렇기에 자동차 특유의 배기음이 존재하지 않는다. 이러한 요소는 전기차에 고요함이라는 장점을 부여했다. 그러나 이는 양날의 검이었다. 무소음의 경지에 이른 차는 운전자에게 쾌적한 환경을 제공하지만, 반대로 보행자의 안전을 위협했다. 이러한 연유로, 진의 자동차는 우주선을 연상케 하는 소리를 '목소리'로 삼게 되었다.

  진은 입술을 짓씹었다. 운전대를 쥔 손에서는 식은땀이 배어 나왔고, 가속페달 위에 놓인 발은 잔뜩 경직된 채였다.

  사실, 그는 얼마든지 쉽고 빠른 방법을 택할 수 있었다. 제 부탁이라면, 수현은 흔쾌히 차원 문을 열어줄 터이니. 그러나, 그래서는 안 됐고 그럴 수도 없었다.

  진은 호흡을 가다듬었다. 이번 일은, 오롯이 스스로 해결해야 했다. 하지만 저는 영웅이나 초인이 아닌, 평범한 인간일 뿐이었다. 그렇기에 결심을 굳혔음에도 망설였고, 두려웠다. 이를 극복하기 위해서는 시간이 필요했다. 그래서 직접 차를 운전하기로 마음먹은 것이었다.

창밖의 풍경은 시시각각 변화했다. 익숙했던 광수대는 어느새 저 멀리 달아났고, 그 빈자리를 낯선 풍경과 침묵이 채워나갔다. 태양은 하늘에서 완전히 자취를 감추었고 온 세상에 어둠이 빈틈없이 깔렸다. 진은 스마트폰에 연결된 블루투스 이어폰으로 황연산의 주인에게 다시 연락했고, 진의 전화를 받은 그는 기다리겠다고 말하였다.

통화를 마친 진은 창문 너머를 응시했다. 세상과 저를 감싼 검은 비단에서 빛이 흘러나왔다. 비단 위를 수놓은 빛의 근원은 별이 아닌 가로등이었다. 하지만 인위적인 빛은 아득히 먼 곳에서 오는 별빛보다 눈이 시리도록 강렬했다.

"윤수현의 과거 이야기를 듣는 것보다, 내 기억을 되찾는 게 더 빠를 줄은……."

중얼거린 진이 운전대를 잡은 양손에 힘을 실었다. 그러고는 황연 마을을 향해 계속해서 차를 몰았다. 그의 시선은 정면을, 앞으로 나아가야 할 방향을 똑바로 바라보았다. 호흡은 규칙적이었고, 의지는 거침이 없었다.

시간이 흐르고, 드디어 황연 마을에 도착한 진은 전기차를 황연산 주변에 있는 주차구역에 세웠다. 그러고 나서 곧장 산의 유일한 출입로를 가로막은 철제문으로 향했다. 오래돼 보이는 철제문에는 전자식 잠금장치가 설치되어 있었다. 이에 그는 전달받았던 비밀번호를 입력해 문을 연 다음, 굳게 닫힌 문을 뒤로 한 채 산속을 향해 발걸음을 옮겼다. 그렇게 쉴 없이 빠르게 걷던 진은 얼마 뒤에 단독주택 앞에 다다랐고, 손을 들어 올려 단독주택의 유일한 출입문에 설치된 초인종을 눌렀다. 하지만 되돌아오는 답이 없어, 그는 초인종을 두어 번 더 눌렀다. 그러나 건물 안에서는 그 어떠한 소리도 흘러나오지 않았다. 이에 무언가 잘못되었음을 직감한 진은 손을 뻗어 문손잡이를 꽉 쥐더니, 힘을 실어 돌렸다. 그러자 손잡이가 힘없이 돌아갔다. 애초부터 철제문이 잠겨있지 않았다는 사실을 깨달은 진은 그대로 손잡이를 살짝 밀어 미세한 틈을 만들었다. 그런 그를, 실내에 줄곧 갇혀있던 피비린내가 엄습했다. 문틈을 비집고 나온 익숙한 냄새에, 진은 본능적으로 허리께의 권총집에서 총을 뽑아 들었고 곧이어 쾅 소리가 나도록 문을 밀어젖혔다. 그리고 목도했다. 다리를 꼬고 피로 붉게 물든 옷을 입은 채 소파 위에 앉아 있는, 호리호리하고 왜소한 체격의 젊은 남성과 그런 그의 발치에 있는, 머리와 몸이 분리된 시신을. 절단된 머리는, 서류에서 보았던 황연산 현 소유주의 증명사진과 완벽히 일치했다.

"이런… 많이 늦었네."

나른하면서 매혹적인 목소리에는 쾌락이 어렴풋이 묻어있었다. 그의 태도가 어찌나 여유로운지, 그에게 총을 겨눈 진이 무색할 지경이었다.

"만나서 반가워. 내 이름은 나호율이야."

아무렇지 않게 자기소개를 하는 호율의 태도에, 진이 인상을 썼다. 그 순간, 진의 스마트폰에서 진동음이 흘러나왔다. 그러자 자신의 이름을 밝힌 남성이 진을 올려다보며 말했다.

"전화, 받는 게 어때?" 그는 얌전히 있겠다는 듯, 양손을 머리 위로 여유롭게 들어 올리며 말을 이어 나갔다. "얼마든지 기다려 줄 수 있어."

"기다려 줄 수 있다고? 지금 너한테 주도권이 있다고 생각하나?"

진이 공격적인 어조로 대꾸했다. 호율은 그런 그를 흥미롭다는 얼굴로 바라보더니, 매력적인 웃음을 지으며 입을 열었다.

"이런. 이제부터 네 과거에 관한 이야기를 할 생각이었는데. 만일 네가 전화를 받지 않는다면, 상대가 또다시 귀찮게 할 거 아냐? 그럼 분위기가 안 살겠지? 그렇지 않아?"

처음부터 끝까지 지적할 것투성이인 말에, 진은 오만상을 찡그리며 불쾌감을 표출했다. 그러고는 눈앞의 남성을 향한 경계를 게을리하지 않은 채, 스마트폰을 꺼내 전화를 건 사람이 윤수현이라는 사실을 확인했다.

"무슨…?"

전화를 받은 진이 수현에게 물었다. 저와는 다른 사건을 맡은 수현이, 어째서 자신을 찾는가? 하지만 그의 물음은 수현의 다급한 말에 끝맺어지지 못했다.

"노정숙 원장님을 죽인 범인은, 지금 황연산에 있어요!"

수현의 말에, 진은 일순간 침묵했다. 전혀 관련이 없었던 두 사건이, 이어졌다.

"그거 잘됐네. 마침 나도 황연산에 있거든. 방금, 산속 단독주택 안으로 들어온 참이야. 지금 내 눈앞에서 여유 부리는 놈이, 네가 말한 사람 같네. 이 자 발치에는 집주인이 쓰러져있고. 목과 몸이 분리돼서, 손쓰기에는 너무 늦었어." 진이 읊조리듯이 말하고는, 질문을 던졌다. "그래서. 범인, 누군데?"

진의 물음을 들은 수현의 입에서 나호율에 대한 방대한 정보가 쏟아졌다. 그는 호율이 어째서 정숙과 미자를 살해했는지에 관한 추리를 포함한, 자신이 알고 있는 정보를 하나도 빠짐없이 진에게 전달했다. 그리고 이러한 정보를 기반으로 추리해 낸 결론을 조심스레 입에 담았다.

"나호율은, 경위님과 똑같은 일을 겪은 게 아닐까요?"

진이 앓는 소리를 내더니, 이내 생각에 잠겼다. 나호율, 저를 황연마을로 이끈 장본인으로 추정되는 자. 그와 저는 '24년 전'과 '8살' 그리고 '입양아'라는 키워드를 공유했다. 이런저런 정황으로 볼 때, 수현의 추리는 타당했다.
그렇다면, 나호율로 인해 목숨을 잃은 것으로 추정되는 정숙과 미자는 어떠한가? 그는 수현이 조금 전에 했던 말, 그러니까 "나호율은… 60세 이상의 여성을 증오하는 게 분명해요."라는 말을 떠올렸다.

'황연산의 전 주인은 41세의 남성이었지. 만일 죽지 않고 살아있었다면… 65세. 나호율의 손에 죽은 것으로 추정되는 두 사람은, 모두 60세 이상의 여성……'

진의 눈빛이 번뜩였다. 퍼즐의 모든 조각이, 제자리를 찾아갔다.

"……나를 황연산으로 인도하려고, 정명곤 집 마당에 백골을 파묻은 거였군. 자신과 똑같은 시기에, 같은 방식으로 학대당했던 사람과 만나기 위해서. 60세 이상의 여성들을 죽인 건, 자신을 학대했던 사람과 그들을 동일시해서였겠지. 만일 황연산의 전 주인이 지금 살아있다면, 60대일 테니까. 뭐, 여자를 타겟으로 삼은 이유는…… 뻔하네."

진이 거칠게 날뛰는 심장의 고동을 억누르며 속삭이듯 말했다. 그러자 수현이 짧게 앓는 소리를 내며 진의 추리를 이어받았다.

"…일반적으로, 남자보다 여자를 죽이는 게 더 쉬우니까요."
"맞아. 그중에, 진짜 아동 학대 가해자들은 단 한 명도 없을 거고."

진이 담담히 수현의 추리를 이어받았다. 이에 수현은 한숨을 폭 내쉬며 말했다.

"그렇겠죠? 범죄자 생각이야 뻔하니까요."

범죄자들이 한결같이 내뱉는, 새로울 것 하나 없는 변명. 진과 수현은 이를 지겹도록 들어왔다.

"그래. 맨날 남 탓만 하고, 자기보다 약한 사람만 골라서 죽이는 비겁한 놈들이지." 진은 호율의 두 눈을 똑바로 노려보며 수현의 말에 동감을 표하고는, 짧은 작별 인사를 덧붙였다. "이따가 보자."

수현의 목소리가 완전히 들리지 않는 것을 확인한 뒤 통화를 마친 진은, 잔뜩 굳은 얼굴로 씩씩대는 호율에게서 끝까지 시선을 거두지 않았다. 잔뜩 여유 부리며 고아한 척하던 자의 본모습이란, 이다지도 추하고 나약하다.

"비겁한 놈이라니, 말이 심하네." 치밀어 오르는 분노를 겨우 갈무리한 호율이, 희미하게 경련하는 입꼬리를 억지로 올리며 웃었다.
"있는 그대로의 사실만을 말한 건데, 뭐가 심하다는 거지?"

지지 않고 응수한 진이, 계속 총을 겨눈 채로 호율을 향해 한 발자국 다가갔다. 그리고 미란다 원칙을 고지할 생각으로 입술을 달싹였다. 그 순간, 진의 의도를 알아챈 호율이 선수를 쳤다.

"내 말을 증거로 쓸 생각인가? 너를 거두어 준 유인영과 인화 그룹에 해가 될 텐데. 안 그래도…… 너 때문에 요즘 인화 그룹이 힘들잖아?"

"주도권은 네가 아니라, 나한테 있다고 말했을 텐데."

진은 모든 게 네 잘못이라는 교활한 화술을 무시하며, 미란다 원칙을 호율에게 알렸다. 이에 호율은 어깨를 으쓱했다. 그러고는 아무런 언질 없이 오른팔을 등 뒤로 가져갔다. 그러자 진이 단호히 그를 저지했다.

"가만히 있어."

"네 과거에 대해 알아내려면, 이게 필요할 텐데."

호율이 나직이 웃으며, 오른손을 느릿느릿 움직이더니 등 뒤에서 투명한 플라스틱 케이스를 꺼냈다. 모서리가 둥글고 전체적으로 납작한 직육면체 모양의 물체 안에는, A4용지 여러 장을 하나로 묶은 서류가 들어있었다.

"자. 가져가."

호율이 아주 천천히 허리를 숙이며, 서류가 든 플라스틱 케이스를 바닥에 내려놓았다. 그런 다음 오른손에 힘을 실어 툭, 하고 서류를 밀었다. 힘이 실린 투명한 물체는 바닥과의 마찰로 인해 갈수록 느려졌고, 이내 진의 발치에서 완전히 멈춰 섰다. 이를 본 진은 경계를 늦추지 않은 채, 자세를 낮추어 케이스를 집어 들었다. 그러고는 몸을 일으켜 세우면서, 손에 쥔 케이스를 뒤집어 서류의 표지를 확인했다.

"'인간, 이상'……?"

서류 표지에 인쇄된 글씨를 읽은 진이 눈살을 찌푸렸다. 첫 번째 단어의 뜻은 당연히 알고 있었다. 그러나 두 번째 단어는… 형태는 같되 뜻이 다른 경우가 여럿이었다. 이에 진은 고민에 빠졌다. 문자가 말하고자 하는 바는 무엇인가? 이상(理想)인가? 아니면 이상(以上)?

"너는 '인간, 이상' 프로젝트의 실패작이다, 이유진."

그 순간, 호율이 오만한 웃음을 지으며 경멸로 가득 찬 문장을 내뱉었다. "실패작"이라는 단어와 갑작스레 튀어나온 제 본명에, 진은 그 자리에서 얼어붙고 말았다. 하지만 호율의 말은 이제 시작이었다.

"조금만 더 선을 넘었더라면, 완벽한 사이코패스로 다시 태어났을 텐데. 정말 안타까워."

의미를 가늠할 수 없는 말이, 진을 휘감았다.

3. 반격

"사이코패스……?"

진이 멍하니 중얼거렸다. 완벽한 사이코패스로 다시 태어나다니? 하지만 의문은 계속되지 못했다. 호율의 말은 트리거가 되어, 진의 불완전한 옛 기억을 헤집어 놓기 시작했다.

머리를 으스러뜨릴 것만 같은 두통이 다시 시작됐다. 진은 한 손을 들어 올려, 머리를 감쌌다. 이대로라면, 정말 죽을 것만 같았다.

"유진아. 도덕이니, 윤리니, 규율이니 하는 건…… 사람이 만들어 낸 거야. 자연에는 그런 거추장스러운 게 없단다."

갑작스레 들려온 성욱의 목소리와 숨이 끊어지기 직전인 아이의 숨소리에, 진은 퍼뜩 제정신을 차렸다. 그러자 어린 시절에 갇혀 지냈던, 문제의 그 화장실이 눈앞에 펼쳐졌다.

진은 진득한 피를 손에 잔뜩 묻힌 채, 화장실 한가운데 서 있었다. 방금까지만 해도 그의 손에 들려 있던 서류 케이스와 권총은 온데간데없었다. 그런 그의 옆에는 생의 불꽃이 꺼지기 직전인 어린아이가 바닥에 누워있었다.

"유진아."

달래는 듯한 목소리와 함께, 성욱의 두 손이 진의 어깨 위에 올려졌다.

"지금까지 잘해왔잖아. 생각해 보렴, 네가 얼마나 많은 멸종위기 종을 이 행성에서 지워버렸는지!"

종의 절멸. 상식을 아득히 벗어나는 진실이 폭로되자, 진의 눈빛이 위태로이 흔들렸다. 그는 여태껏 잊고 살았던 학살의 기억을 마주했다. 목을 조르고, 두개골을 으스러뜨리고, 칼로 찔러 숨통을 끊었다. 어느 부위를 어떻게 해야 즉사하는지, 반대로 어떻게 해야 최대한 느리고 고통스러운 죽음을 선사할 수 있는지…… 알고 싶지 않았지만 알게 된 '지식'들이, 죽음을 앞둔 생명체의 처절한 비명이 선연히 되살아났다.

"사람도 똑같아. 동물 죽이듯이 죽이면 돼. 뭐든 처음이 어려운 것뿐이란다."

세상이 요동치는 와중에, 성욱의 나긋한 목소리가 진의 마음에 생긴 균열을 파고들었다.

"선을 넘으면, 특별해질 수 있어. 인간을 넘어설 수 있다고. 자, 유진아. 어서!"

진은 이를 악물었다. 그리고 어린 날의 제가 택했던, 무력하기 짝이 없는 저항을 재현했다.

"…싫어. 더는 죽이고 싶지 않아. 왜냐면, 나는……."

그는 호흡을 가다듬으며, 피가 덕지덕지 묻은 두 손을 들어 올렸다. 그리고 제 어깨 위에 놓인 성욱의 두 손을, 거칠게 잡아 떼어냈다.

"인간이니까."

성욱이 헛웃음을 흘렸다. 그의 웃음은 한참 동안 이어지다, 뚝 그쳤다. 그는 진을 내동댕이치듯이 밀쳤다. 그러고는 뒤를 돌아보며 소리를 고래고래 질렀다.

"반드시 사이코패스로 만들겠다더니. 고작 이 정도야?!"
"죄송합니다. 저희 애가 부족해서…!" 진의 친부모가 고개를 숙이며 용서를 빌었다.
"보내준 자료만 보면, 제일 열심히 하던데. 연출이었나?" 성욱이 차가운 목소리로 물었다.
"연출이라니요! 그때 그 물고문 영상이, 어떻게 연출일 수 있겠습니까?!"

성욱은 그들을 한껏 노려보았다. 그리고 한참 만에 운을 뗐다.

"말했을 텐데. 멍청한 대중을 입맛대로 주무르려면, 테러가 필요하다고. 그런데 사람 하나 못 죽이는, 물러터진 버러지를… 테러 부대에 넣을 수 있을 것 같아? 아니. 이런 실패작은 친위대원조차 될 수 없어. 명령에 불복하는데, 대체 어디에 쓰겠나!"

젊은 남성과 여성이 마른침을 삼키며, 머리를 조아렸다. 그들의 관심사는 오로지 돈뿐이었다. 그렇기에 아이가 망가지는 것보다 성욱이 하사한 '일감'이 끊기는 것이 두려웠다. 그리고 성욱은, 이를 진작에 파악한 상태였다. 그는 경멸이 깃든 눈빛으로 두 사람을 보더니, 날이 잔뜩 선 목소리로 명령했다.

"더 이상의 기회는 없어. 폐기해."

말을 마친 성욱은 바닥에 쓰러져있던 아이를 안아 들었다. 하지만 말이 좋아 안은 것이지, 실질적으로는 귀찮은 짐짝 취급에 가까웠다.

진은 아이를 데리고 떠나는 성욱의 뒷모습을 멍하니 바라보았다. 그는 성욱이 말한 '폐기'의 뜻을 직감했다. 감금, 방화. 그리고 그 속에서 죽음을 기다리는 저 자신. 쉼 없이 밀려드는 정신적인 충격이, 그를 과거에서 추방했다. 그러자 그를 둘러싼 허상이 산산이 부서졌다.

'사진을 돈 받고 판 게 아니라… 명령을 착실히 따르고 있다는 증거물이 필요했던 거였어…….'

그는 덜덜 떨리는 손에 억지로 힘을 주었다. 그러자 짧디짧은 손톱이 손바닥을 파고들며 붉은 자국을 만들었다.

"더는 죽이고 싶지 않다던 주제에, 살인으로 먹고사는 강력계 형사가 되다니. 이쯤 되면 훌륭한 블랙 코미디로군.” 호율이 냉소하며 진을 조롱했다.

“그 입 다물어.” 진이 위태로운 목소리로 으르렁거렸다.

“그러지 말고, 좀 솔직해져 봐. 피비린내가, 시체 썩는 냄새가 그리웠잖아. 그래서 살해학을 이수하고, 사이코패스들이 저지른 잔혹한 범죄를 찾아 헤맨 거지. 안 그래?”

“좀 닥쳐!”

참다못한 진이 분노를 쏟아냈다. 하지만 살인자의 입에서 나온 말은 끊임없이 진을 헤집었다.

“살인 사건 현장만 보면 피가 들끓고, 심장이 뛰잖아.”

“…아니야.” 진이 입술을 짓씹으며 중얼거렸다.

“너는 살인 사건 자체를 즐기고 있어. 그렇지 않은 이상, 베테랑 형사 둘이 달라붙어도 해결하기 버거운 사건을 혼자 해결하고 다녔을 리 없지.”

결국, 참다못한 진이 양손으로 귀를 틀어막았다. 그러자 그의 손에 들려 있던 서류 케이스가 바닥을 향해 곤두박질쳤다. 더는 듣고 싶지 않았다. 하지만 호율의 목소리는 손가락 사이를 비집고 들어왔다.

“인간은 환경을, 본성을 극복할 수 있는 존재라고? 너한테 그런 말을 할 자격이 있다고 생각해? 이유진. 너는 과거에서 단 한 발자국도 벗어나지 못했어!”

진은 제 신념이, 이성이 서서히 무너지고 있다는 것을 직감했다. 평소의 그였다면 질 나쁜 말이라며 웃어넘겼으리라. 하지만 그럴 수 없었다. 현재 그의 내면은 혼돈 그 자체여서, 의심의 씨앗을 뿌리기에 안성맞춤이었다.

'믿어왔다. 사람은 본성을, 환경을 극복할 수 있다고. 사람은 도구나 물건이 아니라고. 그래서 오로지 자유의지로 생각하고 행동하는 거라고. 하지만… 그럼, 나는 뭐지?'

내면에 자리 잡은 씨앗은 끊임없이 싹을 틔웠다. 호율의 말대로, 저는 피비린내가 진동하는 생활에서 벗어나지 못했다. 하지만 이는 저를 학대한 친부모 같은 범죄자들을 잡아 감옥에 가두기 위해 자유의지로 선택한 길이었다. 그래서 보람찼고, 즐거웠다. 하지만 이런 감정들의 이면에, 살생에 대한 그리움이 정말 없었을까?

진은 제자리에 풀썩 주저앉으며, 충혈된 눈으로 멍하니 생각에 잠겼다. 만일, 그때 사람을 죽였다면 평생 최성욱의 충직한 개로 살았겠지. 시키면 시키는 대로 죽이고 해체하며 '살인 기계'로서의 소명을 다했으리라. 그렇다면, 반대로 저항을 택한 지금은? 큰 차이가 없었다. 성욱은 저와 수현을 공공의 적으로 낙인찍었다. 전자와 후자 모두, 저는 최성욱의 도구로 존재할 뿐이었다. 그 어디에도, 자유의지를 지닌 인간 '유 진'은 없었다. 그는 그리 판단했다.

'그러니까… 이 세상에 태어난 것 자체가 문제라는 거잖아…….'

그가 내린 결론은, 여태껏 굳건히 쌓아 올렸던 신념을 완전히 부정하는 것이었다. 자신은 태어나지 말았어야 할 존재였다. 그렇기에 "본성 같은 건 중요치 않다, 정말 중요한 건 행동이다.", "인간은 도구가 아니다. 목적 없이 세상에 던져졌으니, 무엇이든 될 수 있다. 인간은 스스로를 만들어 나가는 존재다."라는 말 따위는 공허하고 무의미했다.

진은 피가 나도록 입술을 짓씹으며, 들고 있던 권총을 꽉 쥐었다. 죽고 싶었다. 이 총으로, 지금 당장 제 머리를 터트리고 싶었다. 몸 안에 도는 붉은 액체를 전부 쏟아내고 싶었다. 더는 듣고 보고 생각하고 싶지 않았다. 쉬고 싶었다. 물론 자신이 죽으면 최성욱의 계획이 가속화되겠지만, 상관없었다. 세상이 어찌 되든, 알 바 아니었다. 어서, 피와 죽음으로 얼룩진 인생을 세상에서 지워버리고 싶었다.

그런 그를 보며 회심의 미소를 지은 호율은 소파에서 일어났다. 그리고 부서질 듯 위태로운 진의 곁으로 가까이 다가가더니, 그의 정신을 짓밟고 찢어놓을 생각으로 말을 던졌다.

"초인이 되지 못한 실패작. 그게 너야. 살아도, 죽어도 도움 하나 안 되는."

그 순간, 절망 속에 갇혀있던 진의 내면에서 희미한 빛이 반짝였다. 그는 귀를 틀어막았던 두 손을 내리고는 호율을 올려다보았다.

"초인이라니?"
"아, 너는 모르겠군. 초인은 곧 사이코패스를 의미하지. 도덕과 윤리에 얽매이지 않는, 신인류 말이야." 호율이 으스댔다.

진은 인상을 쓰며 생각에 잠겼다. 호율의 말과 제 경험을 종합해
보면, 저는 후천적 사이코패스 양성 프로젝트인 "인간, 이상"의 실
험체였다. 그렇기에 연쇄 살인을 저지른 선천적인 사이코패스들이
겪은 과거, 즉 아동 학대와 동물 살해를 강요당한 것이었다. 그래
야 평범한 사람이자 실험체인 저의 심리 상태나 사고방식이, 선천
적인 사이코패스들과 똑같아질 테니 말이다.
　여기까지 추론을 마치자, 녹슬었던 사고회로가 언제 그랬냐는 듯
원래의 모습을 되찾았다. 그의 호기심과 통찰력은, 죽고 싶다는 강
렬한 충동보다 강했다.

'초인… 분명히 초인이라고 했다.'

진은 "초인(超人)"이라는 단어에 주목했다. 호율이 말한 초인
은, '보통 사람으로는 생각할 수 없을 만큼 뛰어난 능력을 가진
사람'이라는 의미로 많이 쓰인다. 그러나, 호율은 이를 '도덕과
윤리에 얽매이지 않는 신인류'라는 뜻으로 사용했다.

'그런 의미란 말이지…….'

흐음, 하는 소리를 내며 팔짱을 낀 진이 호율을 흘끗 올려다보았
다. 제 앞의 왜소한 남자는, 어째서 백골을 옮겨 묻어가면서까지
저와의 만남을 원했는가? 많고 많은 단어 중, 어째서 실패작이라
는 단어를 골랐는가? 왜 사이코패스를 "초인"이라고 정의했는가?

그리고… 왜 저리도 오만한가? 너무나 궁금했다. 형사의 본능이, 진의 심장에 불을 지폈다.

　진은 추리를 계속해 나갔다. 그는 호율이 자신과 비슷한 일을 겪었다고 가정했었고, 여러 정황을 고려했을 때 이는 진실일 가능성이 매우 컸다. 즉, 호율 역시 "인간, 이상" 프로젝트의 실험체라는 의미였다.

　'정명곤의 집 마당에서 발견된 아이들, 그리고 나호율은 비인간적인 실험의 피해자. 이들 중에서 나호율만 끝까지 살아남았다. 즉, 나호율과 다른 피해자들 사이에 큰 차이점이 있었던 거다. 최성욱은 내게 살인을 요구했으니, 나호율과 아이들 역시 같은 요구를 받았을 거고. 그렇다면…….'

　진의 눈빛이 번뜩였다. 머릿속에 널려있던 퍼즐 조각들이, 제자리를 찾아 일사불란하게 움직였다. 그렇게, 거대한 그림 한 폭이 완성했다. 하지만 이는 말 그대로 추리에 불과했기에, 검증이 필요했다. 여기까지 판단한 그는 고개를 홱, 들어 올리며 호율을 향해 물었다.

　"너. '인간, 이상' 프로젝트의 유일한 '성공작'이지? 정대원의 무덤에 묻혀있던 아이들은, '인간, 이상' 프로젝트의 또 다른 희생자이자…… 네 손에 죽은 사람들인 거고."

　진이 뽑아 들은 검증의 칼날이 호율을 향해 날아들었다. 그는 호율이 순순히 대답하지 않을 수도 있다는 것을 잘 알았으나, 아랑곳하지 않았다. 호율은 오만함에 찌들어 있었다. 오만함이란, 치명적인 실수를 유발하는 요소 중 하나다. 그렇기에 이를 역이용한다면, 얼마든지 답을 들을 수 있으리라. 그는 그리 확신했다.

"그래. 모두 여기, 황연산에서 살던 버러지들이었지. 너처럼 사람 하나 못 죽이던!"

호율이 자랑스레 답했다. 오만함은 그의 두 눈을 가렸고, 이는 함정에 걸려들었다는 사실 -자신도 모르는 사이에, 적에게 정보를 제공했다는 것- 자체를 인지하지 못하는 상황을 초래했다.

"내 친부모도, 네가 죽였나?" 진이 차분한 어조로 재차 질문을 던졌다.
"그건 모르는 일인데." 호율이 심드렁하게 대꾸했다.

진은 자신의 친부모 역시 '폐기 처분'을 당했으리라고 생각했다. 그들은 돈을 위해 친자식까지 학대할 수 있는 인간들이었다. 그렇기에 최성욱이 '일감', 즉 자금줄을 끊는 것을 가만히 보고만 있을 리 만무했다. 그렇다면 남은 시나리오는 단 하나. 바로 성욱의 범죄 행위를 폭로하겠다며, 침묵에 대한 대가를 '주기적으로' 요구하는 것이었다. 하지만 성욱은 이러한 요구를 순순히 들어줄 사람이 아니었다.

"그래… '친구들'만 죽인 거로군."

진이 쓴웃음을 지었다. 이는 지극히 개인적인 감상이요, 제가 세운 가설의 마지막 증명을 위해 의도적으로 입 밖에 낸 문장이었다. 그러나 이를 알 리 없는 호율은 코웃음을 치며 비아냥거렸다.

"친구? 기존의 도덕과 규율을 극복한 내게, 그런 하찮고 무의미한 건 필요 없어."

그 순간 진의 눈이 번뜩였고, 이를 기점으로 잠시 침묵이 내려앉았다. 드디어 가설의 증명이 끝났다.

"……정말 그런 거였나? 시시하네."

진이 헛웃음을 지으며 중얼거렸다. 역시, 처음부터 마지막까지 모두 예상대로였다. 이를 본 호율의 얼굴은 잔뜩 일그러졌다.

"뭐야. 뭐가 그렇게……?"
"나호율. 너는 너 자신을 신인류라고 생각하는 모양인데… 망상이 심하네. 너는 신인류가 아니야. 물론, 도덕이나 윤리를 극복한 것도 아니고."

진이 혀를 차며 호율의 말을 가차 없이 잘랐다. 그리고 손을 바닥에 짚으며 일어섰다. 그렇게 그는 굳건히 마룻바닥을 디디고 섰다. 이제부터 더는 방황하지 않겠다는 듯이.
그는 호율을 똑바로 노려보며, 권총을 쥐지 않은 손을 천천히 들어 올렸다. 그리고는 검지를 제외한 모든 손가락을 접으며 호율의 얼굴을 똑바로 가리켰다.

"넌, 그저 폭력과 권위에 굴복한 것뿐이야."

진의 나직하면서도 강직한 음성이 공간을 가득 채우며 섬광처럼 내리꽂혔다. 이로 인한 충격에, 호율의 눈빛이 거세게 요동쳤다. 이를 알아차린 진은 틈을 놓치지 않고 말을 이어 나갔다.

"친구를 죽이지 않으면, 굶어야 하니까. 그래서 죽인 거잖아. 도덕과 윤리를 뛰어넘은 신인류라서 살인을 저지른 게 아니라!"

자신 또한, 굶기 싫다는 이유로 수많은 생명을 난도질했었다. 그렇기에 진은 호율의 속내 정도는 손쉽게 파악할 수 있었다. 이러한 진의 촌철살인은, 호율의 우월감에 치명상을 입혔다.
호율은 주먹을 쥐었다. 그는 마지막 남은, 풍선처럼 부푼 비대한 자존심이 터져 나가는 것을 느끼며 으르렁거렸다.

"닥쳐……!!"

하지만 진은 진실을 폭로하는 행위를 멈추지 않을 생각이었다. 드디어 손에 넣은, 반격할 수 있는 절호의 기회를 어째서 포기해야 하는가?

"아니. 내 말, 아직 안 끝났어."

진이 호율의 얼굴을 향해 일직선으로 뻗은 팔을 천천히 내리며, 그에게 한 걸음 다가갔다.

"나호율. 너는 너를 학대한 자에 대한 분노를, '60대 이상의 여성'들에게 투사했지. 즉… 너는 아직 과거에서 한 발자국도 벗어나지 못했다는 의미야. 그런데도 너는, 나를 여기로 불러냈어. 대체 왜? 과거에 갇혀 사는 네가, 무슨 바람이 들어서 악몽의 근원지에 발을 들일 생각을 한 걸까?"

"오, 오지 마!!!"

겁에 질린 호율은 출입문을 향해 뒷걸음질 치기만 할 뿐이었다. 조금 전까지만 해도 세 치 혀로 진을 압도하던 살인자는, 이제 이 자리에 없다.

"네가 나를 여기로 불러낸 이유. 그건……."

진이 아랑곳하지 않고 호율을 향해 한 걸음 더 다가갔다. 그러자 호율은 다가오지 말라는 말을 되풀이하며 발악했다. 진은 그런 그에게 선혈이 묻어오는, 날것과 같은 진실을 돌려주었다.

"억울해서지? 똑같은 일을 겪었는데도… 너처럼 망가지기는커녕, 아무것도 모른 채 행복하게 살아온 내가 미워서. 그래서 나를 망가뜨리려 한 거지? 내가 진실을 감당할 수 없을 거라고 지레짐작하면서!"

호율은 눈보라가 휘몰아치는 한겨울의 황야에 내던져진 기분이었다. 평생 외면해 왔던 진실이, 그의 심장을 파고들었다. 그러자 한기가 그의 전신을 꿰뚫었다. 춥다. 살이 얼어붙어 터질 것만 같았다. 그는 필사적으로 뒷걸음질 쳤고, 결국 문지방의 코앞까지 물러났다. 그의 얼굴과 태도에서 묻어나던 오만은, 달아난 지 오래였다.

진은 그런 호율을 향해 손을 뻗어, 멱살을 거칠게 낚아챘다. 그러고는 자신을 향해 확 끌어당겼다.

"황연산에서 자란 네가, 도원시에 살던 나를 봤을 리 없어. '실험'이 끝날 때까지, 너는 여기서 한 발자국도 벗어날 수 없었을 테니까!"

진이 염화와 같은 분노를 표출하며 으르렁거렸다. 타오르기 시작한 불꽃은, 세상의 모든 부조리를 정화할 기세로 휘몰아쳤다.

"최성욱이지? 최성욱이 너를 찾아와서, 나에 대해 알려준 거지? 최성욱이 뼈가 든 상자와 보고서를 건네며 나에 대해 말했나? 아니면 네가 직접 내 친부모와 피해자들의 뼈를 파헤쳤나?"

문장들의 융단폭격에, 호율의 몸이 뻣뻣하게 굳었다. 그는 문장들 사이사이에 숨어있는 익숙한 이름에서, 이루 말할 수 없는 경외감을 다시금 느꼈다. 그에게 성욱은 복잡하기 짝이 없는 존재였다. 성욱의 명령이 아니었다면, 그는 끔찍한 유년 시절을 보내지 않아도 됐으리라. 그러나 정작 피해자인 호율은 그리 생각하지 않았다.

그는 성욱을 탓하기는커녕, 실험이 끝날 때까지 자신에게 물과 음식을 베푼 성욱에게 감사했다. 그리고 저에게 직접적인 폭력을 일삼아 온 황연산의 전 주인을, 그가 가차 없이 살해하는 장면을 보며 "최성욱에게 은혜를 입었다."라는, 비논리의 정점에 달한 결론에 도달했다. 이런 비논리적이고 비합리적인 심리는, 폭력이 빚어낸 산물이었다. 아이들을 길들이기 위해서, 성욱은 무자비한 폭력을 동원하여 그들의 자아를 말살했다. 이로 말미암아 호율은 내면이 완전히 뒤틀린 인간으로 성장했다.

성욱은 자신에게 길든 호율을 이용해서 일을 벌였다. 그는 야간 진료가 끝나고, 모든 환자가 떠난 직후 초극 의원을 찾아왔다. 그리고 7명의 뼈가 담긴 나무 상자와 "인간, 이상" 프로젝트 보고서를 건네며 진에 관해 이야기해 주었다. 그러자 호율의 증오는, 만만해 보이는 유 진에게 향했다. 호율은 최성욱과 황연산의 전 주인보다, 저와 같은 일을 겪은 주제에 행복하게 살아온 진이 더 증오스러웠다. 그래서 성욱이 시키는 대로, 명곤이 자리를 비운 틈을 타 대원의 무덤에 나무 상자를 파묻었다. 오로지 진의 절망과 타락을 위해, 악의를 휘둘렀다.

"너만 불행한 게… 너만 망가진 게 그렇게 억울해?! 네가 겪은 일을, 남도 똑같이 겪었으면 좋겠어?! 이런 같잖은 놈을 봤나!"

진이 입을 굳게 다문 호율을 향해 일갈했다. 오로지 진실로만 이루어진, 날카로운 말이었다. 이는 최성욱을 떠올리던 호율을, 현실로 데려오기 충분했다.

호율은 진의 손아귀에서 벗어나기 위해 있는 힘껏 버둥거렸다. 하지만 벗어나기는커녕, 발뒤꿈치가 출입문의 문턱에 걸려 무게중심이 무너지고 말았다. 그렇게 그의 몸이, 뒤로 곤두박질쳤다. 이를 본 진은 멱살을 틀어쥔 손아귀에서 힘을 거두었다. 호율과 함께 넘어지고 싶지는 않았기 때문이다. 그러나 호율 역시 경찰인 그가 보호해야 할 '시민' 중 하나이기에, 진은 넘어지지 않도록 자세를 다잡고는 호율을 붙잡기 위해 곧바로 손을 뻗었다.

그때, 예상치 못한 일이 벌어졌다. 진의 손이 호율에게 닿기 직전, 활짝 열려있는 출입구 밖에서 새하얀 오른손이 튀어나왔다. 손은 재빠르게 호율의 등을 향해 날아들더니, 추락하는 몸무게를 가볍게 받아냈다.

"아무리 나라도, 여기서 도구도 없이 뇌 수술을 할 수는 없어요."

특유의 나긋나긋하고 엷은 웃음기가 섞인, 따스한 목소리. 새하얀 오른손의 주인은, 윤수현이었다. 그는 수십 kg의 무게를 받치고 있던 손을 움직여, 호율의 목덜미를 움켜쥐었다. 온화한 목소리와는 반대로, 차가운 분노가 서린 몸짓이었다.

"미안해요. 웬만하면 얌전히 있을 생각이었는데, 나도 모르게 그만." 수현이 나직이 한숨을 쉬더니, 말을 덧붙였다. "어쩌다 보니 죄다 엿들은 격이 됐네요. 그럴 의도는 없었는데……."

수현은 진이 이따가 보자며 전화를 끊은 직후, 차원 문을 열어 황연산에 발을 들였다. 하지만 지켜야 할 선을 넘을 생각은 추호도 없었다. 그래서 열려있는 출입문으로부터 조금 떨어진 지점의 외벽에 등을 기대고는, 혹시 모를 비상 상황에 대비하기 위해 정황을 살펴온 터였다. 그러던 차에, 호율이 뒤로 넘어졌다. 이에 수현은 망설임 없이 호율을 붙잡았다. 그는 "그게 누구든 구하겠다."라 는 신념에 충실했다.

"아니. 사과할 필요 없어. 네 일이기도 하잖아."

진이 고개를 가볍게 가로저으며 대꾸했다. 호율은 수현의 소중한 사람을 빼앗은 장본이었다. 그렇기에 수현 역시 호율에게 하고픈 말이 많으리라.

수현은 진을 물끄러미 바라보았다. 그리고 실례하겠다는 듯 눈을 두어 번 깜빡이더니, 호율을 내려다보며 입을 열었다. 그런 그의 목소리에는 한기가 짙게 깔려있었다.

"오늘만큼은, '자신보다 약한 사람만 골라내는' 레이더가 제대로 작동하지 않았나 봐요? 축하해요. 아무래도, 고쳐 쓸 때가 됐나 보 네."

수현은 호율의 목덜미를 잡은 손아귀에 힘을 조금 더 실었다. 그 러고는 서늘함과 화사함이 공존하는 웃음을 지으며, 나긋나긋 말을 이어갔다.

"아, 아니다. 어차피 감옥에 갈 테니, 기껏 힘들어서 고쳐도 쓸모 없겠어요. 만일 고친다고 해도, 감옥에서 당신보다 약한 사람… 이 를테면, 신입 교도관 같은 공무원을 괴롭히는 데에나 쓸 게 뻔하고."

호율은 잔뜩 충혈된 눈으로 수현을 올려다보았다. 수현과 그의 키 차이는 20cm가 넘었던지라, 호율의 고개는 뒤로 꺾일 것처럼 위태로웠다. 하지만 여태껏 철저히 숨겨왔던 민낯을 드러내는 데에는 모자람이 없었다.

"나보다 약한 것들을 짓밟는 게, 내 맘대로 사는 게 뭐가 나빠?! 죽이고 싶으면 죽이고, 살리고 싶으면 살리는 게 뭐가 나쁘냐고!!! 도덕이니, 윤리니 하는 것들, 전부 인위적인 거잖아! 이 세상은 약육강식이라고!!!"

호율이 악을 쓰며 버둥거렸다. 그의 양손은 허공을 갈랐고, 두 발은 바닥을 거세게 할퀴었다. 그러나 어떤 수를 써도, 수현의 손아귀에서 벗어나기에는 역부족이었다.
진은 어이가 없다는 표정을 지으며 호율을 바라보았다. 그의 내면을 휩쓸던 염화는, 수현의 등장으로 가라앉은 상태였다.

"그래. 인위적인 거지. 그런데… 따지고 보면, 인간과 비인간의 경계를 만들어 낸 건, 인간 자신이야. 원래대로라면, 나와 너를 비롯한 모든 사람은 자연 상태의 동물과 하등 다를 게 없어."

진이 팔짱을 끼며 단호히 말했다. 그러자 호율이 만면에 냉소를 띄우며 조롱했다.

"그런 허울뿐인 말을 누가 못 해?!"

명백한 도발이 깃든 말에, 진이 호율을 뚫어지게 쳐다보았다. 그리고 혀를 쯧, 하고 차며 응수했다.

"그래? 그럼 네가 원하는 증거. 보여줄게."

진은 호율의 표정이 일순간 얼어붙는 장면을 똑똑히 보며, 한 치의 흔들림 없이 말을 이어갔다.

"그 도덕이니 윤리니 하는 것들이 아니었으면, 넌 예전에 죽었어."
"뭐……?" 호율이 멍하니 말을 뱉어냈다.
"애써 모르는 척하나 본데. 나무 상자 안에서 발견된, 네 손에 죽은 사람들의 뼈. 그중에 10대 중반 남자아이의 것도 있었단 말이지."
"그래서. 그게 뭐 어쨌다는 건데?"
"24년 전, 8살이었을 네가 무슨 수로 10대 중반의 청소년을 죽일 수 있었겠어? 뻔하잖아. 그때, 그 사람이… 너를 살리기 위해 기꺼이 목숨을 포기한 거지. 살아남고 싶은 마음은 그 누구보다 간절했겠지만, 차마 어린아이를 죽일 수는 없었던 거야."

진이 말하는 동안, 한기는 점점 더 강해졌다. 몰아치는 눈보라는 엉망이 된 호율의 몸을 이리 할퀴고 저리 할퀴며, 종국에는 땅과 하늘을 구별할 수조차 없게 만들었다. 그런 그의 머릿속에는, "호율아… 내 몫까지 잘 살아야 해……."라는 희미한 목소리가 울려 퍼졌다.

"아니야!!! 너희들이 틀렸어!!! 그 버러지가 나보다 약해 빠졌던 것뿐이야!"

결국, 참다못한 호율이 길길이 날뛰었다. 그는 애써 진실을 외면하는 것을 택했다. 이유는 간단했다. 진실을 받아들이는 것보다, 외면하는 것이 비교할 수 없을 정도로 쉬웠으니까.

"복수할 거야… 내 자존심을 건드린 네놈들만큼은, 신인류인 내가……!"

호율의 목소리가 갈라지고 찢어지며 사방으로 튀었다. 이에 진과 수현은 눈살을 찌푸리며 시선을 교환했다. 그들은 동시에 "차마 눈 뜨고 보기 힘든 광경"이라는 말을 떠올렸다.

진은 다시금 호율을 쳐다보며 짧은 생각에 잠겼다. 인간, 철혈(鐵血)로 점철된 역사. 죽고, 죽이고 빼앗는 것을 반복해 온 시간. 하지만 이런 피비린내 속에서도, 타자에게 친절을 베푸는 이름 모를 사람들이 있었다. 그렇기에 그 가능성을, 놓을 수 없다. 인간이 되기 위해, 인간으로 남기 위해 인간다움을 행하는 것을… 포기할 수 없다!

"아니요, 틀렸습니다. 나호율 씨, 당신은 악마도, 초인도, 신인류도, 짐승도 아닌… 그저 사회의 기본적인 규율조차 지키지 못한 범죄자일 뿐입니다.”

진의 나직한 선언이 범죄자의 손목을 옭아맸다. 진은 손을 뻗어, 자신을 둘러싸고 있던 검은 비단을 있는 힘껏 잡아 젖혔다.

*

호율을 체포한 것은 첫걸음을 내디딘 것과 다름없었다. 내세울 게 자존심뿐이던 호율의 분노는 멎을 줄 몰랐다. 결국, 진과 수현은 호율을 진의 전기차 뒷자리에 가두었다. 그리고 감식반을 호출한 다음, 고인의 상태를 확인했다. 수현은 고인을 살해한 방식이, 희망 보육원 원장인 노정숙을 살해한 방식과 똑같다는 결론을 내렸다. 이러한 판단을 내리는 데에는, 고인의 몸에 남은 상처의 형태와 호율이 앉아있던 소파 뒤에 덩그러니 놓여있는 피 묻은 식칼 그리고 고인의 목을 자를 때 사용한 것으로 추정되는 피 묻은 기구가 한 몫했다.

다음은 호율에게서 받은 서류를 살필 차례였다. 진은 주변에 도청 장치나 불법 촬영용 카메라가 없다는 사실을 재차 확인한 다음, 바닥에 떨어뜨렸던 서류 케이스를 담담히 집어 들더니 손에 힘을 실어 굳게 닫힌 케이스를 열었다. 그러고는 수현과 함께 서류를 살피기 시작했다. 그러자 “인간, 이상” 프로젝트에 영향을 준 ‘코끼리 길들이기’에 관한 서술이 가장 먼저 시야 안으로 들어왔다. 코끼리 길들이기는, 말 그대로 관광에 쓰일 코끼리를 길들이는 방법이었다. 먼저, 어미 코끼리에게서 새끼 코끼리를 억지로 떨어뜨린다. 그리고 조그만 틀 안에 가둔 뒤, 명령에 복종

할 때까지 몽둥이로 때리거나 갈고리로 찌른다. 이러한 과정을 거치며 살아남은 코끼리는 절망과 체념 속에서 자아가 말살된 채, 노역이나 관광 산업에 쓰인다. 이들의 안식은, 죽음 뒤에나 찾아오는 것이었다.

진과 수현은 말없이 종이를 넘기며 활자를 계속해서 읽어 나갔다. 그러나 도움이 될 만한 정보는 없었다. 기록은 황연산에서 죽은 피험자들이 무려 25명이나 되며, 이들이 모두 출생신고가 되지 않은 미성년자라는 사실을 알려줄 뿐이었다. 타인의 악의에 휩쓸린 이들이 세상에 남긴 것은, 이름을 대신했을 것으로 추정되는 영문자 하나 그리고 "10세 이하로 추정"과 같은 대략적인 나이에 대한 정보가 전부였다. 이 극악무도한 실험을 설계한 자에 관한 단서는, 이보다 훨씬 적었다. 아니, 아예 존재하지 않는다고 해도 과언이 아니었다. 설계자의 이름, 나이, 국적, 생년월일, 성별 등. 그 어떠한 것도 보고서에 기록되어 있지 않았다. 즉, 서류에 기록된 사람 중 이름이 기재된 사람은 단 한 명도 없다는 의미였다.

"25명이나 희생됐을 줄은……." 수현이 중얼거리듯이 말했다.
"그러게."

진의 나직한 목소리를 끝으로, 침묵이 내려앉았다. 간간이 들려오는, 종이를 사락사락 넘기는 소리만이 고요함을 비집고 나올 뿐이었다. 이어지는 내용에 따르면, 황연산은 두 실험실 중 하나이자 '다수의 실험체'를 대상으로 이루어지는 실험을 위한 장소였다. 산속에서 벌어진 참상은, 진이 살았던 도원시의 단독주택에서 벌어진 것과 다를 게 없었다. 산속의 아이들은 살아남기 위해 동물을 죽였고, 실험의 설계자는 어김없이 "서로를 죽여야만 음식과 물을 주겠다"라며 살인을 유도했다. 이런 과정을 겪으며 몇몇은 굶어 죽는 것을 택하고, 나머지는 서로를 죽였다. 그리고 그중 가장 나이가 많았던 16살 청소년은, 훗날 '최초 성공작'이 된 8살 아이의 손에 죽는 것을 택했다. 그렇게 실험은 성공했지만, 절반뿐인 성공이었다. 후천적 사이코패스 한 명을 만들기 위해, 25명을 갈아 넣는 것은 효율이 매우 떨어졌다. 이러한 이유로 설계자는 실험을 중지했고, 숨이 끊어진 아이들을 황연산에 암매장했다. 그리고 도원시에서 진행된 실험에 적극적으로 참여한 젊은 부부를 입막음하기 위해서 죽인 뒤, 황연산에 암매장하는 것으로 실험을 마무리했다. 부부의 유일한 친자식이자 도원시 실험실의 유일한 실험체는, 실험실 건물과 함께 불살라졌다. 여기까지가, "인간, 이상" 프로젝트 보고서에 담긴 내용이었다.

"윽……."

밀려드는 역겨움에, 진은 저도 모르게 앓는 소리를 냈다. 픽션 속에서나 일어났을 법한 일이, 현실에서 벌어졌다. 상상력을 동원해 창조해 낸 잔혹한 이야기는, 현실 속 인간의 악의를 넘어서지 못했다. 그는 이를 매 순간 피부로 느꼈다. 하지만 언제까지고 감상에 젖어있을 수만은 없는 노릇이었다.

진은 수현과 함께 돌파구를 찾기 시작했다. 그들이 택할 수 있는 가장 간편한 방법은, 성욱의 만행을 폭로하는 것이었다. 하지만 성욱이 아동학대 가해자라는 물증은 그 어디에도 없었다. 그렇다고 나호율의 증언을 기대할 수도 없었다. 그는 성욱보다 진을 증오하는 인간이었다. 그러니 그가 입을 열 가능성은 0에 가까웠다. "인간, 이상" 프로젝트 보고서를 정밀 감식해서 성욱을 잡는 방법도 무의미하기는 마찬가지였다. 실험 설계자와 희생자들의 정체를 유추할 수 있는 유의미한 정보가 철저히 배제된 보고서에서, 최성욱과 그의 수족들의 DNA가 검출될 리 만무했다.

 이와는 반대로, 진이 아동학대 피해자이자 후천적인 사이코패스 양성 실험의 실험체라는 사실은 수사를 통해서 알아낼 수 있다. 진과 수현이 보고서를 토대로 수사를 진행한다면, 명곤의 집 마당에서 발견된 백골이 국과수의 주목을 받을 수밖에 없기 때문이다. 즉각종 정밀 감식 데이터를 가지고 있는 국과수가 "인간, 이상" 프로젝트 보고서와 황연산 전체를 정밀 감식하게 된다면… 명곤의 집 마당에서 발견된 백골이 묻혀있던 토양 성분과 황연산의 토양 성분이 같다는 사실이 밝혀지게 된다. 지금처럼 여론이 성욱에게 우호적인 상황에서 이런 식으로 제삼자가 진실을 알게 된다면, 진은 더더욱 궁지에 몰릴 터였다.

"경위님이 겪은 일을, 세상에 알려도 괜찮을까요? 최성욱이 악인이라는 사실을 증명해 줄 객관적인 물증은, 존재하지 않잖아요."

 수현이 조심스레 걱정을 내비치자, 진의 낯빛이 급속도로 어두워졌다. 그는 수현이 무엇을 우려하는지 알아챘다.

 '어머니. 어머니와 어머니의 가문이, 인화 그룹이 피해를 본다. 자칫했다가는, 최성욱을 깎아내리기 위해 거짓말을 한다는 인상을 줄 수도 있고…….'

대한민국 최고의 명문가에 입양된 아이가 후천적 사이코패스 양성 실험의 실험체였다는 사실은, 살아남기 위해 수많은 생명을 이 세상에서 영원히 지워버렸다는 사실은… 상당한 여파를 불러일으킬 터였다. 진실은 진을 피에 미친 괴물로 만듦과 동시에 인화 그룹의 명성과 주가를 땅바닥에 내던질 것이며, 이는 분노한 주주들의 집단행동을 부르리라. 그렇지 않아도, 수많은 소액 주주들의 "유 진을 파양하라", "CEO 자리에서 물러나라"라는 요구가 입원한 인영을 향해 쏟아지는 상황이었으니 말이다.

문제는 이뿐만이 아니었다. 진실을 밝힌다면, 진 역시 막대한 피해를 떠안아야 했다. 일단, 그는 모든 수사에서 배제될 수밖에 없다. 이는 당연한 이치였다. 진은 경찰 조직의 간부이자 사이코패스들이 저지른 잔혹한 범죄를 해결해 온 해결사였다. 그런 그가 후천적 사이코패스 양성 실험의 실험체였다는 사실은, 사이코패스가 벌인 사건을 사이코패스에게 맡겼다는 것과 같았다. 그렇기에 경찰청장은 보여주기식의 대응이라도 해야 할 것이고, 최악의 경우 진이 해결했던 모든 사건에 대한 재수사 명령을 내릴 게 뻔했다. 그렇게 경찰 조직에 몸담으며 해온 모든 일이, 세상에서 지워지고 부정당하리라. 그는 그리 확신했다.

'진실을 폭로하려고 하면 할수록, 궁지에 몰리다니… 이게 최성욱의 설계인가? 나의 자살 또는 침묵?'

진은 입술을 짓씹었다. 생각하면 생각할수록 억울했다. 저는 명백한 피해자였다. 하지만 범죄자가 아닌 범죄 피해자에게 잘못이 있다는 시선은, 과거나 현재나 다를 게 없었다. 그렇기에 진 역시, 이런 뒤틀린 인식에서 벗어날 수 없었다.

"……안 되겠어. 다른 방법을 찾아야 해."

진이 한참 만에 대꾸했다. 이에 수현은 모두 이해한다는 듯이 고개를 한 번 끄덕였다. 그렇게 그들은 치열하게 고민했고, 이내 지금 시점에서 찾을 수 있는 유일한 해답과 맞닥뜨렸다.

재경로의 비극.

진과 수현은 재경로의 비극에 추악한 비밀이 얽혀있으리라고 확신했었다. 하지만 최성욱 때문에 해당 사건에 영향력을 행사할 수는 없었다. 그러나 그때와 지금은 확연히 달랐다. 그때는 최성욱의 고결함을 무너뜨릴 다른 방안이 있으리라고 믿었지만, 지금은 그 '다른 방법'이 딱히 없는 상황이었다. 때마침 "재경로의 비극"에 이제 막 수사종결처분이 내려졌다는 소식을 듣기도 하였기에, 그들은 더욱 재경로의 비극에 주목할 수밖에 없었다.
하지만 진과 수현에게 남은 유일한 방안은 쉬이 접근을 허락하지 않았다. 검찰은 미애의 차에 탑승했던 피해자들이 미애와 그의 운전기사라는 DNA 분석 결과를 확인했다. 그러고 나서 검토 끝에 "재경로의 비극"을 단순 교통사고로 판단하고, 수사를 완전히 종결하였다. 즉, "재경로의 비극"은 겉보기에는 아무런 문제가 없었다. 이런 상황에서 수사 결과가 잘못되었다는 객관적인 증거도 없으면서 재수사를 하겠다고 나서는 것은, 검찰의 고유 권한인

"수사종결권"과 "경찰 수사 지휘권"에 따라 이루어진 '적법한 수사 종결'을 부정하는 것과 다름없었다. 그리고 이는… 검경 수사권 조정에서 우위를 점한 검찰과 전면전을 벌이겠다는 의미였다. 생각이 여기까지 미치자, 진과 수현은 성욱을 떠올렸다. 성욱은 분명히 상황이 이런 식으로 흘러가리라고 예측했으리라. 그들은 그리 생각했다.

"역시. 검찰의 힘만으로도, 나를 찍어 누를 수 있다고 확신했던 거야. 그러니 경찰청장과 결탁할 필요성 따위는 느끼지 못했겠지." 진이 명료한 목소리로 결론지었다. 그러고는 곧바로 말을 이었다. "검찰과 전면전을 벌이려면, 경찰청장의 도움이 필요해."

진의 말을 들은 수현이 고개를 천천히 한 번 끄덕여 동의를 표했다. 기관 대(對) 기관의 권력 다툼에, 개인이 비집고 들어갈 틈은 없었다. 그렇기에 기관을 대표하는 사람의 도움이 절실했다. 하지만 경찰청장이 그들의 편에 설 확률은… 지극히 낮았다. 청장은 수현의 정체가 폭로됐던 때부터 지금까지, 수현에 대한 그 어떠한 의견도 밝히지 않은 채 방관자를 자처해 왔다. 이렇듯 중립적인 태도 -진정한 의미의 중립이라기보다는, 우유부단함에 가까운- 를 고수해 온 그가 흔쾌히 진과 수현의 편에 서겠다고 말할 리 없잖은가.

그렇다면 이런 완벽한 수평 상태의 천칭을 어떻게 뒤흔들어 놓을 것인가? 진과 수현은 해답을 찾아 생각에 잠겼다. 상대는 한 기관을 이끄는 수장이다. 그러니 평범한 방법으로 평형을 깨뜨리기는 쉽지 않을 터였다. 하지만 돌파구는 찾아내면 그만이다. 아무리 난

해한 문제라고 해도, 늘 그랬듯이 해답은 그들이 쥐고 있었다.

심사숙고 끝에 해답을 찾아낸 그들은, 때마침 나타난 감식반 수사관들과 함께 사건 현장을 탐색했다. 그리고 단독주택 외부에 설치된, 황연산의 유일한 CCTV를 확인했다. 하지만 유용한 단서를 찾지는 못했다. 녹화된 영상에 나온 사람은 호율, 진, 수현 그리고 집주인뿐이었다. 이들 중 집주인을 제외한 세 사람은 오늘 처음 영상에 등장한 터였다. 결국, 진과 수현은 일단 호율을 광수대로 데려가면서 수사에 필요한 각종 영장을 신청하기로 하였다.

시간이 흐르고, 서울청 광수대에 도착한 수현은 호율에게 정숙의 죽음에 관한 이야기를 꺼냈다. 그러자 호율은 "희망 보육원과 자매결연을 한 건 맞지만, 그뿐이야. 난 보육원에 들어가기는커녕, 주변에 가보지도 않았어."라며 이죽거리는 것을 끝으로 입을 굳게 다물었다. 수현은 그런 호율을 빤히 보더니, "그런 태도를 언제까지 고수할 수 있을지, 궁금하네요."라고 말하고는 자리를 떴다.

광수대에서 나온 진과 수현은 인영을 만나기 위해 병원으로 향했다. 깊은 밤에 둘러싸인 병원 앞은 한산하기 그지없었다. 그들은 부지런히 발걸음을 옮겼고, 이내 인영이 머무르는 VIP 병동 1인실을 찾았다. 인영은 침대 등받이에 등을 기대고 앉은 채로 그들을 맞이했다. 진은 오늘 오후에 퇴원 예정인 인영을 꽉 끌어안았다. 그러자 침대 위에 앉아있던 인영이 진의 등을 토닥여 주었다. 그렇게 모녀의 감동적인 상봉이 계속되었다. 그리고 진은 그 순간을 노려, 인영의 귓가에서 속삭이듯이 말했다.

"지금부터, 나한테 무슨 일이 일어나도 절대 대응하시면 안 돼요."

의문스러운 당부에, 인영의 얼굴에 궁금증이 떠올랐다. 하지만 그는 애써 의문을 지운 뒤, 고개를 살짝 끄덕여 신뢰를 표했다. 인영의 확답을 들은 진은 싱긋 웃으며 뒤로 물러섰다. 그리고 제 뒤에 있던 수현을 바라보며 입을 열었다.

"엄마. 이 사람이 윤수현이야."
"안녕하세요. 윤수현이라고 해요."

진의 말이 끝나자, 수현이 가볍게 고개를 숙이며 인사했다. 그러자 인영이 싱긋 웃으며 화답했다.

"안녕하세요. 유인영이에요. 직접 보는 건 처음이죠, 우리?"
"예… 매번 TV로만 봤으니까요."

수현이 살포시 웃었다. 인영은 그런 그를 물끄러미 올려다보더니, 좀 더 가까이 와달라고 부탁했다. 이에 수현은 기꺼이 인영을 향해 다가갔다. 그렇게 둘 사이의 거리는 두어 발자국 정도로 좁혀졌다.

"혹시, 손 한번 잡아봐도 될까요?"

인영이 조심스레 물었다. 그러자 수현이 오른손을 들어 올려, 인영을 향해 내밀었다. 인영은 두 손을 뻗어 수현의 새하얀 손을 꼭 잡았다. 그리고 지구의 사람들과 별반 다르지 않은, 서늘하면서도 따스한 온기를 느꼈다.

"역시, 우리하고… 똑같네요. 불로불사의 존재인데도……." 인영이 한참 만에 입을 열었다.

"사람이니까요." 수현이 나긋한 어조로 답했다.

"…고마워요. 24년 전에, 망설임 없이 불 속으로 뛰어들어 줘서. 덕분에, 세상에 단 하나뿐인 딸과 만날 수 있었어요."

인영이 수현의 손을 놓으며 감사를 표했다. 그러자 수현이 고개를 저었다.

"감사 인사를 받으려고 한 일이 아닌걸요. 그저, 의사로서 해야 하는 일을 한 것뿐이에요."

그는 한결같았고, 자신다운 말을 했다. 이에 인영이 가볍게 웃었다.

"좋은 사람이네요, 윤수현 씨는. 마음 같아서는 사윗감으로 삼고 싶은데."

"엄마." 진이 불편함을 드러냈다.

"말씀은 감사합니다만… 저는 지금 이대로, 그러니까… '친구'로 지내는 게 좋아요. 경위님을 좋아하는 건 맞지만, 그 '호감'이 연애 감정은 아니에요."

수현이 싱긋 웃으며 완곡히 거절의 의사를 표했다. 그리고 잠시 생각에 잠기더니, 몇 마디를 덧붙였다.

“그리고, 나와 유 경위님… 나이 차이가 너무 크지 않나요?”

“그렇긴 해요!” 인영이 하하, 하고 웃으며 말했다.

“그렇죠? 그러니까, 지금처럼 지낼 거예요. 친구이자 직장 동료로.”

수현이 특유의 화사한 웃음을 지었다. 이에 인영은 싱글싱글 웃기만 했고, 진은 세상에서 가장 쓸모없는 대화였다는 듯 혀를 가볍게 찼다. 그렇게 그들의 짧은 만남이 끝남과 동시에, 진과 수현의 기나긴 하루 또한 막을 내렸다. 그리고 몇 시간 뒤에 태양이 어둠을 몰아내자, 두 형사의 하루가 또다시 시작되었다. 이들은 가장 먼저, 경찰청의 청장실로 향했다. 그리고 단도직입적으로 신임 경찰청장에게 만남을 청했다. 청장은 고사 끝에, 결국 요청을 받아들였다.

청장실 안에 발을 들인 진과 수현은 신임 청장 앞에 섰다. 청장에게 경례를 마친 진은 청장실 내부를 슬쩍 훑어보았고, 진이 어째서 경계를 풀지 않는지 알아차린 청장은 내키지는 않으나 결국 허락을 담아 고개를 끄덕였다. 그러자 진은 수현과 함께 도청 장치나 불법 촬영용 카메라와 같은 불청객의 존재를 꼼꼼히 확인해 나갔고, 청장실이 안전하다는 결론을 내린 다음에서야 “인간, 이상” 프로젝트 보고서를 청장에게 내밀며 자초지종을 간략히 설명했다. 보고서는 투명한 서류 케이스 안에 담긴 상태였으며, 서류 케이스는 투명한 지퍼백 안에 들어있었다. 진의 말을 들은 청장은 새하얗게 질린 채로 아무런 말도 하지 못했다. 그러다가 증거물이 오염되지 않도록 철저히 대비하고는, 지퍼백 안의 보고서를 읽어 나가기 시작했다. 종이를 넘기는 그의 손가락은 위태로이 떨렸다.

'미제 사건 해결사이자 사이코패스 범죄 전문가가… 후천적 사이코패스라고?'

 청장은 마른침을 삼켰다. 물론, 진이 정말로 후천적 사이코패스인지는 심리 검사를 통해 가려내야 했다. 하지만… 그런 것은 중요치 않았다. 편견을 떨쳐내고 냉철한 판단을 하기에는, 진의 과거가 너무나 폭력적이고 자극적이었다.

'일 났군. 이걸 어떻게 수습한담?'

 그는 머릿속이 새하얗게 물들어 가는 것을 느꼈다. 자신은 말 그대로 '신임' 경찰청장이었다. 그렇기에 임기 초부터 그 어떠한 불미스러운 일에도 휘말리고 싶지 않았다. 하지만 바람은 이루어지지 않았다. 경찰 조직에 숨어있던 후천적 사이코패스의 등장은, 경찰의 권위와 신뢰도를 땅에 떨어뜨릴 게 뻔했다. 여기에 "인간, 이상" 프로젝트를 최성욱이 기획했다는, 객관적인 물증이 없는 주장까지 더해진다면… 유 진과 경찰이 유력 대권 주자인 최성욱을 깎아내리려고 한다는 공격을 받으리라는 것은 자명했다.
 한편, 진은 진로와 퇴로가 막혔다는 것을 깨달은 청장을 빤히 내려다보았다. 원하는 것을 쟁취하기 위해서는, 아직 나서면 안 됐다. 그렇기에 인내심을 가지고 기다렸다. 제가 내밀 묘수를, 청장이 덥석 잡을 만큼 흐트러진 상황을. 그리고 기다리던 상황이 펼쳐지자, 망설임 없이 운을 뗐다.

"수습할 방법, 있습니다."

엉킨 실타래를 시원하게 잘라낼 듯한 어조에, 청장이 진을 올려다보았다. 그러자 진이 당당히 말을 이어 나갔다.

"제가 최성욱과 검찰총장의 커넥션을 밝혀내겠습니다. 그 이후에 정명곤 사건과 나호율 사건의 진실을 밝히면 됩니다. 그럼 최성욱은 극악무도한 범죄자로 전락하고, 저와 경찰은 공격당하지 않을 겁니다."

청장이 눈을 크게 뜨며 진을 바라보았다. 그로서는 생각지도 못한 제안이었기 때문이다. 진은 그런 그를 위해 차분히 설명하기 시작했다.

"검찰은 인화 제약 연구원 살해 사건을 빌미로 저를 소환해 조사했습니다. 그것도 사건이 일어나고 시간이 한참 지난 시점에요. 정말 범인을 잡을 의지가 있었다면, 사건이 벌어지자마자 저를 조사했었어야 합니다. 하지만 검찰이 저를 조사한 시점은, 최성욱이 저와 윤수현에 대해 폭로한 다음 날이었습니다. 즉, 최성욱과 검찰이 한통속이라고 보는 게 자연스러워요. 다만, 검찰총장은 최성욱이 살인에 관여했다는 걸 모를 겁니다. 위험을 감수해야 하는 상황을, 최성욱이 만들 리 없으니까요."
"……그걸 증명할 증거가 있습니까?"
"없습니다. 아직은요. 하지만 우미애 사건을 통해 증명할 수 있습니다. 우미애의 죽음은, 교통사고 때문이 아니거든요."

- 223 -

진이 당당한 어조로 즉답하자, 청장이 곤란하다는 듯 눈살을 찌푸렸다.

"……그 말은, 성일 그룹의 총수가 배우자를 살해하기라도 했다는 의미로 들리는데요. 혹시 내가 잘못 이해한 걸까요, 유 경위?"
청장이 한참 만에 입을 열었다.
"아니요. 제대로 이해하셨습니다, 청장님."

진이 즉답했다. 그러자 청장이 한숨을 크게 내쉬었다. 검찰의 손을 거쳐 수사종결처분을 받은, 겉보기에는 아무런 문제가 없는 사건을 건드리는 것은… 너무나 위험했다. 게다가 진이 거짓말을 했을 가능성 역시 배제할 수 없었다. 그야, 애초에 우미애가 살해당했다는 확실한 증거가 없지 않은가!

"…제가 거짓말을 한다고 생각하시네요."

그 순간, 어떠한 감정도 스며들지 않은 어조가 청장의 속마음을 꿰뚫었다. 그러자 청장의 눈이 풍랑에 휘말린 부표처럼 거세게 요동쳤다. 진은 그런 그의 눈을 똑바로 바라보더니, 무심한 표정을 지으며 청장의 모순적인 태도를 지적했다.

"이상하군요. 저를 '만들어진 사이코패스'라고 생각하신다면, 최성욱이 어떤 사람인지 믿는 게 우선 아닙니까?"

지극히 자연스러운 논리의 흐름. 성욱이 "인간, 이상" 프로젝트를 계획하고 실행에 옮기지 않았더라면, 진이 후천적 사이코패스라는 결론은 도출될 수 없다. 하지만 진이 보기에, 청장은 그리 생각하지 않는 듯했다. 그의 추리가 옳다는 것은 말할 것도 없었다. 청장은 진을 후천적 사이코패스로 여겼다. 즉, 성욱이 아이들을 철저히 도구 취급했다는 사실을 믿는다는 의미였다. 그렇다면 그가 사람을 소모품으로 여긴다는 것을, 배우자인 우미애 역시 도구에 불과할 수 있다는 것을 인정해야 했다. 그러나 청장은 이를 애써 부정했다. 아니, 일부러 부정함으로써 복잡한 일에 휘말리는 것을 피할 심산이라고 하는 게 정확했다.

"뭐…… 됐습니다. 안 들으신 거로 하십시오. 그냥 언론에 제보하겠습니다." 건조하면서도 여유로운 어조로 말을 마친 진이, 이 만남을 완전히 끝내고 싶다는 뉘앙스의 말을 덧붙였다. "보고서, 돌려받고 싶습니다만."

언뜻 들어서는, 다른 의미를 전혀 찾을 수 없는 말이었다. 그러나 이는 배수진을 치기 위해 던진 미끼였다. 그와 수현은 신임 경찰청장이 중립적이고 신중하다는 세간의 평가가 잘못됐다고 느꼈다. 그들이 본 청장은, "우유부단하다"라는 문장에 더 어울렸다.
우유부단함은 신중함과 결이 달랐다. 신중함은 통찰과 고뇌 끝에 좀 더 나은 결정을 내리는 것이라면, 우유부단함은 어찌할 줄을 몰라 결단을 내리지 못하는 것이었다. 이런 탓에, 우유부단한 사람은 위험 앞에서 사고회로가 마비된다. 자기 몫도 챙기기 어려운데, 타인을 눈여겨볼 여유 따위는 사치품일 뿐이다. 그렇기에… 조금만 생각해 보면 알 수 있는 것들을 놓치기 마련이었다.

"자, 잠깐! 잠시 생각할 시간을!"

이는 청장 또한 매한가지였다. 그는 "인간, 이상" 프로젝트가 폭로되는 순간, 곤란에 빠지는 사람은 저 혼자라고 판단해 버렸다. 그래서 급히 진을 붙잡았다. 하지만 그뿐이었다. 청장은 여전히 결정을 내리지 못했다. 그러자 보다 못한 진이 이해할 수 없다는 표정을 지으며 입을 열었다.

"대체 왜 그렇게 망설이시는 건지 모르겠습니다. 뭘 어떻게 하든, 경찰은 공격당할 수밖에 없습니다. 그러니 차라리 검경 수사권 조정이라도 확실히 끝마치는 게 낫지 않나요? 만일 경찰에 유리한 결과가 나오면, 청장님은 경찰 역사에 기록될 텐데. 실패한다고 해도 청장님은 잃을 것도 없고요."

청장이 눈을 크게 떴다. 그는 진의 마지막 말, "청장님은 경찰 역사에 기록될 텐데. 실패한다고 해도 청장님은 잃을 것도 없고요."라는 문장에 정신을 온통 빼앗겼다.

"수사권 조정? 설마……!" 청장이 멍하니 중얼거렸다.
"예. 검찰은 우미애 사건이 단순한 교통사고라며 수사종결처분을 내렸습니다. 그런데 만일… 우미애의 죽음이 교통사고 때문이 아니라, 계획 살인이라면? 검찰이 사건을 제대로 확인해 보지도 않고 수사종결처분을 내렸다고 몰아갈 수 있을 겁니다."

"그렇죠. 물론, 근본적인 잘못은 담당 형사에게 있지만… 사건을 제대로 살피지 않고 종결 처리한 검찰 잘못도 있으니 말이에요. 하지만……"

청장이 눈살을 찌푸리며 앓는 소리를 내는 것도 모자라, 으득 하는 소리를 내며 어금니를 갈기까지 했다. 그는 여전히 망설이고 있었다. 그러자 진이 두 번째 미끼를 드리웠다.

"청장님. 청장님께서는 평소처럼 '중립'을 지켜주시면 됩니다."
"중립이라는 건…?"
"말 그대로입니다."

진이 회심의 미소를 지었다. 그리고 제가 쥔 마지막 카드이자, 승리를 가져다줄 책략을 공개했다. 그러자 청장의 낯빛이 새하얗게 질렸다. 그는 진이 강하다는 것을 그리고 그가 비상한 머리를 지녔다는 것을 체감했다. 만일 제가 검찰총장이었다면… 진의 손에 산산이 부서졌으리라는 생각을 지울 수 없었다.

'유 경위를, 절대로 적으로 돌려서는 안 돼. 그랬다가는… 유 경위가 휘두르는 칼에, 내 목이 날아간다. 전임 서울청장처럼…….'

청장이 마른침을 삼켰다. 그리고 애써 침착한 척하며 입을 열었다.

"좋습니다. 그럼, 유 경위의 말대로 하죠."

마침내 천칭의 평형이 무너졌다. 청장은 진에게 "인간, 이상" 프로젝트 보고서를 돌려주었고, 진은 그에게서 받은 서류를 수현에게 맡겼다. 이에 수현은 차원 문을 열어, 고향 행성에 있는 제집에 서류를 안전히 보관했다. 그런 다음 진과 함께 청장을 향해 깍듯이 인사를 마치고는, 청장실에서 빠져나왔다.

 '다행이야. 이대로라면, 희생자들의 백골을 좀 더 빨리 수습할 수 있겠어.'

 진이 떠올린 '희생자의 백골'이란, 당연히 황연산에서 죽어간 아이들을 일컫는 것이었다. 그들은 수십 년 동안 흙 아래, 철저한 무관심 아래 묻혀있던 사람들을 '지금 당장' 구할 수 없었다. "인간, 이상" 프로젝트에 얽힌 진실을 밝힐 수 없는 상황에서 같은 장소에 묻힌 20명이 넘는 희생자들의 백골을 수습할 경우, 민간인 학살을 포함한 국가 폭력을 조사하는 "과거사 진실 조사 위원회"의 이목을 끌 가능성이 매우 컸기 때문이다. 진은 수현을 제외한 타인이 "인간, 이상" 프로젝트를 조사하는 것을 원하지 않았다. 또한 그는 자기 손으로 직접 희생자들을 수습하고 싶어 했다.
 진과 수현은 침묵 속에서 나란히 걸었다. 그러자 그들의 발걸음 소리가 이른 아침의 한적한 경찰청 복도를 따라 울려 퍼졌다. 다시, 일할 시간이었다. 두 사람은 산속 단독주택에서 발견한 식칼과 고인의 목을 절단하는 데 사용된 것으로 추정되는 기구에서, 황연산 현 소유주의 피와 호율의 지문이 검출되었다는 소식을 접했다. 이로써, 호율이 황연산 현 소유주를 살해했다는 것은 객관적으로 입증되었다.

 과학이 입증해 낸 것은 이뿐만이 아니었다. 보고서는 희망 보육원 원장실에서 발견되었던 신원미상자의 머리카락이 다름 아닌 나호율의 것이라는 감식 결과를 알려주었다. 이는 호율의 주장을 정면으로 반박하는 내용이었다. 수현은 이러한 사실을 호율에게 알렸고, 혐의를 부인했던 호율은 "마, 말도 안 돼! 내가… 내가 실수했다고?! 그럴 리 없어! 잡힐까 봐 망치까지 포기했는데!!!"라고 말하며 두 손으로 머리를 쥐어뜯었다. 그러자 수현은 "망치?"라고 말하며 호율을 뚫어지게 응시했다. 그는 자신이 "내가 나호율이었다면, 고작 두 명으로 만족하지 않았을 텐데……."라고 혼잣말을 중얼거리면서, 호율이 미자를 시작으로 살해 방식을 바꿨을 가능성을 떠올렸던 때를 상기했다.

"처음에는 망치로 죽였나 보네요?"

 수현이 호율의 방황하는 눈동자를 직시하며 집요하게 물었다. 호율은 그런 수현의 시선을 본능적으로 피하며 입술을 깨물었다. 그는 자신을 포식자라고 믿어 의심치 않았지만, 수현 앞에서만큼은 그러지 못했다. 호율의 눈에 비추어진 수현은, 먹이사슬 꼭대기에 있는 포식자보다 아득히 높은 곳에 있는 존재였다.

"그 망치. 지금도 가지고 있을 것 같은데."

 수현의 말에, 호율이 흠칫했다. 이를 본 수현은 서늘하게 웃으며 말을 이어갔다.

"내가 당신이라면, 집에 고이 보관했을 거예요. 노정숙 원장님의 두 귀와 곽미자 씨의 두 다리도, 당신의 집에 있겠죠. 그렇지 않나요?"

그는 사시나무 떨듯 하는 호율을 응시하더니, 이내 자리에서 일어났다. 그런 다음 진 그리고 감식반과 함께 호율의 집과 병원을 압수 수색했다. 수현의 예상대로, 망치는 호율의 집에서 발견됐다. 흉기로 사용됐던 것 치고는 혈흔 하나 없는 이 망치는 해머(hammer)라고 불리는 대형 쇠망치를 개조한 듯했다. 그렇지 않은 이상, 일반적인 망치와는 달리 손잡이가 이렇게까지 짧을 리 없었다. 이렇게 발견된 망치는, 정숙의 귀로 추정되는 두 귀와 미자의 다리로 추정되는 두 다리 그리고 식칼 등을 포함한 증거물들과 함께 국과수로 보내졌다.

다음은 황연산 현 소유주를 부검할 차례였다. 부검 결과, 고인의 사인은 수현이 전에 판단했던 것과 같았다. 수현은 고인의 사인을 보고서에 기재했다. 그런 다음 진과 함께 국과수에서 나와, 재경로의 비극에 숨겨진 진실을 파헤치기 위한 여정을 본격적으로 시작했다.

*

웅성거리는 소리가 드넓은 기자회견장을 가득 채웠다. 다양한 목소리의 주인들은 프레스 석의 기자들, 여당과 야당의 국회의원 몇 명 그리고 성욱을 열렬히 지지하는 단체인 "세 번째 희망"의 회원들이었다. 이들이 시끄럽게 떠든 것은 아니었으나, 수많은 사람의 입에서 나온 작고 낮은 목소리들은 서로 얽히고설키면서 그 크기를 키워나갔다. 그리고 여기에 환호성까지 더해져, 대화 내용을 알아들을 수 없는 목소리들의 합이 더욱 커졌다. 최성욱이 모습을 드러낸 까닭이었다.

성욱은 인자한 미소를 만면에 띄우며 연단을 향해 걸어갔다. 그러자 오와 열을 맞추어 질서정연한 대형을 갖춘 세 번째 희망의 회원들에게서, 광기에 가까운 박수 소리가 흘러나왔다. 이는 성욱이 연단 위에 올라 마이크를 톡, 톡 두드릴 때까지 식지 않았다.

"안녕하십니까. 최성욱입니다."

마이크 테스트를 마친 성욱이 운을 뗐다. 그러자 연단 아래에 비스듬히 설치되어 있던 두 개의 조명에서 강렬한 빛이 뿜어져 나왔다. 물론 이는 철저히 계산된 것이었다. 제 뒤에 후광을 그려 넣어, 성스럽고 장엄한 분위기를 연출하기 위해서 말이다.

성욱은 잠시 숨을 골랐다. 그러고는 저를 비추는 빛줄기의 열기를 느끼며 막힘없이 연설을 이어갔다.

"제가 여러분 앞에 선 이유는… 이 나라를 위해, 무엇을 해야 하는지 깨달았기 때문입니다! 위대한 국민 여러분, 존경하는 국민 여러분! 언제까지 우리를 기만하는 정치에 만족하실 겁니까?! 새빨간 거짓말, 지겹지 않으십니까!!!"

성욱의 말이 떨어지기가 무섭게, 세 번째 희망의 회원들이 "지겹습니다!"라며 아우성쳤다. 그러자 성욱이 기다렸다는 듯, 하늘을 향해 주먹 쥔 오른손을 힘차게 들어 올렸다.

"그렇다면, 새로운 정치와 정의로운 세상을 위해 힘을 보태주십시오! 오로지 국민만 섬기겠다는 그럴듯한 말만 늘어놓는 정당이 아닌, 참된 정당의 탄생에 함께해 주십시오! 정의로운 대한민국을 위해, 여러분의 손으로 저 최성욱을 대통령으로 만들어 주십시오!"

성욱의 입에서 공식적인 신당 창당 선언과 대선 출마 선언이 흘러나왔다. 이에 지지자들은 눈물을 흘리며 환호했고, 반대로 여당과 야당의 의원들은 딱딱하게 굳은 얼굴로 성욱을 올려다보았다. 그들은 성욱이 입당 권유를 거절했다는 사실을 받아들여야만 했다. 그리고 당내의 몇몇 기회주의자들이 성욱의 당으로 옮겨가리라는 것도 받아들여야만 했다. 하지만 그들은 아무것도 할 수 없었다.

국회의원을 포함한 정치인들은 지난 수십 년 동안 너무나 많은 잘못을 저질러왔다. 그들은 의견이 다른 사람들을 파시스트라고 칭하며 무차별적인 공격을 일삼았고, 지역감정을 조장했다. 또한, 권력의 근원인 국민을 경멸하였으며 국익이 아닌 개인과 정당의 이익을 위해 일했다. 이런 일들이 되풀이되자, 결국 그들의 언어와 권력은 힘을 잃고 말았다. 권력이 누구에게서 나오는지 잊은 자들에게 걸맞은 최후였다.

성욱은 저를 올려다보는 의원들을 속으로 실컷 비웃으며, 자신을 찬양하는 사람들에게는 사람 좋은 웃음을 지어 보였다. 그러고는 준비해 온 '세 번째 희망 배지'를 지지자들에게 나누어주며 회견을 끝맺었다.

"회장님. 세 번째 희망 배지, 추가 제작 요청하겠습니다."

시간이 흐르고 연설을 듣기 위해 모인 사람들이 떠나자, 유리가 기다렸다는 듯이 침묵을 깼다. 이에 성욱은 만족스러운 웃음을 지으며 고개를 한 번 까딱, 움직였다.

"어디서 뭘 하나 했더니. 여기서 그러고 계셨던 겁니까?"

그 순간, 한기가 깃든 목소리가 회견장 안을 가득 채웠다. 성욱과 유리가 잔뜩 굳은 표정을 지은 채 회견장 입구를 바라보았다. 그러자 진과 수현이 그들의 시야 안으로 성큼성큼 들어왔다.
진과 수현은 넓은 보폭으로, 거침없고 고요한 발걸음을 내디뎠다. 그렇게 그들이 성욱과 유리 앞에서 멈춰서자, 건장한 체격에 양복을 입은 경호원 몇 명이 진과 수현의 앞을 가로막았다.

"뭐 어쩌겠다는 겁니까? 설마, 싸우기라도 할 생각인지?"

진이 심드렁한 표정을 지으며 말했다. 그러자 기세등등하던 경호원들이 움찔하며 서로를 바라보았다. 그들은 자신들이 진과 수현의 발끝에도 미치지 못한다는 사실을 잘 알고 있었다. 사이코패스들을 상대해 온 형사 한 명을 상대하는 것도 만만치 않을 터인데, 기이한 능력을 지닌 사이코패스 외계인까지 상대할 여유는 없었다.

"괜찮아. 다들 가 봐."

 그런 그들에게, 성욱이 구원의 손길을 내밀었다. 이에 경호원들은 기다렸다는 듯이 저 멀리까지 물러났다.
 진은 그런 그들을 흘낏, 보았다. 그리고 성욱이 올랐었던 연단의 바닥에 설치된 두 개의 조명을 향해 시선을 주었다.

"후광용 조명이군요. 의도한 겁니까?"

 진이 냉정한 목소리로 질문을 던졌다. 그러나 성욱은 온화한 웃음을 지은 채, 엉뚱한 말만 늘어놓을 뿐이었다.

"…얼마 전까지만 해도 아저씨라고 부르던 모습이 눈에 선한데."

 진은 차갑고 날카로운 눈빛으로 성욱을 응시했다. 그는 성욱에게서 아쉬워하는 듯한 인상을 받았다. 어둡기 그지없는 과거와 마주했는데도, 예상했던 것과는 달리 내가 아무런 영향을 받지 않아서 저런 식으로 반응하는 거겠지. 진은 그리 생각했다.

"의도한 거냐고 물었습니다만."

 진이 대답을 채근했다. 하지만 성욱은 아무것도 모르는 사람처럼 굴었다.

"무슨 말을 하는지 모르겠구나. 그나저나, 무슨 일로 왔니?"

진은 순진무구한 척하는 성욱을 뚫어지게 바라보더니, 차분한 어조로 본론을 입에 담았다.

"아주머니의 죽음을, 재수사해 볼 생각입니다."

"뭐……?" 성욱이 멍하니 입술을 달싹였다.

"아무리 생각해 봐도, 꺼림칙한 느낌을 지울 수가 없어서요."

말을 끝맺은 진은 일순간 평정을 잃은 성욱을 똑똑히 목격했다. 하지만 굳이 알은척하지는 않았다. 그럴 필요도, 가치도 없었기 때문이다. 그는 그저, 문장 하나를 더 얹을 뿐이었다.

"우미애 씨는, 교통사고로 돌아가신 게 아닐지도 모릅니다."

성욱은 충혈된 두 눈으로 진을 노려보았다. 그렇게 둘의 시선은 침묵 속에서 서늘한 칼날이 되어 맞부딪쳤다.

"……담당 형사는, 사고사라고 했는데. 놓친 게 있었나?"

한참을 침묵하던 성욱이 드디어 입을 열었다. 그러나 진은 답하지 않았다. 이에 성욱은 자문자답할 수밖에 없었다.

"그래… 단순 사고가 아닐 수 있단 말이지?"

말을 마친 성욱이 유리를 향해 고개를 돌리며, 다시금 말을 이어갔다.

"송유리 씨. 먼저 돌아가 있어."
"알겠습니다, 회장님."

유리가 고개를 꾸벅 숙이며 답했다. 그는 성욱의 명령을 충실히 이행하기 위해 곧장 자리를 뜨려 했다. 하지만 지금껏 조용히 있던 수현이 앞을 가로막았기에, 멈춰 설 수밖에 없었다.

"비켜주시죠?"

유리가 오만상을 찌푸렸다. 그러나 수현은 요지부동이었다. 결국, 유리는 한숨을 내쉬며 수현을 피해 발을 내디뎠다. 그러자 수현 역시 한 발자국 움직이더니, 옆을 향해 오른팔을 뻗으며 유리의 앞을 다시금 가로막았다.

"지금 나랑 장난하자는……!"

유리가 성을 냈다. 하지만 수현이 이어질 말을 잘라낸 터라, 유리의 분노는 갈 곳을 잃었다.

"용의자한테 장난을 걸 정도로 한가하지는 않답니다."

용의자라는 단어에, 유리는 잔뜩 얼어붙고 말았다. 그는 제가 살인 혐의로 조사를 받게 되리라고는 꿈에도 생각하지 못했다.

"요, 용의자? 말도 안 돼요. 제가 왜 사모님을…!"

잔뜩 당황한 유리가 입술을 달싹였다. 그러자 이를 본 성욱이 불쾌한 기색을 드러내며 유리를 감쌌다.

"내 비서야. 그럴 사람 아니라고! 그러니까 그냥… 보내. 지금 당장."
"우리나라에서 벌어지는 살인사건 대부분은, 면식범 소행이랍니다."

수현이 싱긋 웃으며 응수했다. 성욱은 그런 수현을 말없이 노려보더니, 불쾌감을 억누르며 입을 열었다.

"좋아. 그렇게까지 말하니, 협조하도록 하지. 사랑하는 아내를 위해서라면, 뭔들 못하겠나."
"그럼, 저도 협조하겠습니다."

성욱의 말이 끝나기가 무섭게, 유리가 태도를 바꾸었다. 진과 수현은 그런 두 사람을 데리고 바로 앞의 프레스 석으로 향했다. 그렇게 진은 성욱을, 수현은 유리와 마주 앉았다. 물론 서로의 대화가 들리지 않도록, 멀찍이 거리를 두고 말이다. 그때까지 수현의 입에서 나온 '우리나라'가 그의 조국이 아니라, 대한민국을 의미한다는 사실을 깨달은 사람은 단 한 명도 없었다.

성욱의 맞은편에 앉은 진은, 허리를 꼿꼿이 펴고 두 손을 무릎에 올려놓은 자세를 흔들림 하나 없이 유지했다. 그리고 곧장 본론을 꺼냈다.

"마지막으로 우미애 씨를 본 게 언제이고, 무슨 이야기를 했습니까?"
"사고가 벌어진 날 아침에 마지막으로 봤고……."

성욱이 오른손 검지로 테이블을 두드리며 짧은 상념에 잠겼다. 수현의 정체를 폭로한 지 얼마 안 됐을 무렵, 집무실에 들이닥쳐 "당장 그만둬요. 아직 안 늦었어요."라던 우미애. '옳다고 생각하는 것'에 인생을 소모해 버린, 어리석은 나의 배우자.

"……별 이야기 안 했는데."

상념을 마친 성욱이 테이블을 두드리는 행동을 멈추며 운을 뗐다. 그러자 진이 확인을 위해 다시금 질문을 던졌다.

"정말, 그게 다입니까? 더 할 말 없어요?"
"있었으면 진즉에 했지. 아니면, 지어내서라도 말하란 소리인가?"

성욱이 불편한 심기를 서슴없이 드러냈다. 이에 진은 올곧은 시선으로 성욱을 바라보며, 단어 하나하나에 힘을 실어 말했다.

"마지막 기회입니다. 선을 넘으면, 더는 돌이킬 수 없어요."
"누차 말하지만, 없는 이야기를 지어낼 수는 없지 않나."

성욱이 인상을 쓰며 대꾸했다. 이렇게 그는 기어이 마지막 기회를 걷어찼다. 이에 진은 더 이상의 대화를 할 수 없다고 판단했다.

"알겠습니다. 이만 물러나도록 하죠."

말을 마친 진이 자리에서 일어섰다. 그는 망설임 없이 발걸음을 옮겨, 회견장의 출입구 앞에서 멈춰 섰다. 그리고 유리와 이야기를 나누는 수현을 물끄러미 바라보았다. 수현은 저보다 좀 더 오래 말을 주고받는 모양이었다.

"최성욱이 무슨 짓을 했는지, 앞으로 무슨 일을 벌일지… 알고 있지 않나요? 당신은 최성욱의 비서잖아요." 진이 성욱과 이야기하는 동안, 수현은 유리를 설득하기 위해 말문을 열었다.
"무슨 말인지 이해가 안 가네요. 회장님만큼 사모님의 죽음을 슬퍼한 사람은 없는데."

유리가 거짓을 토해냈다. 하지만 수현은 설득을 멈추지 않았다.

"최성욱이 두려워서 말하지 못하는 거라면, 나하고 경위님이 도와줄게요. 원한다면, 24시간 내내 지켜줄 수 있어요. 비유가 아니라, 말 그대로 24시간이요. 난 안 자고 안 쉬어도 되니까요. 그러니까, 여기서 그만둬요. 안 그럼… 돌이킬 수 없어요."

수현의 말을 들으며, 유리는 입술을 짓씹고 손을 쥐었다 펴는 것을 반복했다. 그리고 무릎과 무릎이 닿도록 두 다리에 힘을 잔뜩 주었다. 하지만 그뿐이었다. 그는 끝내 진실을 고하지 않았다. 그런 유리를 지켜보던 수현은, 결국 한숨을 내쉬며 설득을 포기했다.

"알겠어요. 여기까지 하도록 할게요."

수현이 자리에서 일어나며, 의자를 잡은 다음 테이블 안으로 집어넣었다. 그 순간, 드디어 유리가 입을 열었다.

"왜 지름길을 두고, 멀리 돌아가죠?"

갑작스러운 물음에, 수현은 의자 등받이를 잡은 채로 유리를 잠시 바라보았다. 그러고는 이내 등받이에서 천천히 손을 떼며 답했다.

"그렇게 보였다면, 송유리 씨가 착각한 거예요. 난 항상, 매번 지름길만 골라서 다니는 사람이랍니다."

수현은 말을 마치며 싱긋 웃음 지었다. 그런 다음 뒤도 돌아보지 않고, 출구를 향해 걷기 시작했다. 그렇게 수현은 저를 기다려 주던 진과 합류했고, 이내 회견장에서 모습을 감추었다.

"회장님… 저희, 이대로 끝나는 건가요? 사, 사모님의 죽음이 사고가 아니라 살인이라는 사실이 알려지면, 저는……!"

유리가 작게 울먹였다. 점점 멀어지는 진의 뒷모습을 노려보던 성욱은, 시선을 옮겨 그런 유리를 흘끗 바라보았다. 유리는 제가 살인을 사주했다는 사실을 안다. 하지만 "인간, 이상" 프로젝트가 무엇인지까지는 알지 못했다. 그야, 한낱 비서에게 모든 사실을 알릴 필요는 없으니 말이다.

"그러니까, 총장이 알아차리기 전에 처리해야지. 만일 총장이 진실을 알게 된다고 해도, 그때쯤이면 발을 뺄 수 없게 말이야. 잃을 게 많은 총장은⋯ 내가 시키는 대로 할 수밖에 없을 거다."

성욱은 병길의 손을 빌리기로 마음먹었다. 검찰총장은 내가 살인을 저질러왔다는 사실은 꿈에도 모르니, 이만한 패가 어디 있겠는가. 그는 그리 생각하며 자신의 차로 향했다. 유리는 그런 그를 황급히 뒤따랐다. 이윽고 리무진에 탑승한 성욱은 정장 재킷의 안주머니에서 대포폰을 꺼내, 병길에게 전화를 걸었다. 그러자 호쾌한 웃음소리가 스피커를 타고 흘러나왔다.

"역시 회장님 편에 서길 잘했습니다. 이대로라면, 대통령 자리는 떼놓은 당상일 겁니다."
"이게 다 총장님 도움 덕분 아니겠습니까?" 성욱이 애써 웃음을 지으며 화답했다.
"하하, 겸손하십니다."
"⋯총장님. 제가 말했던 '추가적인 혜택' 말입니다."

성욱이 첫 만남 당시의 말을 꺼내자, 병길이 탐욕스레 눈을 빛냈다. 탐욕으로 들끓는 눈빛은, 스피커 너머에 있는 성욱이 고스란히 느낄 수 있을 정도로 강렬하기 그지없었다.

"차기 국무총리직이었습니다. 다만, 이를 위해서는 총장님의 도움이 필요합니다."

성욱이 나직이 말했다. 그러자 탐욕에 시야가 흐려진 병길이 곧장 반응해 왔다.

"도움이라니요?"
"유 진이, 제가 아내를 죽였다고 생각하는 모양입니다. 그래서 제멋대로 재조사를 하려는 거지요. 어떻게든 저를 흠집 내려는 겁니다."

성욱이 교묘하게 비튼 진실을 던졌다. 그러자 병길이 욕설을 필사적으로 삼키며 분노를 표출했다. 그는 우미애 사건이 교통사고라고 믿어 의심치 않는, 수많은 사람 중 하나였다.

"형사 따위가, 감히 검찰의 권위를 부정해?!"
"총장님."

성욱이 진정하라는 듯, 낮은 목소리로 병길을 불렀다. 이에 병길은 숨을 크게 들이쉬었다가 내쉬더니, 조금 전의 무례한 언행에 대해 사죄했다. 그런 그를 향해, 성욱이 본론을 꺼냈다.

"드디어 '그것'을 쓸 때가 왔습니다."

그것. 성욱이 말한 '그것'은 바로, 유 진의 통장에 기록된, 1조 원에 달하는 해외 송금 내역이었다.

"총장님께서 알려주셨던, 유 진의 비자금 조성 기록. 그걸 이용해서, 싹을 잘라버리면 됩니다. 다만 홀로 남은 윤수현이 귀찮게 굴테니… 이왕 이렇게 된 거. 윤수현을 인화 제약 연구원 살해 사건의 용의자로 지목하는 게 어떻습니까? 대중한테는 '아무런 증거도 남기지 않을 수 있는 존재는, 외계인인 윤수현뿐이다.'라고 하고요. 그럼 분명, 부담을 느낀 신임 경찰청장이 유 진과 윤수현의 수사권을 박탈하거나 파면할 겁니다. 미궁에 빠진 인화 제약 연구원 살해 사건도 해결하고, 귀찮기 짝이 없는 적도 치워버리고… 덤으로 신임 경찰청장까지 공격할 수 있으니. 괜찮지 않습니까?"
"그러면 되겠군요. 유 진의 비자금 혐의라면… 전에 증거를 모두 확보했으니, 추가적인 압수 수색도 필요하지 않을 테고. 좋습니다. 당장 판을 짜보도록 하죠."
"믿고 있겠습니다, 총장님."

성욱이 엷게 웃으며 감사를 표했다. 그렇게 전기신호로 변환되던 음험한 목소리들이 끊어지고, 병길은 제 앞에 설치된 유선 전화를 이용해 "지금 작업 시작해. 언론사 보도국장들 불러 모아서 접대하는 것도 잊지 말고."라는 지시를 내렸다.
한편, 회견장 건물을 뒤로한 진은 수현에게 질문을 던졌다. 그는 유리의 선택이 궁금했다. 성욱의 비서이자, 성욱이 저지른 범죄를 알고 있을 가능성이 큰 송유리가 진실을 고할 수도 있었으므로. 물론, 이러한 기대는 수현의 답을 듣고 자연스레 접을 수밖에 없었지만.

"…보통 기회라는 게, 왔다는 티를 내지는 않지." 진이 읊조리듯 운을 뗐다.
"그렇죠. 나중에, 한참 지나고 나서 깨닫는 게 대부분이니까요." 수현이 고개를 살짝 끄덕이며 수긍했다.
"맞아. 그런데, 최성욱하고 송유리는 아니야."

진이 단호히 결론지었다. 그의 말대로, 성욱과 유리는 기회를 얼마든지 잡을 수 있었다. 자신들에게 찾아온 기회가, '절호의 기회'라는 것을 명확히 인지했으니 말이다. 하지만 그들은 기어이 마지막 기회를 거부했다. 따라서, "몰라서 그랬다"나 "기회가 없었다"라는 변명을 늘어놓을 자격 따위는 없었다.
대화를 마친 진과 수현은, 우미애가 휘말린 교통사고 사건의 보고서를 정독하기 위해 서울청의 문서 보관실로 향했다. 기자회견장이 서울청 주변에 있었기에, 그들의 여정은 그리 오래 걸리지 않았다.
그들은 수사가 종결된 사건의 보고서를 모아놓은 책장 앞에서 멈춰 섰다. 그러고는 문제의 서류철을 찾아 펼쳐 들었다. 보고서에는 사건 당시의 현장 사진과 부검 기록, 정밀 감식 결과, 관련자의 증언이 상세히 기재되어 있었다. 그렇기에 진과 수현은 꽤 시간을 들여야만 했다. 당시 출동한 경찰과 소방관, 목격자들의 진술은 방대했고 부검 결과서 역시 두껍기 그지없었다.
시간이 흐르고, 그들은 진술과 정밀 감식 결과 그리고 부검 결과서와 부검 과정을 촬영한 사진 등의 내용을 종합해 다음과 같은 사실을 알아냈다. 먼저, 화물차와 미애의 차에 결함은 없었다. 브레이크나 가속페달, 엔진 등 차체의 모든 부속품은 멀쩡했다. 즉 누군가의 악의 섞인 개입을 찾아볼 수는 없었다.

그렇다면, 사고 당시의 정황은 어떠했는가? 기록에 따르면 화물차 운전자 '오세범'은 밀려드는 졸음을 이기지 못했고, 이로 인해 화물차는 중앙선을 아슬아슬하게 넘나들며 위험천만한 질주를 이어가다가 결국 미애와 운전기사 '양재훈'이 탄 자동차를 깔아 뭉개고 나서야 멈춰 섰다. 상황이 이런지라 소방관들은 으그러진 차를 펼치는 장비를 동원해야 했고, 고투 끝에 시신 두 구를 겨우 수습할 수 있었다. 비교적 멀쩡한 편인 세범의 시신과 달리, 화물차 아래에 깔린 두 사람은 처참히 으깨진 탓에 육안으로 신원을 확인할 수 없었다. 결국, 이들의 신원은 차 소유주에 대한 정보와 소지품 그리고 DNA 분석 등을 통해 확인할 수밖에 없었다. 여기까지가 서류에 기록된 내용이었고, 모두 브리핑 당시 알려졌던 내용과 일치했으며 수상한 점은 발견되지 않았다.

진과 수현은 자료를 가지런히 정리해 챙겼다. 진은 사고 기록이, 수현은 부검 기록과 사진이 조작되지 않았다고 결론지었다. 그렇다면 남은 것은 하나뿐이었다.

증거물 조작.

증거물 조작을 의심한 그들은 곧장 증거 보관실로 향할 생각이었다. 수사가 종결되고 사건이 해결되었다고 해도, 수사가 종결된 사건과 관련된 모든 증거물은 10년 이상 보관하는 것이 원칙이었다. 따라서, 희망은 증거 보관실에 있을 가능성이 매우 컸다. 하지만 두 형사의 앞길은 순탄치 않았다. 그 순간 다가온, 차갑고 적의 가득한 발걸음 소리 때문이었다. 구둣발이 바닥에 부딪히며 나는 소리는 사방을 향해 날을 세우고 서울청의 복도를 할퀴며 서서히 다가왔다. 그러다가, 문서 보관실의 문이 열림과 동시에 진과 수현에게 내리꽂혔다.

"유 진 씨, 윤수현 씨."

칠흑같이 검은 정장 차림의 남성 중 하나가 사무적인 어조로 진과 수현의 이름을 입에 올렸다. 진과 수현은 입을 굳게 다문 채로 정장 차림의 남성들을 바라보았다.

"대검찰청에서 나왔습니다."

대표로 보이는 한 남성이 체포 영장과 수갑을 꺼내며 말을 이어갔다. 그러자 그와 함께 온, 정장 차림의 남성들이 서서히 진과 수현을 향해 한 발자국 다가섰다. 하지만 진과 수현은 미동조차 하지 않은 채, 남성들을 응시했다.

"유 진 씨. 당신을 비자금 조성 혐의로 체포하겠습니다."

남성은 영장을 흔들어 보이더니, 곧이어 진의 손목을 거칠게 낚아챘다. 그러자 진이 들고 있던 우미애 사건 서류가 바닥을 향해 떨어졌고, 이내 서류철 안에 있던 A4용지와 증거 사진들이 사방에 흩어졌다. 그러나 남성은 아랑곳하지 않고, 진의 손목에 수갑을 채웠다. 그러고는 미란다 원칙을 읊었다. 이에 진이 으르렁거리며 맞섰다.

"비자금 조성이라니, 무슨 소리입니까?!"

하지만 검사는 입을 열지 않았다. 대신, 침묵을 지키던 나머지 검사 중 하나가 운을 뗐다.

"윤수현 씨. 인화 제약 연구원 살해 사건에 관한 이야기를 듣고 싶습니다만."
"설마, 나를 의심하는 건가요?" 수현이 어이가 없다는 반응을 보이며 말을 이어 나갔다. "난 그때 조민철 사건을 수사하고 있었어요."
"조사에 응하지 않으셔도 됩니다만, 그럼 강제 수사 절차를 밟을 수밖에 없겠군요."

검사가 비웃는 어조로 말했다. 자기 딴에는 수현에 대한 두려움 위에 비웃음을 덧씌워 본심을 가리려는 행동이었다. 하지만 그런 그를 물끄러미 바라보는 수현의 눈을 속이지는 못했다.

"좋아요. 협조할게요. 난 결백하니까, 못 할 것도 없죠."

수현이 의연한 태도로 응수했다. 그리고 앞으로 자신을 담당하게 될 검사들을 따라 발걸음을 옮겼다. 수갑을 찬 진 역시, 검사들을 따라 움직였다. 이를 기점으로, 두 사람은 따로 움직이게 되었다.

검사들에게 둘러싸인 진은 호기심과 경멸이 담긴 시선을 마주했고 언론의 카메라에 노출됐다. 그들에게 무죄 추정의 원칙과 인권 '따위'는 존재하지 않았다. 이에 대해 진은 강력히 항의했으나, 돌아오는 것은 사람들의 차가운 시선뿐이었다.

진과 수현이 범죄 혐의를 받고 있다는 소식은 전파를 타고 퍼져 나갔다. 최성욱, 하연희, 서이랑, 지금 막 퇴원한 유인영 그리고 신임 경찰청장에게까지. 말 그대로, 온 세상이 요동쳤다. 하지만 신임 경찰청장과 인영, 성욱은 아무런 영향을 받지 않았다. 청장과 인영은 진에게 부탁받은 대로 행동했다. 인영은 침묵했고, 청장은 평소와 같이 '중립'을 지켰다. 그는 "유 진 경위와 윤수현 경위의 혐의 혹은 결백이 입증될 때까지 수사권을 일시적으로 박탈하되, 무죄 추정의 원칙에 충실하겠습니다."라고 응수할 뿐이었다. 그리고 성욱은 진과 수현을 비난하는 성명을 발표하며, 이어질 일을 대비해 작전을 세우기 시작했다.

같은 시각, 진과 수현은 각자 다른 방에서 조사받고 있었다. 수현은 자신을 인화 제약 연구원 살해 사건의 범인으로 몰아가는 검사를 향해 "당신들 능력이 부족해서 미궁에 빠진 사건을, 내 탓으로 돌리지 말아 줄래요?"라며 날을 세웠다. 그런 그에게, 검사의 여과되지 않은 격노가 담긴 시선이 날아들었다. 하지만 그뿐이었다. 검사에게는 수현을 궁지로 몰아넣을 결정적인 증거가 없었다. 결국, 몇 시간 동안의 신문을 마친 검사는 수현을 보내줄 수밖에 없었다. 그런데도 경찰청장은 수현이 진의 파트너 형사라는 점을 이유로 들며, 수사권을 복권해 주지 않았다. 물론 이 역시, 오늘 아침에 협의했던 '중립을 지키는 것' 중 하나였다.

어찌 되었든 자유를 찾은 수현과는 달리, 진은 그러지 못하였다. 대검찰청의 조사실로 끌려간 진은 여전히 수갑과 포승줄에 속박된 상태였다.

"수갑은 그렇다 치더라도, 포승줄은 안 풀어줍니까?" 진이 눈살을 찌푸리며 항의했다.

"사이코패스들을 상대해 온 형사가 무슨 짓을 저지를지 모르는데, 어떻게 풀어줍니까?" 검사가 쌀쌀맞게 대꾸했다.

"하, 무슨 짓을 저지를지 모른다?" 진이 차갑게 웃더니, 자유를 잃은 양손을 검사가 볼 수 있도록 들어 올리며 말을 이었다. "그래서 내 손목을 이렇게 만들어놨나?"

진의 손목은 멍투성이였다. 시퍼러면서도 붉은 기가 도는 멍의 원인은 수갑과 검사들이었다. 대검찰청에 도착한 검사들은 다른 사람들과 CCTV의 시선이 닿지 않는 곳에서, 진의 손목에 채워진 수갑을 강하게 잡아당기는 등 교묘한 폭력을 자행했다.

"그건 당신이 자해해서 생긴 거지, 내가 한 게 아닙니다만."

검사가 어이가 없다는 듯이 웃으며 거짓을 서슴없이 내뱉었다. 그러자 진이 이를 악물며 검사를 노려보았다. 검사는 그런 진을 비웃더니, 손을 들어 올리고 주먹을 가볍게 쥐며 입을 열었다.

"네놈한테는 두 가지 선택권이 있어." 검사가 검지를 펼쳐 세우며 말을 이어갔다. "첫 번째. 자백한다." 곧이어 검사가 중지를 펼쳐 세웠다. "두 번째. 끝까지 입을 다물고 있다가, 감형 없이 감옥에서 썩는다."

"차이를 모르겠는데." 진이 빈정거렸다.

"엄연히 다르지. 첫 번째를 선택한다면, 유기징역을 받겠지만… 두 번째를 택한다면, 평생 감옥에서 썩을 거다."

검사가 으르렁거렸다. 그러자 진이 그를 빤히 바라보더니, 뒤틀린 웃음을 지었다.

"선택? 웃기시네. 내가 왜?"

"정말 몰라서 물어? 너한테는…!"

검사가 소리를 빽 질렀다. 하지만 진은 굴하지 않았다.

"기회가 없다고? 그러니까 선택하라고? 아니, 틀렸어. 선택은 검사님께서 하셔야지. 힘들게 '제대로' 수사해서 내 혐의를 밝혀낼지, 아니면 손쉽게 자백을 받아낼지."

검사는 이를 악물며 분을 삭였다. 그리고 어절 하나하나마다 힘을 주어 말을 뱉어냈다.

"…나는, 분명히 기회를 줬어."

"분명히 말하지만, 이게 내 선택이야."

진 역시 어절마다 힘을 실어 굳은 의지를 드러냈다. 이를 끝으로, 그는 입을 완전히 다물었다. 여론이 자신들의 편이라고 판단한 검찰 조직은 그런 그를 끊임없이 압박했다. 검사 한 명이 신문을 마치고 나가자, 또 다른 검사가 기다렸다는 듯이 들어왔다. 그리고 이전의 검사가 했던 말을 똑같이 반복했다. 이에 진은 침묵으로 일관했다. 뫼비우스 띠 위를 걷는 것 같은 신문은, 세상에 어둠이 찾아올 때쯤 진을 찾아온 검사의 입에서 나온 "비자금 조성을 위해 재산을 국외로 빼돌린 혐의로 구속 영장을 청구할 겁니다."라는 문장에 의해 끝이 났다. 이렇게 몇 시간 동안의 신문이 종료되었으나, 진의 일과는 아직 끝나지 않았다. 검사는 그를 어딘가로 데려갔고, 진은 목적지가 검찰총장실임을 직감했다. 이러한 직감은 정확히 들어맞았다. 얼마 지나지 않아, 진은 현직 검찰총장인 전병길과 마주했다.

병길은 뒷짐을 지고 선 채, 제 수족과도 같은 검사를 바라보았다. 검사는 진을 병길의 책상 앞 의자에 억지로 앉힌 다음, 병길을 바라보았다. 그러자 병길이 고개를 한 번 까딱, 하며 그만 나가보라는 뜻을 전했다. 이에 검사는 병길을 향해 깍듯이 인사하고는 재빠르게 자리를 떴다.

"……직접 보는 건 처음입니다, 유 진 '경위님'?"

얼마간 침묵하던 병길이 운을 뗐다. 그러자 진이 심드렁한 표정을 지으며 응수했다.

"경찰의 말단 간부에 불과한 경위 '따위'가, 감히 검찰총장님의 존안을 뵐 이유가 있겠습니까?"

"역시, 소문대로 한 성깔 하는 것 같고."

병길이 엷게 웃었다. 하지만 그의 웃음이 관자놀이 부근의 툭 튀어나온 핏줄까지는 가릴 수 없었다. 진은 이러한 사실을 형사 특유의 관찰력으로 포착했고, 살벌한 웃음을 지으며 날을 잔뜩 세웠다.

"소문, 함부로 믿지 마십시오. 진실인지 거짓인지 알 수 없는 걸 믿었다가는, 언제 어디서 목이 날아갈지 모릅니다."

진의 말이 계속될수록, 병길의 얼굴이 차갑게 얼어붙었다.

"주제도 모르고 입을 놀리며 날뛰는 것도, 소문대로군." 병길의 목소리에서 냉기가 흘러나왔다.
"아. 거슬립니까? 죄송합니다."

진이 뒤틀린 웃음을 지으며, 자신에게 날아든 한기를 아무렇지 않게 흘려보냈다. 그러고는 양손을 들어 올려, 병길을 향해 제 손목을 보여주었다. 그의 손목은 수갑의 형태를 따라 만들어진 피멍으로 물든 상태였다.

"지금, 몹시 아프거든요. 예의 차릴 여유가 없을 정도로."

말을 마친 진이 양손을 무릎 위로 되돌려놓았다. 그러자 수갑에서 절그럭거리는 소리가 났다. 진은 이를 무감정한 얼굴로 내려다보다, 다시 고개를 살짝 들어 병길을 응시했다.

"이건, 명백한 가혹 행위입니다. 불법이란 말입니다!"

"가혹 행위라니, 무슨 소리인지 모르겠군." 병길이 눈짓으로 진의 손목에 생긴 피멍을 가리키며 말을 이었다. "그건 유 경위가 자해해서 생긴 거라고 들었는데."

"손바닥으로 하늘을 가리려는 겁니까."

"그래그래, 정정하지. 내가 시킨 거다. 하지만 바뀌는 건 없을 거야. 네가 뭐라고 지껄이든, 너를 증오하는 민중은 내 말을 믿을 수밖에 없어. 당연하지. 의혹만 있을 뿐, 증거가 없는데!" 비웃음이 스며든 말이 계속되었다. "그러게, 우리가 수사종결 처리한 사건을 왜 건드려서는."

"……법이 두렵지 않으신 모양입니다?"

진이 올곧은 눈빛과 차분한 어조로 질문했다. 그는 허리를 꼿꼿이 세운 채, 처음부터 끝까지 단 한 치도 흐트러지지 않았다. 포승줄과 수갑 때문에 어깨와 손목, 허리가 아플 법한데도.

병길은 그런 그를 재미있다는 듯이 내려다보았다. 그러고는 어이가 없다는 듯이 웃으며, 해서는 안 될 말을 내뱉었다.

"물러터졌군, 물러터졌어! 법과 규율, 공정, 성실, 정직 같은 원리원칙에 집착하는 건, 고지식한 멍청이들뿐이라는 걸 모르다니."

진은 병길을 물끄러미 쳐다보았다. 그렇게 한참 동안 극과 극의 신념이, 도검이 되어 맞부딪쳤다.

"그 말, 책임질 수 있습니까?" 진이 먼저 침묵을 깼다.

"얼마든지!" 병길이 코웃음을 쳤다.

"알겠습니다. 기억해 두도록 하죠."

진이 나직이 대꾸하고는 입을 굳게 다물었다. 병길은 그런 그를 향해 일그러진 웃음을 지어 보였다.

"안 됐지만, 그런 날이 올 가능성은 없어." 병길이 상체를 살짝 숙이며, 속삭이듯이 말을 이어갔다. "내일 오전 10시에, '구속 영장 공개 심사'가 열릴 예정이거든. 국민의 알 권리와 법감정을 반영하기 위해 시범 운영하기로 한 제도의 첫 시험 대상이, 대한민국 최고 명문 재벌가의 후계자라니. 축하받을 일이야. 그렇지 않은가?"

횡령이나 배임, 사기, 비자금 조성, 탈세 그리고 체납 혐의를 받는 자산가나 고위 공직자를 대상으로 하는 "구속 영장 공개 심사". 이를 언급한 병길이 손을 뻗어, 진의 어깨를 토닥였다. 조롱 섞인 말에, 원하지 않는 신체 접촉까지. 불쾌하기 짝이 없는 상황이었다. 하지만 진은 여전히 입을 다문 채, 저항 의지가 깃든 눈빛을 빛내기만 할 뿐이었다. 그렇게 진과 병길의 짧은, 서로의 신념을 확인한 대화가 끝이 났다.

영장 심사를 위한 절차는 거침없이 진행됐다. 검사들은 진을 영장 심사 대기 장소인 구치소로 이송하기 위해 발 빠르게 움직였다. 진은 검사들과 함께 대검찰청의 로비까지 걸어 나왔고, 진즉에 풀려

난 수현이 이들을 맞이했다. 그는 진을 향해 다가갔지만, "내일 오전에 있을 구속 영장 심사를 위해, 피의자를 이송할 예정입니다. 비켜주십시오."라는 검사들의 말에 한 발자국 물러났다. 그렇게 진은 기자들이 구름같이 모여든 대검찰청의 정문 앞에 다다랐고, 이내 호송차를 탄 뒤 구치소로 향했다. 이런 모든 장면은 1초보다 짧은 시간 단위로 쪼개져, 기자들의 카메라에 고스란히 담겼다.

시간이 흐르고, 진은 드디어 포승줄과 수갑에서 벗어날 수 있었다. 하나 이번에는 수인복이 그를 옭아맸다. 이는 법이 요구한 구속 영장 심사 절차 중 하나였다. 영장이 발부되는 순간부터, 피의자는 구치소에서 지내야 한다. 그렇기에 진은 영장이 발부될 가능성을 대비하여 미리 수인복을 입어야만 했다. 하지만 그의 얼굴은 평온하기만 했다. 제가 할 수 있는 모든 것을 했으니, 두려울 게 없었다. 그는 피멍으로 물든 손목을 만지작거리며 침대에 앉았다. 그러고는 창살 밖의 하늘을 바라보았다. 달빛 하나 없는 심연세계가, 그의 눈앞에 펼쳐졌다.

*

기나긴 밤이 지나고, 드디어 아침이 밝았다. 구치소 앞은 언론사의 기자들과 인터넷 방송 진행자 그리고 시민 등으로 인산인해를 이루었다. 이들의 시선은 구치소의 정문에서 떠날 줄을 몰랐다.

그 순간, 포승줄과 수갑에 결박당한 진이 모습을 드러냈다. 구속 영장 공개 심사가 열릴 법정으로 이동하기 위해서였다. 그런 그를 향해, 사람들의 입에서 고함과 질문이 쏟아졌다. 하지만 진은 단 한마디도 하지 않고, 그저 앞만 바라본 채 호송차를 향해 걸었다.

언론사의 중계차들과 카메라들은 그런 그의 올곧은 궤적을 쫓기 바빴다.

시간이 흐르고, 진을 태운 호송차가 법원 앞에 멈춰 섰다. 법원 앞에는 거대한 스크린 TV가 있었는데, 이는 법무부가 진의 구속 영장 공개 심사를 실시간으로 중계하기 위해 설치한 것이었다.

진은 차분히 호송차에서 내렸고, 사람들은 이를 촬영하고 보도하느라 여념이 없었다. 연희 역시, 눈앞에서 펼쳐지는 모든 장면을 취재하고 있었다. 그는 제 친구의 추락을 믿을 수 없었다. 그가 아는 진은 불법과 편법을 끔찍이 싫어하는 사람이었다. 그렇기에 연희는 마음속으로 '분명 계획이 있겠지. 유 진은… 절대 그럴 사람이 아니야.'라고 되뇌며 초조함을 달랬다. 하지만 초조함은 시간이 흐를수록 증폭됐다. 진이 법정 안으로 들어가고 얼마 지나지 않아, 검찰총장이 갑작스레 모습을 드러낸 탓이었다. 총장은 '깜짝 기자회견'을 위해 왔다며, "오늘은 대한민국에서 '유전무죄(有錢無罪), 무전유죄(無錢有罪)'라는 수치스러운 말이 사라지는 날입니다!"라고 엄숙히 선언했다. 그리고 환호하는 사람들 -물론 하연희를 제외한- 을 바라보며 "정의가 바로 선 역사적인 순간에, 저도 함께하겠습니다."라며 "신호 대기 중"이라는 텍스트가 띄워진 TV 화면을 바라보았다.

한편, 법정 안으로 들어온 진은 법정 옆 대기실에서 변호사와 나누었던 대화를 복기했다. 당시 변호사는 "손목을 이렇게 만들어 놓고, 자해라고 우겼단 말입니까?"라며 아연실색했다. 그러고는 "자해가 아니라는 증거가 있어야 합니다. 그래야 어떻게든 해 볼 수 있습니다."라는 말을 덧붙였다. 그러자 진이 픽 웃더니 "증거? 그 딴 거 없습니다. CCTV를 피해서 저지른 짓인데, 어떻게 증명하겠어요?"라고 반응했다. 이에 변호사가 곤란함을 표했다. 그런 그를 향해, 진은 "아직은 폭로할 때가 아닙니다. 증거가 있든 없든, 나를 보는 시선이 곱지 않을 거예요. 사람들한테 나는 '맞아도 싼 인간'일 겁니다. 아니면 '하다 하다 자해까지 하는 독한 인간'이겠군요."라고 말했다. 그런 다음 "그래도 희망은 있습니다. 그 어디도 아닌, 바로 여기에 말입니다."라고 말했다. 그러나 그 희망이 대체 무엇인지는 끝끝내 말하지 않았다. 변호사에게 이런 상황, 즉 의뢰인이 입을 열지 않는 것만큼 곤란한 상황은 없다. 하지만 그는 기이할 정도로 침착한 진을 보며 마음을 다잡았다. 제 의뢰인에게서는 강건한 신념이 느껴졌다. 그러니, 믿어야 한다. 그는 그리 생각했다.

그 순간, 판사석 주변의 문이 열리며 법복 차림의 중년 남성이 나타났다. 그러자 법정의 모든 사람 -유 진과 그의 변호사, 취재진, 방청객, 검사, 법정 관계자들- 이 자리에서 일어났다. 이들은 판사가 자리에 앉은 직후, 다시 착석했다. 판사는 때맞추어 작동하기 시작한 카메라를 흘끗, 바라보았다. 그리고 진을 향해 시선을 옮기며 포문을 열었다.

"구속 영장 공개 심사, 시작하겠습니다. 검사, 말씀하세요."

판사의 말이 떨어지기가 무섭게, 검사가 자리에서 일어나 진의 혐의점을 줄줄 읊기 시작했다. 그는 20여 년 동안 이루어진 1조 원의 해외 송금 기록을 낱낱이 들추어냈다. 그리고 진이 회당 최소 수백만 원에서 최대 수백억 원을, 해외에 설립한 페이퍼 컴퍼니를 통해 해외로 빼돌렸다는 말을 덧붙였다. 이에 판사는 경멸이 서린 시선으로 진을 바라보며 말했다.

"20여 년 전의 유 진 씨는… 10대 초반이었을 텐데. 정말, 영악하기 그지없군요."

판사가 쯧, 하며 혀를 찼다. 그러자 방청석에서 판사의 감정에 공감하는 반응이 쏟아져나왔다. 그들은 소리 내어 진을 욕하고, 경멸했다. 하지만 진은 표정 하나 변하지 않았다. 판사는 표정을 잔뜩 구긴 채, 그런 진을 향해 의례적인 질문을 던졌다.

"그래서. 할 말 있습니까?"

진은 판사를 물끄러미 바라보았다. 그러자 소란스럽던 법정에 고요한 전운이 깃들었다. 하지만 진은 입을 열지 않았다. 마치, 아직은 때가 아니라는 듯이.

"마지막으로 묻겠습니다, 유 진 씨. 할 말 있습니까?"

판사의 가시 돋친 말투에, 진의 변호사가 입술을 살짝 깨물었다. 그러고는 제 옆의 의뢰인을 쳐다보았다. 그 순간, 변호사는 진의 얼굴에 스쳐 지나간 미소를 똑똑히 보았다. 승리를 확신한, 전장을 지배하는 자에게만 허락된 감정을!
진은 변호사를 향해 싱긋 웃어준 다음, 자리에서 일어났다. 그러고는 조금 전과는 달리, 거침없이 운을 뗐다.

"예, 있습니다."

진이 잠시 숨을 골랐다. 그러자 법정 안 모든 사람의 시선이 일제히 진을 향해 쏟아져 내렸다. 진은 이를 고스란히 느끼며 말을 이어 나갔다.

"백승찬 사건이 세상에 알려졌을 때, 누군가가 100억 원을 기부했던 일. 기억하십니까?"
"……기억합니다. 워낙 극악무도한 사건인 데다가, 기부액도 큰 편이었으니. 그런데, 그게 유 진 씨와 무슨 상관이죠?"

판사가 눈살을 찌푸리며 의아함을 표했다. 그러자 진이 히죽, 웃으며 수수께끼를 던졌다.

"그 자산가. 과연 누구일까요?"

판사는 눈을 크게 뜨며 멍하니 진을 쳐다보았다. 진이 말하고자하는 바를 직감한 그의 사고회로는 일순간 정지했고, 다시 제대로 작동하기까지는 시간이 걸렸다. 그는 덜덜 떨리는 손으로, 검사가 제출한 진의 해외 송금 기록을 다시 살펴보았다. 그러자 해외 송금 수수료가 더해진 것으로 추정되는, 100억 원이 조금 넘는 금액과 초 단위까지 기록된 송금 시점이 그의 시야를 가득 채웠다. 이에 마른침을 삼킨 그는 성 착취 피해자들을 위한 기부가 이루어진 시점을 알아보았고, 진의 통장에서 100억여 원이 빠져나간 시점이 익명 기부가 이루어진 시점과 큰 차이가 없다는 사실을 인정할 수밖에 없었다.

"거, 거짓말입니다! 판사님, 속으시면 안 됩니다!"

검사가 자리에서 벌떡 일어나 목이 쉬도록 소리 질렀다. 하지만
만족하지 못했는지, 진을 향해 삿대질까지 하며 열변을 토하기 시
작했다.

"그 익명의 자산가는 분명 국내 단체에 기부했습니다. 하지만 피
의자는 해외의 페이퍼 컴퍼니에……!"
"페이퍼 컴퍼니가 아니라, 익명 기부를 위해 해외에 설립한 재단
입니다. 내 이름으로 직접 기부하면, 기부자가 누구인지 금방 알려
질 게 뻔하니까요."

진이 가차 없이 검사의 말을 잘랐다. 그러자 방청객들의 적대감이
깃든 시선이 검사를 향해 날아들었다. 조금 전까지만 해도 진에게
쏟아지던 적의가 목표물을 바꾸는 것은 한순간이었다.

"내가 말하지 않았습니까? '제대로' 수사하라고. 제대로, 성실히
수사했다면… 해외 재단을 통해 기부했다는 사실 정도는 금방 알
아냈을 텐데요. 하긴, 자기들 수준으로 타인을 재단하는 당신들이
제대로 할 줄 아는 게 있겠냐마는……."

진의 비웃음 섞인 음성이 카메라를 통해 전국으로 퍼져나갔다. 그
는 늘 그랬듯이 극도로 불리한 상황을 타개해 왔다. 그런 그가 나

호율을 체포한 뒤에 떠올린 책략은 바로… 지금까지 해 온 익명 기부를 이용해, 성욱의 무기인 여론과 검찰의 힘을 약화하는 것이었다. 진은 자신과 수현이 우미애 사건을 재수사하면, 검찰이 자신의 해외 송금 기록을 범죄로 둔갑시키리라고 확신했다. 또한, 검찰이 구속 영장 심사 제도를 악용할 게 뻔하다는 결론을 내리기도 하였다. 살인 혐의라는 억지 핑계를 대면서까지 저를 소환 조사했던 검찰이, '최후의 패' 하나 정도는 쥐고 있다고 생각하는 게 타당했다. 하지만 그 '최후의 패'는 뻔하디뻔했다. 저는 여태껏 불법과 편법에 눈길 한 번 주지 않았다. 그렇기에 검찰 조직이 무엇을 가지고 트집을 잡을지 훤히 꿰뚫어 볼 수 있었다. 물론, 국민 여론과 성욱을 등에 업은 검찰이 방심하리라는 것까지도. 그리고 이는 진의 기부 행위를 제멋대로 '비자금 조성'이라고 생각해 버린 검사들의 모습을 통해 입증되었다. 사람은, 자신의 수준대로 생각하고 행동하는 법이다. 즉 검찰총장과 검사들의 수준이 딱 그 정도라는 의미였다. 해외 재단을 통한 익명 기부를, 제대로 된 수사 없이 불법 비자금 조성으로 판단한 것. 그것이 그들의 한계이자 패인이었다.

진의 목소리는 법정 밖에서 승리를 자축하던 검찰총장에게도 가닿았다. 세상이, 여론이 바뀌는 것은 찰나였다. 진을 향해 쏟아지던 악의는, 이제 검찰 조직과 조직의 수장인 검찰총장에게로 향했다. 그러자 총장의 태도에서 웃음기가 완전히 사라졌다. 그는 어떻게든 현장에서 빠져나가기 위해 몸부림쳤으나, 단 한 발자국도 움직일 수 없었다. 기자들이 그를 겹겹이 포위한 채, 질문을 집요하게 쏟아냈기 때문이다.

한편, 신임 경찰청장은 식은땀을 흘렸다. 그는 역전의 상황을, 청장실 TV를 통해 지켜보았다. 모두 진이 말했던 대로였다. 진과 수현이 우미애 사건에 손을 대자 검찰이 움직였고, 검찰은 익명 기부 사실을 제대로 조사조차 하지 않은 채 구속 영장 공개 심사를 요청했다. 그리고 얼마 지나지 않아, 당당하기만 했던 검찰은 진실의 폭로에 힘없이 스러지고 결국 경찰을 압도하던 권위마저 잃고 말았다.

'정말… 정말 탁월한 선택이었어. 만일 유 경위의 제안을 거절했다면…….'

청장은 모골이 송연해지는 것을 느끼며 TV 속 긴박한 상황을 계속 지켜보았다. 진의 폭로에 판사는 영장 심사를 중단했고, 검찰에 긴급 보강 수사를 명했다. 평소와는 다르게, 참으로 짧은 몇 시간이었다. 초유의 사태에 모든 인력을 총동원한 검찰은 결국 잘못을 인정해야만 했다. 이렇게 검찰의 폭주가 완전히 막을 내렸고, 진은 드디어 자유와 수사권을 되찾았다. 이로 인해 수현 역시 수사권을 되찾을 수 있었다. 이제 우미애 사건에 전념할 진과 수현을 막을 존재는, 아무도 없었다.
법원 건물 앞에서 미동도 하지 않던 연희는, 이 모든 과정을 두 눈으로 똑똑히 보았다. 지구대에서 민원인과 씨름하던 이랑 역시 마찬가지였다. 그들은 그제야 이 모든 상황이 진과 수현의 책략이었다는 사실을 알 수 있었다.

"어때요, 멋진 작전이죠?"

그때, 매력적인 목소리가 연희의 귀를 파고들었다. 수많은 사람의 목소리가 어지러이 얽힌 상황이었으나, 목소리의 주인이 윤수현이라는 사실을 단박에 알아챈 연희는 소리의 근원지를 향해 고개를 돌렸다. 그러자 검은색 후드 집업을 입고 검은 마스크를 쓴, 평소와 다른 옷차림의 수현이 눈길을 사로잡았다. 수현은 투명한 서류 케이스 속에 든 "인간, 이상" 프로젝트 보고서의 앞표지가 자신을 향하도록 끌어안고 있었다.

"이야기 좀 미리 해 주지 그랬어요?" 연희가 낮게 쏘아붙였다.
"미안해요. 검찰총장이 알아챌까 봐 그랬어요."

수현이 싱긋 웃었다. 이에 연희는 한숨을 폭 내쉬며 수현을 째려보았다. 그리고 법원 건물에서 나온 진을 향해 시선을 옮겼다.
진은 당당한 걸음걸이로, 인파 속에 갇힌 검찰총장을 향해 다가갔다. 그럴수록 총장의 낯빛은 새하얗게 물들어 갔다.

"유, 유 진 경위……."

병길이 입술을 달싹였다. 하지만 그가 내뱉은 문장은, 진에게 닿지 못한 채 허공에서 흩어졌다. 진은 그런 그의 앞에서 멈춰 섰다. 총장을 포위한 사람들은, 진의 궤적을 따라 자연스레 길을 만들어 주었다.
진은 병길의 두 눈을 똑바로 노려보았다. 이에 병길은 시선을 내리깔며, 어떻게든 그와 눈을 마주치는 상황을 피하려 들었다. 그리고 이러한 상황은 기자들의 카메라를 통해 고스란히 전국으로 퍼졌다.

이윽고, 진이 싱긋 웃으며 양손을 들어 올렸다. 그러자 그의 코트 소매가 중력에 의해 아래로 살짝 내려갔다. 그렇게, 피멍투성이인 진의 손목이 처음으로 세상에 모습을 드러냈다.

"검찰총장님하고 검사님들 덕분에, 팔찌 한 쌍 장만했습니다." 진이 큰 목소리로 폭로를 이어 나갔다. "어제 검찰총장님께서 분명 그랬죠. '그래그래, 정정하지. 내가 시킨 거다. 하지만 바뀌는 건 없을 거야. 네가 뭐라고 지껄이든, 너를 증오하는 민중은 내 말을 믿을 수밖에 없어. 당연하지. 의혹만 있을 뿐, 증거가 없는데!'라고."

이 나라의 언론은, 진실에 관심이 없다. 그저 종이 신문의 판매 부수와 인터넷판 신문에 실린 기사의 조회수에만 목숨을 걸 뿐이다. 돈이 곧 권력이라고 부르짖으며 도덕과 직업윤리를 버리고 타락한 게, 현재 이 나라 언론의 현주소다. 진은 그리 분석했고, 분석 끝에 내린 결론을 철저히 이용할 생각이었다. 그들이 원하는 대로 자극적인 것을 보여주면, 단 한 번에 불과할지라도 언론은 제 편에 설 수밖에 없다. 간단한 이치였다. 내가 보도할 만한 가치가 있는 존재라면, 아무리 싫다고 해도 나에 관한 기사를 쓸 수밖에 없지 않은가. 그리 생각한 진은 자신에게 가해진 가혹 행위를 낱낱이 폭로했다.

"착각도 적당히 해야지. 법의 테두리 안에서 단 한 번도 벗어난 적이 없던 나를 짓밟아 보겠다고 선택한 게, 고작 이거였습니까?"

진이 조롱 섞인 어투로 말을 이어갔다. 그의 말은, 그 자체로 강력하고 간단한 메시지였다. 법의 테두리 안에서 싸우는 사람이야말로, 법과 원칙을 지키는 사람이야말로 진정한 강자다. 원칙을 지키는 행위는 페널티가 아니라, 그 무엇보다 강력한 무기다!

이런 진의 뜻을 고스란히 느낀 총장은 마른침을 삼켰다. 그는 진이 먹잇감이 아니라, 머리와 몸통을 갈라놓을 단두대였다는 것을 뒤늦게 깨달았다. 병길은 진과 관련된 모든 서류의 최종 결재권자이자, 진에 대한 수사를 진두지휘한 장본인이었다. 게다가, 구속 영장 공개 심사를 직접 요청하기까지 했다. 따라서 그는 무고한 사람에게 누명을 씌우려고 발악한 행위에 대한 책임을 절대로 피할 수 없었다.

"유, 유 진 경위님. 그, 그게 아니라······!"

총장은 입이 바짝바짝 말라가는 것을 느끼며 입을 열었다. 하지만 진은 그의 반론을 허하지 않았다.

"법과 규율, 공정, 성실, 정직 같은 원리원칙에 집착하는 건··· 고지식한 멍청이들뿐이라고 했었지?"

심장을 저미는 폭로가 사정없이 몰아치자, 병길은 두려움에 온몸을 떨었다. 불법적인 수단을 동원하고 검찰의 수장이라는 지위를 무기 삼아 휘둘렀는데도, 저는 진에게 흠집 하나 낼 수 없었다. 아니, 애초에 진은 저와의 싸움에 전력을 쏟지 않았다! 그렇다면…
이 세상에 유 진을 꺾을 사람이 존재하기는 할까?

"그래서. 당신이 내뱉은 망언, 어떻게 책임질 생각이지?"

책임. 병길이 평생토록 우습게 여기던 단어가, 이제는 그를 옭아
맸다. 하나 그는 진정한 의미의 책임을 질 생각은 눈곱만큼도 없었
다. 그저, 조만간 몰아닥칠 후폭풍을 어떻게든 약화하기 위해서는
알량한 자존심을 내던지는 방법이 최선이라는 생각뿐이었다.

"죄, 죄송합니다. 제발 용서해 주십시오……!"

병길이 떨리는 음성을 필사적으로 제어하며 사죄했다. 이를 본 사
람들에게서 놀라움이 섞인 수군거림이 쏟아져나왔다. 검찰의 수장
이, 서열이 낮아도 한참 낮은 경위에게, 자식뻘인 사람에게 고개를
숙였다! 이는 대한민국 건국 이래 처음 있는 일이었다. 하지만 진
은 그 어떠한 반응도 보이지 않았다. 그는 "고작 그 정도로 용서
받을 수 있을 것 같습니까?"라는 시선으로 병길을 바라보기만 할
뿐이었다. 이에 병길은 초조함에 사로잡혔고, 결국 부들부들 떨며
마지막 남은 자존심을 집어던졌다. 그렇게 그는, 진의 앞에서 무릎
을 꿇으며 '제대로' 용서를 빌었다.

"저, 저는… 검찰총장의 직분을 망각하고, 법과 원칙을 우습게 여
겼습니다……."

병길의 목소리가 갈수록 작아졌다. 진은 그런 그를 무감정한 눈빛으로 내려다보았다. 두 사람을 둘러싼 수많은 카메라는 플래시를 터트려 가며 역사에 길이 남을 장면을 촬영했고, 경악할 만한 소식을 전국에 알렸다. 이렇게 검찰은 모든 권위를 잃고 추락했다. 전에도 언급했지만, 검찰은 철저한 상명하복 원칙인 "검사동일체 원칙"을 기반으로 돌아가는 조직이다. 그런데 검찰의 수장인 검찰총장이 무릎을 꿇었으니… 이는 전국의 모든 검사가 진의 앞에서 무릎을 꿇은 것과 진배없는 일이었다.

"법이 검찰이라는 수사 기관에 힘을 부여했다는 사실을 망각하다니. 정말 같잖네요."

기나긴 침묵을 깬 진이 욕설 하나 없이 평론을 마쳤다. 그의 논리는 사회를, 체제를 지탱하는 근본적인 원리를 꿰뚫는 것이었다.

병길은 입술을 피가 나도록 짓씹었다. 이렇게 된 이상, 파면은 확정된 것과 다름없었다. 즉 변호사 개업이니 교수 임용이니 같은 미래는 꿈꿀 수조차 없게 되었다는 의미다. 게다가 본격적으로 수사가 시작된다면, 자신과 성욱의 커넥션이 만천하에 알려질 터였다. 성욱에게 받은 대가는 범죄 수익이기에 몰수당할 것이고, 이후에 받기로 약속한 대가는 없던 일이 되리라. 그리 판단한 그는 눈을 굴리며 필사적으로 퇴로를 모색했다. 어떻게든, 어떻게 해서든 제가 받을 형량이라도 낮춰야 했다.

"최, 최성욱! 제 뒤에 최성욱이 있습니다! 다, 모두 다 최성욱을 위해서 한 일입니다!!!"

재빠르게 계산을 끝낸 총장이 필사적으로 목소리를 높였다. 하지만 상황은 그가 원하는 대로 흘러가지 않았다. 그의 입에서 폭로가 흘러나오는 순간, 격노 서린 아우성이 터져 나오며 법정 앞이 아수라장이 됐다.

총장의 말에 분노한 사람들은, 다름 아닌 성욱의 열렬한 지지자들이 모인 단체 "세 번째 희망"의 회원들이었다. 그들은 성욱이 공공의 적으로 규정한 존재인 유 진의 추락을 자축하기 위해, 이른 아침부터 법정 앞을 지켰다. 그러나 원하던 장면은커녕, 생각지도 못한 악몽을 마주하고 말았다. 여기까지만 해도 충분히 불쾌한 상황이었다. 이런 와중에, 검찰총장의 입에서 자신들이 열렬하게 지지하는 사람의 이름이 나오기까지 했으니… 폭발하지 않는 게 더 이상했다. 그들은 검찰총장의 자백이, 자신들이 열렬하게 지지하는 최성욱을 모함하기 위한 것이라고 믿어 의심치 않았다. 나아가, 총장과 진이 손을 잡고 성욱을 모함한다는 생각까지 하게 됐다. 그래서 진과 총장을 공격하기 위해 몰려들었고, 이에 진과 총장을 둘러싸고 있던 기자들까지 휘말리고 말았다.

진은 마른침을 삼켰다. 자칫했다가는 인파에 휩쓸려 치명상을 입을 가능성이 컸다. 아무리 저라고 해도, 분노에 이성이 마비된 사람들을 모두 상대할 수는 없었다. 하지만 시민을 지켜야 하는 경찰의 직분을 내던질 수 없었다. 그는 신념에 충실한 성격이었고, 이는 두려움에 떠는 총장을 보호하는 행동으로 나타났다.

"그만 해요!"

그 순간, 익숙한 목소리가 사람들을 제지했다. 진을 포함한 사람들은 목소리가 들려온 방향을 바라보았다. 그러자 검은 마스크를 벗으며 걸어오는 남성이 그들의 시선을 사로잡았다.

"그러다 깔려 죽는다고요!!!"

수현의 목소리를 들은 사람들의 반응은 다양했다. 진과 연희는 남몰래 안도의 한숨을 내쉬었고, 기자들은 어찌할 줄을 몰랐다. 그리고 조금 전까지만 해도 폭력 사태를 주도했던 사람들은, 수현이라는 존재에 압도당해 모든 행동을 멈추었다.

진은 그런 그들을 바라보았다. 역시나, 제가 후천적 사이코패스 양성 실험의 피해자라는 사실을 함구한 것은 탁월한 선택이었다. 만일 당시에 진실을 알렸다면, 지금보다 더한 사태가 발생하리라는 것은 불 보듯 뻔한 일이었다. 하지만 병길의 입에서 성욱의 이름이 나온 뒤인 지금은, "인간, 이상" 프로젝트에 대해 밝혀도 큰 타격은 없을 터였다.

"……이해합니다. 최성욱 씨의 지지자라면, 이 모든 게 정치 공세로 보일 법하지요."

진이 한참 만에 운을 뗐다. 그러자 못마땅한 시선들이 날아들었다. 하지만 진은 물러설 생각이 없었다.

"좋습니다. 그럼 여러분의 오해를 풀어드리기 위해, 제가 손해를 감수하죠. 아이들을 대상으로 반인륜적인 '실험'을 한 최성욱을 체포하고 조사하는 일 정도는, 언제든 할 수 있으니까요."

진의 폭로에, 법정 앞 사람들의 반응이 확연히 나뉘었다. 기자들은 완전히 얼어붙었고 성욱의 지지자들은 물증이 있으면 공개해라, 사실 물증 따위는 없는데 말로만 있다고 하는 게 아니냐며 으르렁거렸다. 이에 진은 차분한 어조로 대꾸했다.

"여기, 여러분 앞에 서 있는 제가… 바로 그 증거입니다."

진의 말이 끝나기가 무섭게, 기자들과 성욱의 지지자들에게서 질문이 한가득 쏟아졌다. 이에 진은 "인간, 이상" 프로젝트의 실체와 목적을 낱낱이 고발했다. 그렇게 대한민국 건국 이래, 가장 잔혹한 아동 학대 사건이 세상에 모습을 드러냈다. 추악하기 짝이 없는 진실에 누군가는 경악했고 누군가는 분노했으며, 또 다른 누군가는 여전히 꾸며낸 이야기라고 아우성쳤다. 이에 진은 무언가를 건네달라는 듯이 수현을 향해 오른손을 내밀었고, 수현은 그런 그에게 "인간, 이상" 프로젝트 보고서가 든 투명한 케이스를 건넸다. 진은 사람들이 보고서의 앞표지를 볼 수 있도록, 건네받은 케이스를 어깨높이까지 들어 올렸다. 그런 다음 폭로를 계속해 나갔다.

"저는 '인간, 이상' 프로젝트를 기록한 보고서를 입수했습니다. 다만, 그 증거물에 최성욱과 제 이름이 언급되지는 않습니다. 정리하자면, 유일한 증거는 제 입에서 나온 증언뿐입니다. 그러니, 여러분께서 믿지 않는다면… 그걸로 끝이겠네요. 그럼 저는 유력 대권 주자를 모함한 사람이 될 테고, 이 나라의 국민은 서로 비난하며 싸우겠죠. 그러니, 순서를 조금 바꾸겠습니다. 저는 사람들이 싸우는 걸 원치 않으니까요."

진이 잠시 말을 멈추고 숨을 골랐다. 그리고 당당히 선언했다.

"지금부터, 최성욱이 또 다른 범죄를 저질렀다는 사실을 증명할 겁니다."

진의 말이 끝나자, 전운이 섞인 침묵이 감돌았다. 하지만 그뿐이었다. 성욱의 지지자들에게는 더는 폭력을 행사할 명분이 없었다. 여기에, 갑작스레 모습을 드러낸 수현에 대한 공포까지 더해져 그들은 아무런 행동도 할 수 없었다. 이들의 증오와 폭력성은 상대가 눈앞에 없을 때만 유효했다. 게다가 자신들의 행동이 성욱의 이미지에 좋지 않은 영향을 미치리라는 것을 뒤늦게 깨달은 터였다. 결국, 성욱의 지지자들은 이를 악물고 물러설 수밖에 없었다.

진은 뿔뿔이 흩어지는 사람들의 뒷모습을 물끄러미 바라보았다. 그리고 법무부와 상부에 성욱의 출국을 금지하고 그를 철저히 감시해야 한다는 뜻을 전달했다. 그런 그에게, 인파에 압도된 병길이 더듬거리는 목소리로 지금 당장 경찰 조사를 받겠다며 재차 자수하겠다는 뜻을 밝혔다. 이에 진은 그가 공격당할 가능성을 고려해 경찰차와 경호 인력을 상부에 요청했다. 그렇게 진의 독무대가 막을 내리고, 법원 앞에는 복잡한 침묵이 감돌았다.

"저, 유 진 씨."

그 순간, 기자 하나가 용기를 내 진을 불렀다. 그러자 진이 저를 부른 기자를 바라보았다.

"유 진 씨는, 1조 원이라는 거금을 기부하셨습니다. 그런데 왜 알리지 않으신 겁니까?"
"알리든, 알리지 않든. 내 마음 아닙니까?"

진이 눈살을 찌푸리며 되물었다. 이 이상은 묻지 말라는 의사 표현이었다. 하지만 기자는 집요했다.

"답변 부탁드리겠습니다. 왜 익명 기부를 선택하신 겁니까? 공개적으로 기부를 했다면, 유 진 씨가 냉혈한이라는 소문 자체가 돌지 않았을 텐데요."

진은 입술을 피가 맺힐 정도로 세게 짓씹고, 손바닥이 붉어질 정도로 강한 힘을 실어 주먹을 쥐었다. 숨이 막혀왔다. 그런 그에게, 기자가 대답을 재촉했다.

"저, 유 진 씨?"
"……권력에 대해 생각해 본 적이 있습니다."

진의 담담하면서도 갈라진 목소리에, 기자가 얼떨떨한 표정을 지었다. 그는 지금 이 자리에서, 왜 권력에 대한 논의가 이루어져야 하는지 이해하지 못했다. 하지만 진은 개의치 않았다.

"운 좋게 인화 그룹 사람이 된 뒤로, 부족한 것 없이 살아왔습니다. 그래서 다른 사람들이 어떤 삶을 살아가는지, 신경 쓰지 않았어요. 애초에 신경 쓸 이유도 없었습니다. 당연하죠, 내 이야기가 아니니까. 나는 안전한 곳에서 행복하게 살고 있었으니까!"

진이 웃음 지었다. 하지만 이는 기쁨이 아닌, 슬픔과 죄책감이 서린 웃음이었다.

"그러던 어느 날, 우연히 사회 고발 다큐멘터리를 보게 되었습니다. 그제야, 저는 다른 사람들의 불행을 깨달을 수 있었어요. 이 세상에 굶어 죽는 사람이 아직도 있구나. 돈이 없어서 병원에 가지 못해서 죽는 사람이, 일하다 기계에 끼어서 죽는 사람이 있구나."

진은 한 손을 들어 올려, 제 두 눈을 꾹, 눌렀다. 그리고 비통한 어조로 말을 이어갔다.

"권력은 거창한 게 아니었습니다. 안전한 공간에 머무는 것. 하고 싶은 걸, 내 맘대로 하는 것. 때가 되면 학교에 가고, 먹고 싶은 걸 마음대로 먹고, 돈 걱정 없이 입시 학원에서 공부하고… 이 모든 게, 권력이었던 겁니다!"
"그, 그건……." 기자가 어찌할 줄 모르며 입술을 달싹였다.
"병원 갈 돈이 없어서 죽는 것도, 전쟁 중인 나라에서 태어나 고향을 잃고 떠도는 것도… 그 사람들이 못나서, 노력하지 않아서가 아니었어. 그저 운이 없었던 것뿐."

진이 슬픔을 억누르며, 눈을 가렸던 손을 내렸다. 그러자 그의 눈가에 맺힌 눈물이, 빛을 받아 반짝였다.

"왜… 대체 왜 그래야 하는 겁니까?! 행복해야 할 사람들이, 자유를 누려야 할 사람들이…… 왜 억압당하고, 불행해야 하는 겁니까?! 왜 운이 없다는 이유만으로, 목숨을 잃어야 합니까! 대체왜!!!"

질문의 형태를 한 울부짖음이, 법정 앞의 사람들을 침묵 속으로 몰아넣었다. 진은 그런 사람들을 향해, 중얼거리듯이 말을 이었다.

"창피해요. 수치스럽다고. 사는 게, 살아 숨 쉬는 게… 수치스러워. 세상에서 나만 행복한 것 같아서, 살고 싶지 않단 말입니다……."

깨달음의 끝은 잔인했다. 그때부터, 진의 귓가에는 사람들의 비명이 끊임없이 맴돌았다. 총에 맞아 죽고, 일하다 온몸이 터지고 머리와 몸이 분리돼 죽고, 고문당해 죽어가는 이름 모를 사람들의 비명이 그를 괴롭혔다. 그렇기에, 그는 이를 외면할 수 없었다.

"그, 그러니까… 행복한 게 수치스러워서 익명으로 기부를 했다는 말씀입니까?! 그런 단순한 이유로요?!"

진의 고백에 압도당해, 멍하니 있던 기자가 드디어 입을 열었다. 하지만 진은 입을 굳게 다문 채, 병길을 태울 경찰차를 기다릴 뿐이었다.

이를 말없이 지켜보던 수현이, 진의 곁으로 다가왔다. 그는 진의 입에서 나왔던 "나는, 재벌 후계자로 살고 싶지 않아."라는 문장의 의미를 이제야 깨달았다.

"경위님."

수현이 나직이 진을 불렀다. 이에 진은 힘없이 쓴웃음을 지었다. 이러한 장면은 고스란히 카메라에 담겼고, 인영과 성욱 그리고 유리에게도 전해졌다.

병원에서 퇴원한 뒤 집무실을 찾은 인영은, 진이 저에게만 털어놓았던 익명 기부의 이유가 세상에 알려지는 광경을 묵묵히 지켜보았다. 그러다가 리모컨을 사용해 TV를 끈 다음, 조용히 두 손을 맞잡은 채 눈을 감았다. 그가 앉은 의자의 등받이에서 흘러나온, 끼익하는 소리가 집무실을 채웠다.

같은 시각, 검찰총장만 굳게 믿고 업무에 매진하던 성욱과 유리 역시 긴급 속보를 접했다. 그들은 상황이 한순간에 뒤바뀌는 장면을 똑똑히 목격했다.

유리는 수현과 나누었던 대화를 떠올렸다. 그때, 저는 수현에게 왜 지름길로 가지 않고 돌아가느냐고 물었다. 이에 대한 수현의 답은 "그렇게 보였다면, 송유리 씨가 착각한 거예요. 난 항상, 매번 지름길만 골라서 다니는 사람이랍니다."였다. 그리고 그는, 그제야 수현의 말을 이해했다. 편법과 불법은 손쉽고 편한 지름길이 아니라, 조금이라도 발을 잘못 디뎠다가는 나락으로 떨어지는 낭떠러지였다.

한편, 유리에게서 자초지종을 전달받고 급히 TV를 켠 성욱은 입이 바짝바짝 타들어 가는 것을 느꼈다. 1조 원. 무려 1조 원이다. 유 진이라는 이름을 걸고 공개적으로 기부했다면, 얼마든지 으스댈 수 있는 거금. 그럼에도 불구하고, 진은 가장 강력한 마케팅 수단을 집어 던졌다. 그로서는 절대 이해할 수 없는 일이었다.

유리의 불안감이 가득한 시선을 받으며, 성욱은 검지로 빠르게 책상을 두드리다가, 뒤틀린 웃음을 짓고, 의자에서 일어나 욕설을 내뱉으며 초조한 발걸음으로 방안을 맴돌았다. 그렇게 영원 같은 몇 분이 흐른 끝에, 드디어 제자리에 멈춰 섰다. 그러고는 대포폰을 꺼내 들어, 보안이 철저한 해외 메신저 앱을 작동시켰다. 경찰의 눈을 어떻게든 피하기 위해서였다.

그는 누군가에게 "모든 게 끝났지만, 나 혼자 망가질 수는 없지. 좀 도와주겠나?"라고 메시지를 보냈다. 그러자 곧장 답장이 왔고, 성욱은 화면 속의 키보드를 열심히 두드렸다. 그렇게 최후의 발악이 담긴 텍스트가 전송되고, 이내 미지의 인물에게서 알겠다는 답장이 왔다. 이에 성욱은 음험한 웃음을 머금으며, 채팅방에서 나왔다. 그리고 메신저 앱을 삭제했다.

*

반격을 본격적으로 시작하기에 앞서, 수현은 진에게 무언가를 말하고자 했다. 하지만 그 전에, 진의 양손을 물끄러미 바라보았다. 그런 수현의 시선에 담긴 의미를 읽어낸 진은, 섣불리 치료했다가는 검사들의 가혹 행위가 자작극이라는 유언비어가 떠돌지도 모른다며 고개를 저었다. 수현 역시 진과 같은 생각이었으나, 그럼에도 그는 아쉬움을 지우지 못한 채로 고개를 끄덕였다. 그러고는 호율의 집에서 찾아낸 증거물에 관한 이야기를 꺼냈다. 수현이 확인한 보고서에 따르면, 호율의 집에서 찾아낸 망치에서 미제 사건 피해자들의 DNA가 검출되었다. 피해자들은 모두 잠에 빠져있던 노숙인이었으며, 이들의 피는 망치의 머리 부분과 손잡이의 연결부에서 발견되었다. 그리고 호율의 집에서 발견된 또 다른 증거인 식칼에서는 정숙과 미자의 DNA가 검출되었으며, 호율이 수집한 두 귀과 두 다리는 각각 정숙과 미자의 것으로 확인되었다.

이어지는 말은 성욱에 관한 이야기였다. 수현은 진의 예상대로, 성욱이 방심했던 게 분명하다고 말했다. 그는 자신에게 우호적인 국정원 요원의 도움을 받아, 검찰이 수세에 몰리기 시작한 때부터 지금까지 성욱이 한국을 뜨지 않았다는 사실과 우미애 사건의 증거물을 빼돌려 폐기하려는 움직임이 없다는 사실을 알아냈다. 그렇기에 그는 진의 예측이 빗나가지 않았다고 생각했다.

이후 수사는 급물살을 탔다. 경찰은 출국 금지 처분을 받은 성욱의 도주를 방지하고자 그를 예의주시했고, 취조실로 보내진 병길을 상대로 본격적인 수사를 펼쳤다. 진과 수현은 서울청의 증거 보관실로 직행했다. 다만 진의 전기차가 서울청의 주차장에 주차돼 있던 탓에, 수현의 능력을 빌려야 했다. 그렇게 그들은 순식간에 서울청에 도착했다.

그 순간, 기다렸다는 듯이 진의 스마트폰에서 진동음이 흘러나왔다. 진이 카메라 앞에서 벗어나기만을 기다리던 인영의 전화였다. 진은 코트 주머니에서 스마트폰을 꺼낸 다음, 전화를 받았다. 그러자 스피커에서 "진아. 엄마는, 최성욱을 절대 용서할 수 없어."라는, 분노 서린 음성이 흘러나왔다. 이에 진은 담담한 목소리로 "나도 마찬가지야, 엄마. 그러니까… 죗값을 꼭 치르게 할 거야. 내 손으로 직접."이라고 한 다음 전화를 끊었다. 그리고 한 치의 망설임 없이 문서 보관실과 증거 보관실에 들러, 우미애 사건을 기록한 서류와 사건 당시의 모습이 기록된 블랙박스의 영상을 손에 넣었다. 디지털 포렌식 작업을 마쳤는지, 외장 메모리 카드에 기록되어 있던 영상은 USB로 옮겨진 상태였다.

블랙박스 영상은, 그들에게 마지막 남은 희망이자 검찰총장과 검찰이 성욱의 범행을 인지하지 못했다는 추리를 입증한 물건이기도 했다. 만일 검찰총장이 성욱의 범죄를 인지했다면, 증거를 진즉에 없애버렸을 테니 말이다.

목적을 달성한 진과 수현은 주차장으로 향했다. 검사들에게 붙잡히기 전, 서울청에 주차해 놓은 전기차를 되찾기 위해서였다. 그렇게 진은 자신의 차를 되찾았고, 그의 차는 수현이 연차원 문을 통과해 서울청 광수대의 주차구역에 안착했다.

그들은 차에서 내린 다음, 곧장 특수사건전담팀으로 향했다. 그러자 형사들의 시선이 쏟아졌다. 하지만 이전과 달리 적의가 많이 누그러졌다는 사실을 체감했다. 이는 박경일 역시 마찬가지였다. 그는 친근한 척하며 진과 수현에게 다가와, "검찰총장을 무릎 꿇리다니, 역시 유 경위야!"라며 떠들어댔다. 그리고 "전담팀에 귀한 손님이 오셨으니까, 잘 모시고."라는 말을 남긴 뒤 사라졌다. 이에 진은 인상을 쓰며, 전담팀 회의실로 성큼성큼 걸어갔다. 수현은 그런 그의 뒤를 부지런히 쫓았다.

"혀, 형사님……!"

전담팀의 문을 열고 들어온 진과 수현을 반긴 사람은, 국회의원이자 여당 대표인 김창근이었다. 그런 그의 곁에는 제1야당의 대표인 임규혁이 엉거주춤한 자세로 서 있었다. 그들은 역시 진이 검찰과 성욱을 순식간에 무너뜨리는 장면을 목격한 직후, 진과 수현을 만나기 위해 한달음에 달려온 터였다.

"처음 뵙겠습니다."

규혁이 진과 수현을 향해 고개 숙여 인사했다. 하지만 진은 인사를 받아주지 않았다.

"나가 주십시오. 일하는 데 방해됩니다."

진이 불쾌감을 여과 없이 드러냈다. 그러나 창근과 규혁은 포기하지 않고, 잠깐이면 된다며 애걸복걸 매달렸다. 결국, 진은 한숨을 내쉬며 "어디 한번 말이나 해 보십시오."라는 눈빛으로 그들을 바라보았다. 이에 창근이 기다렸다는 듯이 입을 열었다.

"유 진 형사님. 그리고 윤수현 씨. 이번 국회의원 선거에 출마해 주셨으면 합니다. 이 나라에는, 역시 두 분 같은 인재가 필요……."

하지만, 창근의 문장은 끝맺어지지 못했다.

"거절하겠습니다."

"싫어요."

 진과 수현은 동시에, 그리고 단칼에 거절의 뜻을 밝혔다. 이에 창
근과 규혁의 표정이 딱딱하게 굳었다. 진은 그런 그들을 향해, 쓴
소리를 퍼부었다.

 "최성욱 때문에 떨어진 지지율을 어떻게든 만회하기 위해 나를
영입하겠다는 거잖습니까. 지금처럼, 늘 그랬듯이 거대 양당이 국
회를 장악해야 기득권을 지킬 수 있으니까!"

 진이 지적한 대로였다. 최성욱은 여당과 제1야당에 여러모로 해
악을 끼쳤다. 여당과 제1야당의 지지자들은, 신당 창당을 선언한
성욱을 따라 떠났다. 대선을 앞두고 지지자들을 잃었다는 사실은
심리적으로 크나큰 타격이었다. 그런 와중에, 자신들이 영입하려고
공을 들였던 후보가 실은 반인륜적인 범죄를 저지른 범죄자라는
사실이 만천하에 드러나 버렸으니…… 지지율이 한계를 모르고 끝
없이 하락하는 것은 당연한 결과였다.
 진의 예리한 분석에, 창근과 규혁은 남몰래 마른침을 삼켰다. 자
신들은 거짓말과 그럴듯한 명분으로 말을 포장하는데 그 누구보다
전문가였다. 하지만 유 진 앞에서는, 거짓과 그럴듯한 문장이 빛을
잃었다.
 창근과 규혁은 한숨을 내쉬었다. 그리고는 희미한 기대가 섞인 눈
빛으로 수현을 바라보았다. 그러자 수현이 조곤조곤한 어조로 응수
했다.

"정치인이 되고 싶은 생각은 없어요. 그리고, 어떻게든 나를 흠집 내려고 청문회까지 열었으면서… 인제 와서 뭘 어쩌자는 거예요?"

사형 선고와 다름없는 말에, 결국 창근과 규혁은 고개를 푹 숙이며 떠날 채비를 했다. 진은 그런 그들을 빤히 바라보더니, 무감정한 어조로 운을 뗐다.

"대신에, 이길 수 있는 팁을 드리죠."

진의 말은 절망한 자의 앞길을 비추는 등불과 같았다. 그래서인지, 창근과 규혁의 두 눈에서 실낱같은 희망이 반짝였다.

"먼저. 남정웅 의원을 모욕한 것. 사과하십시오. 사과하는 척만 하는 게 아니라, 진심을 담아 제대로요. 그래야 추악하기 짝이 없는 구태 정치를 청산할 수 있습니다."

진은 그들이 펼쳐온 정치를, '뒤떨어진 것'이라고 정의했다. 이는 수십 년간 의원직을 유지해 온 두 국회의원의 마지막 남은 자존심을 건드렸다.

"구, 구태 정치라니요?! 말씀이 좀 심하십니다, 유 형사!"
"유 진 씨는 정치를 몰라도 너무 모르는 겁니다! 타인을 비난하고, 짓밟지 않으면 정치판에서 살아남을 수 없어요!"

창근과 규혁이 거세게 항변했다. 이에 진은 그들을 물끄러미 쳐다보았다. 그러고는 눈을 천천히 감았다 뜬 다음, 거침없이 일갈했다.

"아니요. 정치가 추악한 게 아니라, 당신들 같은 사람이 정치를 더럽힌 겁니다. 소란스러움과 딜레마는 민주주의의 숙명입니다. 정치인의 의무는, 관용과 배려를 통해 사람 사이의 연대를 끌어내는 거고요."
"말도 안 되는 소리! 결국에는, 원론적이고 뻔한 이야기잖습니까!"

창근이 소리를 빽, 질렀다. 그러자 진이 올곧은 눈빛으로 그를 바라보며, 단호히 말했다.

"네. 이상적이고 원론적인 데다, 뻔하며 고리타분한 원칙이죠. 하지만 현실 속 그 어떤 정치인도 목숨 걸고 지키지 않았던 겁니다."

진의 날카로운 지적에, 창근이 입을 굳게 다물었다. 진은 그런 그를 향해, 마지막 충고를 덧붙였다.

"그러니까, 원론적이고 뻔한 정치를 하세요. 그 '원론적이고 뻔한 것'만이… 앞으로 나타날 제2, 제3의 최성욱을 막아줄 겁니다. 정도(正道)야말로 지름길이라는 사실을, 명심하시길 바랍니다."

창근과 규혁은 입술을 짓씹었다. 뻔하디뻔한 문장에 반기를 들고 싶어 미칠 지경이었다. 하지만 그 '뻔하디뻔한 문장'의 주인이 유

진이라는 사실에, 그들은 입을 다물 수밖에 없었다. 가장 강력한 무기는 원리원칙을 지키는 것이라는 메시지를 던진 사람이, 바로 유 진이었으므로.

진과 수현은 처참한 침묵과 함께 떠나는 국회의원들의 뒷모습을 바라보았다. 의원들은 전담팀 회의실을 떠나가며 문을 닫았다. 그들이 떠나간 자리를, 문이 닫히는 소리가 채웠다. 이를 신호음 삼아, 두 형사가 수사를 재개했다. 그들은 챙겨온 USB를 컴퓨터에 연결한 다음, 과거의 기록을 살폈다. 첫 번째 영상은 화물차의 시점에서 촬영된 것이었고, 수상한 점은 발견되지 않았다. 이에 진과 수현은 다음 영상을 살폈고, 두 번째 영상이 훼손되었다는 사실을 깨달았다. 심히 수상한 정황에, 수현은 이랑에게 연락해 도움을 청했다. 그리고 "뉴스 봤어요, 경위님. 또 살인범으로 몰리셨던데요?"라는 이랑의 말에 엷게 웃으며, 차원 문을 열어주었다.

이랑은 제 눈앞에 나타난, 신묘한 현상에 할 말을 잃었다. 푸른 빛을 내며 은은하게 빛나는 차원 문은 이랑의 감탄을 자아낼 만했다. 그렇게 그는 차원 문 안으로 발을 들였고, 이내 문제의 파일을 살피기 위해 컴퓨터 앞에 놓인 의자에 앉았다.

"……이거, 포렌식을 하다 말았는데요?"

키보드와 마우스를 열심히 조작하던 이랑이 한참 만에 입을 열었다. 이를 들은 진과 수현은 서로를 쳐다보며 시선을 주고받았다. 최성욱의 마수는 우미애 사건의 포렌식 담당자와 담당 수사관에게까지 뻗친 게 분명했다.

수현은 고개를 돌려 이랑을 물끄러미 바라보았다. 이랑은 필사적으로 손의 떨림을 억누르고 있었다. 이를 본 수현은, 이랑이 동종업계 종사자의 태만에 분노한 것이리라고 생각하며 운을 뗐다.

"서 순경님. 포렌식, 가능할까요?"

수현은 되돌아올 답을 알고 있으면서도, 정중히 부탁했다. 그러자 이랑이 숨을 고르더니, 특유의 자신만만한 웃음을 지으며 흔쾌히 답했다.

"경위님. 늘 말씀드리지만, 안 되는 건 없어요."

말을 마친 이랑이 복원 작업에 들어가자, 키보드를 두드리고 마우스의 버튼을 누르는 경쾌한 소리가 전담팀에 울려 퍼졌다. 그가 다시 입을 연 시점은, 그로부터 얼마 지나지 않아서였다.

"다 됐어요."

짧은 말과 함께, 이랑이 키보드를 두드렸다. 그러자 멀끔하게 복원된 영상이 모니터 화면을 가득 채웠다. 영상은 사고 직전 바깥의 상황을 담고 있었다. 그렇기에 차량 내부의 모습은 보이지 않았다. 하지만 차 안에 탄 두 사람의 대화는 확실히 녹음된 상태였다.

"여보. 우리, 옳은 선택을 한 거겠지……?"

중년 남성의 목소리였다. 진과 수현 그리고 이랑은 멍하니 모니터를 바라보았다. 완파된 우미애의 차량에서 발견된 남성은, 우미애의 운전기사인 양재훈으로 알려진 상황이었다. 그런데 그가 동승자를 '여보'라고 불렀다!

 "운전기사가… 아주머니한테 '여보'라고? 그럼……!"

 진이 팔짱을 낀 채, 화면을 보며 멍하니 중얼거렸다. 수현과 이랑 역시 충격을 받은 탓에, 모니터를 뚫어지도록 응시했다.

 "그럼. 회장님 덕분에 우리 애가 편히 눈 감을 수 있었잖아."

 물기 서리고 갈라진 목소리가 스피커에서 흘러나왔다. 이를 들은 진은, 자신이 조금 전에 내린 결론이 옳다고 다시금 확신했다. 그는 미애의 목소리를 알고 있는 사람 중 하나였다. 그리고, 조금 전의 문장이 미애의 입에서 나온 게 아니라는 사실을 아는 사람이기도 했다.

 "…준비됐지?"
 "…응. 됐어."
 "여보… 사랑해……."

 화면 속 두 사람의 담담하면서도 애틋한 대화가 이어졌다. 하지만 그뿐이었다. 그들의 짧은 대화는, 달려든 화물차에 의해 처참히 뭉개졌다. 영상은 어둠과 침묵으로 끝이 났다.

4. 찬란

"……우미애 아주머니 대신에, 운전기사의 배우자가 죽었단 말이지." 갈라진 목소리로 침묵을 깨뜨린 진이 말을 이었다. "DNA 감식 담당자도 공범이었네. 담당 검사 역시, 사주를 받고 수사를 종결 처리한 모양이고."

"부검의도… 매수당했겠죠." 수현이 손을 입가로 가져가며 눈살을 찌푸렸다.

"……그럼, 우미애 씨는… 살아있는 건가요?" 겨우 제정신을 차린 이랑이 입을 열었다.

"글쎄요. 죽었을 수도 있고, 살아있을 수도 있으니… 섣불리 단정지을 수는……."

수현이 짧게 앓는 소리를 내며 말끝을 흐렸다. 이에 진이 말없이 고개를 끄덕이며 동의를 표한 뒤, 수현이 끝맺지 않은 문장을 이어받았다.

"당연히 계획 살인이라고 생각했지만… 대역을 썼다면 이야기가 달라져요. 가능성은 '우발적 살인'과 '납치 후 감금', 두 가지입니다. 전자라면 피해자가 최성욱의 진짜 목적을 알아버려서 생긴 일일 겁니다. 피해자는 최성욱을 말리기 위해 무슨 짓이든 하려 했을 테고, 최성욱은 이를 막기 위해 피해자를 홧김에 죽일 수밖에 없었을 거예요. 교통사고를 사주한 이유는, 피해자가 살해당했다는 진실을 덮기 위해서일 거고요. 후자라면… 피해자가 최성욱의 진짜 목적을 알았을 수도 있고, 몰랐을 수도 있습니다. 알았다면 의도치 않게 제거해야만 했을 거예요. 하지만 그냥 죽여버리기에는 아까워서, 궁지에 몰렸을 때를 대비한 보험으로 삼았을 가능성이 큽니다. 분명, 피해자의 목숨을 빌미로 경찰과 협상할 생각이겠죠. 몰랐다면, 피해자는 처음부터 최성욱의 도구에 불과했던 겁니다. 여론 조성과 최후의 발악을 위한 도구 말입니다."

진은 잠시 말을 멈추더니, 눈살을 찌푸렸다. 그러고는 말을 이어 나갔다.

"'운전기사 양재훈'으로 알려진 사람 역시, 양재훈 본인이 아니라 대역일 수도 있지만…… 운전기사까지 대역을 쓸 필요는 없다고 봅니다. 하지만, 진실이 명확히 밝혀지기 전까지는 운전기사 역시 대역일 가능성을 아예 무시할 수는 없습니다." 진이 마지막 추리를 덧붙였다. "어찌 됐든, 방금 본 영상 속 두 사람은… 최성욱에게 큰 도움을 받았을 겁니다. 화물차 운전기사 역시 마찬가지일 거고요. 그러니까 아무렇지 않게 목숨을 내던질 수 있었겠죠."

진이 길고 긴 추리를 끝마치자, 전담팀에 침묵이 내려앉았다. 하지만 언제까지고 침묵할 수는 없는 일이었다.

진과 수현은 우미애 사건의 진실을 은폐한 사람들을 찾아 나섰다. 이들은 진과 수현을 보자마자 도주하거나, 밀항을 시도하다가 붙잡혔다. 그리고 최성욱의 지시를 받고 진실을 은폐했느냐는 물음에, 하나같이 무의미한 진술만 되풀이할 뿐이었다. 답답하기 짝이 없는 상황이었다. 하지만 포기할 수는 없었기에, 두 형사는 성욱이 소유한 모든 건물을 수색하기 위한 압수 수색 영장을 포함한 '수사에 필요한 각종 영장'을 신청했다. 그런 다음, 미애가 성욱이 소유한 건물이 아닌 다른 장소에 있을 가능성 -미애가 살아있든 죽었든 상관없이- 을 고려해 야산과 저수지 그리고 폐교 등과 같은 장소에 대한 수색도 요청했다.

 두 형사가 진실을 은폐한 사람들을 찾으려고 동분서주하는 동안, 이랑 역시 분주하게 움직였다. 그는 경찰청 DB에 입력된 정보를 조회해, 재훈이 몇 년 전에 하나뿐인 자식을 무차별 폭행으로 잃었다는 사실과 그의 아이를 죽인 자가 살인이 아닌 폭행치사로 가벼운 형을 선고받았다는 사실을 알아냈다. 또한, 재훈의 딸을 살해한 자가 사고로 목숨을 잃었다는 사실 그리고 재훈의 배우자인 "홍상래"가 실종되었다는 신고가 접수된 적이 있으며 실종 신고가 접수되고 얼마 지나지 않아 신고자가 신고를 취소했다는 사실도 알아냈다. 다만 세범에 대한 정보는 알아낼 수 없었다. 세범의 인생은 지극히 평온했는지, 전과나 범죄 피해에 관한 기록 등이 조회되지 않았기 때문이다. 다음은 미애에 대한 것을 알아낼 차례였다. 이랑은 미애가 남긴 디지털 정보를 통해, 성욱이 수현의 정체를 폭로하고 집무실로 돌아갔을 무렵에 미애가 개인 사정을 이유로 이후의 모든 일정을 취소했다는 사실을 알아냈다. 그는 이렇게 알아낸 각종 정보를 진과 수현에게 전달했고, 두 형사는 전달받은 정보를 토대로 성욱이 재훈의 딸을 죽인 자의 죽음에 깊이 개입했을 가능성이 매우 크다는 결론을 내렸다.

 진과 수현은 수사를 계속해 나갔다. 이들이 미애와 재훈 그리고 상래의 혈육을 찾아간 시점은, 우미애 사건의 진실을 은폐한 사람들이 체포되고 '진짜 우미애'를 찾기 위해서 야산과 저수지 그리고 폐교 등과 같은 장소에 대한 수색 요청이 접수된 이후였다. 두 형사는 세 사람의 혈육들에게 자초지종을 설명한 다음, 그들의 DNA를 분석하기 위한 시료를 채취하고 미애와 상래 그리고 재훈이 썼던 물품을 잠시 빌렸다. 다만 재훈과 미애의 혈육들과는 달리, 상래의 혈육들은 상래와 연락이 안 된다며 실종 신고를 했다가 얼마 뒤에 신고를 번복한 이유를 얼버무리면서 마지못해 진과 수현에게 협조하는 모습을 보였다. 이에 진과 수현은 그들과 성욱이 깊게 연관되어 있다고 확신했으나, 이를 증명할 물증이 없었기에 곧바로 국과수로 향했다. 국과수에서 보관 중인 고인들의 DNA와 오늘 손에 넣은 시료 및 물품을 분석하고 대조하면, 고인들의 신원을 밝혀낼 수 있으리라. 그들은 그리 확신하며 시료와 물건을 국과수에 넘겼고, 이들에게서 시료와 물건을 넘겨받은 국과수는 "양재훈으로 알려진 고인은 양재훈 본인이 맞다. 다만, 우미애로 알려졌던 고인은 우미애가 아니라 양재훈의 배우자이다."라는 결과를 내놓았다. 우미애 사건이 단순한 교통사고가 아니라는 진의 주장이 옳았음을, 과학이 증명한 셈이었다. 이에 진과 수현은 상래의 혈육들을 다시 찾아갔으나, 그들은 이미 도주한 뒤였다. 하지만 그들의 도주 행각은 두 형사로 인해 싱겁게 끝났다. 진과 수현은 도주 끝에 붙잡힌 그들을 추궁했으나, "우리는 아무것도 모릅니다."라는 답변만 들을 수 있었다.

이렇듯, 수사가 계속될수록 미애 사건이 단순한 교통사고가 아니라는 사실이 명확해졌다. 하지만 최성욱이 범인임을 입증할 물증은 나타날 기미가 보이지 않았다. 이에 진과 수현은 오세범의 유가족과 재훈 그리고 상래의 지인을 만나보기로 했다.

하나, 그들의 계획은 고막을 찢을 듯이 울리는 소리에 의해 어긋났다. 소리의 근원지는 진과 수현의 스마트폰이었다. 소방차의 사이렌을 연상케 하는 소리는, 행정안전부에서 발송한 긴급 재난 문자가 도착했음을 알리는 것이었다. 긴급 재난 문자는 대한민국에 존재하는, 공기계를 포함한 모든 스마트폰에 송신된다. 명칭 그대로 재난을 알리는 것이 목적인지라, 긴급 재난 문자가 도착했음을 알리는 경고음은 무음 모드인 스마트폰에서도 흘러나왔다.

진과 수현은 모든 행동을 멈추고 스마트폰을 꺼내 들었다. 그리고 똑똑히 보았다. 자칫했다가는, 대한민국 건국 이래 최악의 재앙을 불러일으킬지도 모를 '화평 원자력 발전소 사이버 테러 사건'을.

재앙의 씨앗은 다름 아닌, 인간의 손에서 탄생했다. 정체불명의 해커는 "화평 원자력 발전소"의 제어권을 탈취한 다음, 발전소를 구성하는 원전 4기 중 현재 유일하게 가동 중인 1호기의 출력을 최대로 설정하고 냉각시스템을 파괴했다. 이로 인해 원자로 온도는 급속도로 상승했고, 결국 핵연료봉인 노심(爐心)이 녹아내릴 위험에 처했다. 즉, 발전소의 제어권을 탈환하고 냉각시스템을 복구하지 못하면 노심이 녹아내리는 "멜트다운(meltdown)"과 함께 원전 폭발이라는 재앙이 닥칠 터였다. 그렇기에 정부는 중앙재난안전대책본부를 구성, 추가 테러를 대비해 최전방을 지키는 인력을 제외한 모든 군 인력을 원전에 투입했다. 그리고 내로라하는 기술자들을 불러 시스템 복구를 시도했다. 하지만 이들 중, 그 누구도 원전을 제어하는 시스템의 권한을 다시 가져오지 못하는 상황이었다.

"…가봐야겠어요. 지금 당장."

수현이 이를 악물며 읊조렸다. 그러자 진이 고개를 끄덕이며 답했다.

"그럼, 나는 오세범 씨 유가족을 만나볼게. 다행히 이 주변이라, 오래 안 걸릴 거야."
"부탁할게요."

수현이 나직이 말하며 가볍게 고개를 숙였다. 그리고 뒤도 돌아보지 않고 자리를 떴다. 진은 그런 그의 뒷모습을 물끄러미 바라보더니, 이내 전기차에 몸을 실었다. 그는 그렇게 세범의 유가족을 만나기 위한 여정을 시작했다. 하지만 그 역시 수현과 같은 처지에 놓이고 말았다. 이는 그에게 걸려 온 다급한 전화 한 통 때문이었다.

진에게 전화를 건 사람은, 성욱의 집 앞을 지키던 잠복근무 담당자 중 한 명이었다. 그는 성욱의 집 앞에 몰려든 지지자들과 대치하며, 성실히 임무를 수행했다. 그러던 와중에, 그를 비롯한 사람들에게 원전 테러 소식이 전해졌다. 경악할 만한 소식을 접한 지지자들은 제각기 다른 반응을 보였다. 누구는 집으로 돌아가겠다며 발걸음을 돌리고, 누구는 이탈하는 사람들을 "가짜 지지자"라고 욕했으며, 누구는 혼란스러운 틈을 타 회장님을 빼돌리자며 경찰을 공격했다. 하지만 경찰들은 제대로 대응할 수 없었다. 사이버 테러로 인한 원전 폭발 '위험'은 수많은 범죄를 만들어 냈다. 이 때문에 상부는 성욱을 감시하던 인력을 차출해, 치안 유지에 투입할 수밖에 없었다.

감시 인원이 이전보다 현저히 줄어들자, 성욱이 역습을 개시했다. 그는 책상 서랍을 열어, 숨겨두었던 사제 총기를 꺼내 들었다. 그러고는 2층의 창문가로 다가가, 사람들을 진정시키기 위해 애쓰는 두 명의 경찰을 향해 방아쇠를 당겼다. 그렇게 총알은 한 명의 목숨을 앗아갔고, 나머지 한 명의 왼쪽 어깨를 관통했다. 이를 본 사람들의 반응은 다양했다. 믿을 수 없다는 표정을 지으며 주저앉는 사람이 있는가 하면, 목숨을 잃은 경찰의 곁에 있다가 피를 뒤집어쓴 사람, 어깨에 총을 맞은 경찰을 향해 주먹을 휘두르는 사람도 있었다.

성욱은 무감정한 시선으로 자신이 만들어 낸 수라장을 내려다보았다. 그러자 시선을 느낀 경찰이, 고통에 이를 악물며 성욱을 올려다보았다. 하지만 성욱은 그를 상대할 마음이 없었기에, 한 치의 망설임 없이 창가를 떠났다. 경찰은 그를 어떻게든 붙잡을 요량으로 인파 속에서 몸부림쳤다. 그러나 총상을 입어 정신과 육체가 성하지 않은 데다, 지지자들의 방해가 거셌던 탓에 무엇하나 제대로 할 수 없었다. 그는 차를 타고 떠나는 성욱을 보며, 지지자들에게서 벗어나기 위해 안간힘을 쓴 끝에 진에게 연락할 수 있었다.

상황이 이런 탓에, 진은 세범의 유가족을 만나는 대신 성욱을 쫓아야 했다. 그는 곧장 교통계에 연락해, 성욱이 탄 차의 위치를 알려달라고 요청했다. 이에 담당자가 성욱의 집 주변에 설치된 CCTV를 확인한 뒤, 성욱의 위치를 알려주었다. 그리고 "다행히도 최성욱이 본인 소유의 차를 타고 있어서, 위치 확인이 쉬웠습니다."라는 말을 덧붙였다.

정보를 손에 넣은 진은 망설임 없이 운전대를 꺾었다. 그러자 진의 전기차가 날렵하게 방향을 틀며, 바닥에 검은색 흔적을 남겼다. 그리고는 순식간에 앞을 향해 질주하기 시작했다.

그는 가속페달을 있는 힘껏 밟으며, 도로 위를 수놓은 자동차들을 위태로이 피했다. 이에 운전자들은 경적을 울리고 욕설을 내뱉었다. 하지만 그는 멈추지 않았다. 아니, 애초에 멈출 생각 자체가 없었다.

'원전 테러의 가장 큰 수혜자는 최성욱이야.'

진이 이를 악물었다. 성욱은 원전 테러를 틈타, 경찰의 감시망을 벗어났다. 그렇기에 그는 '성욱이 테러를 사주한 게 아닐까?'라고 생각했다. 성욱은 하루아침에 유력한 대선 주자에서 출국 금지 처분이 내려진 범죄 용의자로 전락했다. 따라서, 얼마든지 극단적인 일을 벌일 수 있었다. 대통령직을 손에 넣지 못하게 된 것에 대한 분풀이로 말이다.

'하지만……'

진이 눈살을 찌푸렸다. 일순간 강렬한 위화감을 느낀 탓이었다. 그러나 지금은 위화감보다는, 총을 소지한 살인범을 체포하는 게 우선이었다. 자칫하다가는, 성욱이 또 다른 시민을 해칠 소지가 다분하므로.

진은 운전대를 잡은 손에 힘을 실었다. 그리고 대한민국에서 벌어질지도 모르는, 극히 드문 총격전을 대비해 숨을 골랐다.

*

차원 문을 통해 목적지에 도착한 수현은, 전담팀 회의실에서 뛰쳐나온 이랑과 마주쳤다.

"원전 시스템, 제가 복구할 수 있어요. 아니, 제가 아니면 안 돼요."

이랑이 고요한 전의를 불태웠다. 평소의 부드러운 분위기는 온데간데없었다. 나만이 테러범이 벌인 짓을 수습할 수 있다는 자신감이, 그에게서 뿜어져 나왔다. 수현은 그런 그를 바라보며 고개를 끄덕였다. 그러자 이랑이 차분한 어조로 화평 원전의 주소를 알려주었고, 수현은 이랑이 알려준 주소를 이용해 차원 문을 열려고 하였다. 하지만 무언가를 떠올렸는지, 그는 잠시 멈칫하더니 스마트폰을 꺼내 들어 연희에게 전화를 걸었다. 그러고는 "기자님. 나하고 했던 약속, 기억하죠? 단독 취재 말이에요."라고 운을 뗀 다음, "지금 화평 원전으로 갈 거예요. 가서, 원전 폭발을 막으려고요. 어때요, 이 정도면 특종이죠?"라는 말을 덧붙였다. 이에 연희는 한치의 망설임 없이 동행 의사를 밝히며 자신의 사무실 주소를 알려주었다. 그렇게 그는 수현이 열어준 차원 문을 통해 합류했고, 수현과 이랑을 따라 화평 원전으로 향하는 차원 문 안으로 발을 내디뎠다.

세 사람은 순식간에 화평 원전의 입구에 도착했다. 그러자 방호복을 입은 채 입구를 지키던 정부 관계자들과 군인, 국정원 요원들 그리고 카메라를 든 취재진의 시선이 그들을 향해 쏟아졌다.

"여기에는 왜 오신 겁니까?"

현장 지휘관이 다가오며 수현을 향해 날을 세웠다. 이에 수현이 침착한 어조로 답했다.

"재앙을 막으려요."
"이건, 우리 힘으로 해결해야 하는 일입니다. 그러니 돌아가십시오." 지휘관이 단호한 어조로 국가의 의지를 전달했다.
"원전이 폭발하면, 이 주변에 사는 사람들은 모두 피폭당할 텐데요. 그래도 정말 괜찮아요?"

수현의 말에, 지휘관이 침묵했다. 그는 정부가 내린 결정을 이행할 생각이었으나, 수현의 말이 옳다는 것까지는 부정할 수 없었다. 수현은 이를 눈치채고, 설득을 이어갔다.

"원전의 제어권을 탈환하고 시스템을 복구할 사람은, 내가 아니에요."

수현이 잠시 말을 멈추고는, 팔을 들어 올려 이랑을 가리켰다.

"여기, 최고의 화이트 해커이자 디지털 포렌식 전문가인 서이랑 순경님이죠."
"제어권 탈환 및 냉각시스템 복구, 제가 할 수 있습니다."

이랑이 재빠르게 말을 이어받았다. 그러자 지휘관이 고개를 돌려, 저보다 키가 한참 작은 이랑을 흘끗 쳐다보았다. 그의 시선은,

이랑이 입은 정복의 어깨 부분에 달린 계급장에 머물렀다.

"내가 원자로 온도를 낮춰 시간을 버는 동안, 서 순경님이 원전의 제어권을 탈환하고 냉각시스템을 복구할 거예요. 그럼, 이방인의 힘을 빌린 게 아니라… 지구인이자 한국인인 서 순경님과 이방인인 내가 '힘을 합쳐' 위기를 극복한 게 되겠죠. 아닌가요?"

수현이 지휘관을 똑바로 바라보며 조곤조곤 말했다. 그러자 지휘관이 코웃음을 치며 이랑에게서 시선을 거두더니, 다시 수현을 바라보았다.

"풋내나는 순경 따위가, 지금 이 상황을 해결할 수 있다? 말이 되는 소리를 해야지."

지휘관의 말과 표정에서 멸시가 드러났다. 이는 이랑의 자존심을 건드리기 충분했다. 이랑은 차가운 눈빛으로 지휘관을 올려다보았다. 그러고는 가시 돋친 말을 서슴없이 내뱉었다.

"나에 대해 얼마나 안다고, 감히 '순경 따위'라고 지껄여?"

가는 말이 고와야 오는 말이 곱다는 격언은 지휘관에게 아무런 영향을 끼치지 못했다. 그는 그저, 자신보다 한참 어리고 계급도 낮은 풋내기가 대들었다는 사실에 분노하고 불쾌해했다. 하지만 그 감정을 차마 입 밖에 내지는 못했다. 지휘관은 아담한 체구의 이랑에게서 뿜어져 나오는 자신감에 압도당했다. 이랑은 그런 그의 생각을 훤히 꿰뚫어 보고는, 목소리에 힘을 실었다.

"오직, 나만이 할 수 있는 일이야."

확신이 서린 문장에, 지휘관은 이를 악물었다. 마음 같아서는 이랑의 무례함을 지적한 뒤, 제 지위를 이용해 이랑을 찍어 누르고 싶었다. 하지만 이랑의 마지막 말이 그의 이성을 간신히 붙잡아 두었다. 지금은 자신의 기분보다 국가의 안위가 더 중요한 상황이었다. 그렇기에 그는 몸을 확 돌려 자리를 떴다. 이랑을 처벌하는 것은, 이랑의 말이 허풍인지 아닌지 알아본 뒤에 해도 늦지 않는다.
그로부터 얼마 지나지 않아, 지휘관이 돌아왔다. 그는 굳은 표정으로 수현과 이랑 그리고 현장을 촬영하느라 여념이 없던 연희를 향해 걸어오더니, 이내 멈춰 섰다.

"…대통령께서, 윤수현 씨의 제안을 특별히 수락하셨습니다."

지휘관이 딱딱한 어조로 운을 뗐다. 그는 이랑의 자신감이 허세가 아니라는 것을 알게 되었고, 결국 자신의 '사소한 말실수'를 인정해야만 했다. 하지만 사죄의 말을 입 밖으로 꺼내는 것은 차원이 달랐다. 그의 알량한 자존심은, 저보다 어린 데다가 계급까지 낮은 사람에게 정중히 사죄하는 행위를 허락하지 않았다. 그래서 그는 짐짓 아무렇지 않은 척, 딱딱한 태도로 수현과 이랑을 대했다.

"이게 다, 대통령께서 서이랑 순경을 높이 평가한 덕분입니다. 그러니… 이 재앙은 윤수현 씨 혼자 수습한 게 아닙니다. 대한민국의 출중한 인재 '서이랑 순경'과 함께 해결한 거죠."

지휘관이 수현의 힘을 빌릴 '명분'을 줄줄 읊었다. 이에 수현은
연신 고개를 끄덕이는 것으로 답을 대신했다. 그러자 지휘관은 "두
분, 따라오십시오. 거기 기자분은 남으시고."라고 말하며 앞장섰다.
하지만 이내 연희의 동행을 허락할 수밖에 없었다. "지구인과 외계
인이 함께 재앙을 극복하는 기념비적인 순간을 기록할 사람이 있
어야지 않겠어요?"라는 연희의 말을 반박할 수 없었기 때문이다.
다만, 그의 동행에는 "수현이 원자로의 온도를 낮추는 장면만 촬영
해야 한다."라는 조건이 뒤따랐다.
수현, 이랑, 연희 그리고 지휘관은 "관계자 외 출입 금지"라고 적
힌 저지선을 넘어, 발전소 안으로 향했다. 이랑은 서서히 가까워지
는 발전소를 물끄러미 올려다보며, 디지털 포렌식 특채에 지원했던
때를 떠올렸다. 그는 재능을 악용하는 자들을 끔찍이 싫어했다. 그
들은 세상을 바꾸거나 사람을 구할 수 있는 재능을, '고작' 사이버
범죄를 일으키는 데 썼다. 품위도 자부심도 없는 인간들이었다. 더
군다나, 그들의 '재능'은 같잖기 짝이 없었다. 이랑은 그런 같잖은
인간들을 도저히 용서할 수 없어, 포렌식 특채에 지원했다. 나와
네놈들의 수준 차이를 똑똑히 보여주고 싶다는 욕망이, 이랑의 원
동력인 셈이다.

"안녕하십니까."

그 순간, 갑작스러운 목소리가 일행을 멈춰 세웠다. 목소리의 주
인은 자신을 화평 원전의 엔지니어라고 소개한 다음, "이제부터는

저희가 안내하겠습니다."라는 말을 덧붙였다. 이에 지휘관은 알겠다는 말을 남기고 원래 자리로 돌아갔다.

방호복 차림의 엔지니어들은 세 사람을 발전소 안으로 데려왔다. 그러자 비상 상황을 알리는 붉은빛과 사이렌이 그들을 맞이했고, 이는 엔지니어들의 얼굴에 그늘을 드리우기에 충분했다. 하지만 수현과 이랑, 연희는 예외였다. 그들은 현장에 있는 사람 중, 침착할 수 있는 몇 안 되는 존재였다.

세 사람은 엔지니어들의 안내를 받아, 각자의 목적지에 도달했다. 이랑은 두꺼운 방호벽으로 둘러싸인 제어실의 컴퓨터 앞에 앉아 복구 작업을 시작했고, 수현은 원자로가 있는 건물 앞에서 멈춰 섰다. 그러고는 연희를 향해 "문이 열리면, 내 시야에서 절대 벗어나지 마세요."라고 신신당부했다. 그러자 방호복을 입은 연희가 연신 고개를 끄덕였다. 그렇게 모든 준비를 마친 수현과 연희는, 문을 열고 원자로가 있는 건물 안으로 들어갔다. 그러고는 아무런 망설임 없이, 원자로 앞에서 멈춰 섰다.

연료봉이 들어있는 원자로 압력용기에서는 열기가 뿜어져 나왔다. 하지만 수현의 능력 덕분에, 두 사람은 그 어떠한 영향도 받지 않았다. 기분 좋은 서늘함이, 그들과 원자로를 끌어안았다.

연희는 수현이 한 말을 떠올리며, 그와 원자로를 동시에 촬영할 수 있는 위치에 자리 잡았다. 그리고 곧바로 촬영을 시작했다. 수현은 노심이 녹아내리기 직전까지 치달은 원자로를 향해 손을 뻗었다. 그러자 조금 전까지만 해도 끊임없이 치솟던 온도가 점점 낮아지더니, 마침내 정상 범위로 돌아왔다! 이로 인해, 발전소 안을 가득 채웠던 경고음과 경고등에서 흘러나오던 붉은 빛이 사그라들었다.

희망은 삽시간에 퍼져나갔다. 그러나 불완전했다. 아직, 이랑이 임무를 끝마치지 못했다. 원전의 제어권을 탈환하고 냉각시스템을 복구하는 일은, 초기화한 하드디스크나 휴대전화를 복원하는 것과 차원이 달랐다. 따라서 시간이 더 필요했다.

"경위님. 시간이 더 필요해요. 일을 성공적으로 마치면, 다시 말씀드릴게요."

이랑이 컴퓨터 앞에 설치된 마이크를 사용해, 수현에게 말을 걸었다. 그의 목소리는 전선을 타고 원자로 건물의 스피커로 전해졌다. 이를 들은 수현은 뻗었던 팔을 거둬들였다. 그리고는 미동조차 하지 않은 채, 원자로와 연희를 동시에 바라보았다.

그로부터 시간이 어느 정도 흐른 뒤, 스피커에서 이랑의 목소리가 다시금 흘러나왔다. 이랑은 "냉각시스템, 작동시켰어요! 이제 나오셔도 돼요!"라고 말했고, 이에 수현은 연희와 함께 원자로 앞에서 물러났다.

태양이 자취를 감춘 시각. 재앙의 씨앗이 완전히 사라지고 희망이 완전한 형태를 갖추자, 사람들이 일제히 환호했다. 외신 기자를 포함한 취재진은, 발전소에서 걸어 나오는 세 사람을 향해 달려들어 마이크를 내밀었다. 그리고는 "정말 원전 사고를 막은 겁니까?", "범인에 대한 단서는 찾았나요?"와 같은 질문을 던졌다. 이에 이랑이 차분한 어조로 "네. 윤수현 경위님과 '함께' 막았어요."라고 답한 다음, "원전의 제어권을 탈환하고 냉각시스템을 복구하면서, 해킹범의 IP 주소를 확보했습니다."라고 말했다. 그리고 혀를 차며 "나름 숨기려고 애를 쓴 모양인데… 실력이 형편없더라고요."라는 문장을 덧붙였다.

 연희는 그런 그들을 뒤로한 채, 조용히 HBS 중계차로 향했다. 그리고 차 안에 있는 편집자에게, 수현의 모습을 담은 영상에 관한 이야기를 꺼냈다. 이를 들은 편집자는 흥분을 감추지 못했고, 덜덜 떨리는 손으로 연희가 촬영한 영상을 확인한 다음 곧장 영상을 편집하기 시작했다.

 그가 편집한 영상은 크게 두 파트로 나뉘었다. 첫 번째 파트는 수현이 손을 뻗어 원자로 온도를 낮추는 장면부터, "경위님. 시간이 더 필요해요. 시스템을 복구한 뒤에, 다시 말씀드릴게요."라는 이랑의 목소리가 스피커에서 흘러나온 시점까지였다. 두 번째 파트는 그로부터 약 2시간이 흐르고 "냉각시스템, 작동시켰어요! 이제 나오셔도 돼요!"라는 이랑의 목소리가 울려 퍼진 시점부터, 수현이 원자로 앞에서 철수하는 장면까지였다. 이렇게 편집된 영상은 HBS 보도국으로 전해졌고, 이내 "단독 보도"라는 타이틀과 함께 세상의 빛을 보았다. 물론 영상을 촬영한 사람이 하연희라는 사실도, 자연스레 세상에 알려졌다.

 연희의 영상을 본 사람들은, 수현이 큰 공헌을 했다는 사실을 인정할 수밖에 없었다. 물론 어디까지나 '서이랑과 윤수현이 함께' 재앙을 해결했다지만, 애초에 수현이 시간을 벌어주지 않았더라면… 원전은 폭발했으리라. 그리고 이러한 '객관적인 판단'은 수현에 대한 적의를 누그러뜨리는 데 한몫했다. 그들은 마침내, 모든 편견을 걷어내고 수현을 마주했다. 이는 다른 나라의 사람들 역시 마찬가지였다. 수현은 피에 굶주린 외계인이 아니라, 우리와 함께 살아가려고 노력하는 존재라는 사실을 깨닫기까지… 너무나 오랜 시간이 걸렸다.

하지만 인간이 지닌 편견과 악의에 마냥 우울해할 필요는 없었다. 이 행성에 재앙을 흩뿌리려 한 것도, 타자 -외계인- 를 배척하려 한 것도 인간이었으나… 재앙을 함께 이겨내기 위해, 이름 모를 타인과 함께 살아가기 위해 노력하는 사람도 분명히 있었다. 그들은 화평 원전 주변으로 모여들었고, 대형 방공호가 없었던 탓에 체육관으로 피신한 발전소 인근의 주민들을 위해 기꺼이 팔을 걷어붙였다. 상인회는 주민들에게 무료 식사를 지원했고, 정신건강의학과 의사들은 기자회견을 열어 주민들을 위한 무료 상담을 약속했으며 택시 기사와 버스 기사들은 너나 할 것 없이 주민들을 집까지 데려다주었다. 그렇게 누군가의 악의는, 평범한 사람들의 선의와 연대에 밀려 설 자리를 잃었다.

*

수현과 이랑이 재앙을 막기 위해 분투할 때, 진은 성욱을 뒤쫓았다. 서울청 교통계는 단속용 카메라를 모니터링해, 성욱이 탄 차의 위치를 실시간으로 알려주었다. 성욱은 도주 직후부터 지금까지, 단 한 번도 차를 바꿔 타지 않은 채 위험천만한 질주를 이어갔다. 이에 진 역시 속력을 높일 수밖에 없었다.

'역시, 도주가 목적이 아니야.'

만일 도주가 목적이었다면, 성욱은 중간에 차를 바꿔 탔어야 했다. 그렇기에 진은 성욱의 목적이 도주가 아니라 최후의 발악이라고 확신했다. 애초에, 출국 금지 처분을 당한 시점부터 몸을 숨길 장소 따위가 있을 리 만무했으니.

진의 차는 도로를 종횡무진 누비며 성욱과의 거리를 서서히 좁혀 갔다. 그는 운전대 앞에 두었던 사이렌을 차의 겉면에 부착해, 길을 터달라는 메시지를 전한 터였다. 하지만 도로 위 자동차들은 원전이 폭발할지도 모른다는 불안감에 사로잡혀, 진의 메시지를 대놓고 무시했다. 이런 탓에, 진은 위태로운 질주를 이어갈 수밖에 없었다.

끝이 보이지 않던 추격전의 양상은, 성욱이 진의 시야 안에 들어왔을 무렵에 바뀌었다. 진은 끊임없이 지름길을 찾아 달린 끝에 성욱을 따라잡았다. 그 순간, 성욱이 창밖으로 몸을 내밀며 진에게 사제 총기를 겨누었다. 그가 탄 자동차에 자동 운전 시스템이 탑재된 상태였기에 가능한 행동이었다. 현재 자동 운전 시스템의 완성도는 상용화할 수 있을 정도로 완벽하지는 않으나, 극히 일부 차량에 시범용으로 탑재된 상태였다. 최신 기술의 힘을 빌린 공격이 시작되자, 진은 묘기를 하듯이 차를 몰았고 자신의 목숨을 노리고 날아드는 탄환들을 모두 피하는 데 성공했다. 이에 성욱은 나직이 욕설을 내뱉으며 상반신을 차 안으로 욱여넣었다. 그런 그를 보며, 진은 성욱이 보유한 총탄을 모두 사용했다고 판단하고는 차의 속력을 더욱 높였다. 이렇게 쫓고 쫓기는 추격전이 한동안 이어졌다. 하지만 시간이 흐를수록, 성욱은 점점 궁지에 몰렸다. 발악의 끝은 퇴로가 없는 막다른 공간이었다. 성욱을 태운 차는, 주차된 차를 들이받고는 완전히 멈춰 섰다.

성욱은 사이드미러를 통해, 총을 든 진이 저를 향해 다가오는 장면을 보았다. 그러고는 뒤틀린 웃음을 지으며 운전석의 문을 열고 차 밖으로 나오더니, 두 손을 높이 들어 올리며 투항했다. 진은 그

런 성욱을 향해 총구를 겨누며 긴장을 늦추지 않고 천천히 다가갔
다. 그리고 성욱을 완전히 제압한 다음, 그의 재킷 주머니에서 발
견한 사제 총기를 압수했다. 최성욱 체포 작전은, 이렇게 완전히
막을 내렸다.

 이로써 진의 시간은 평온을 되찾았다. 그는 수갑을 찬 성욱을 광
수대로 데려왔고, 수현과 이랑의 활약과 성욱의 악행이 전파를 탔
다는 사실을 접했다. 그리고 마침내, 취조실에서 성욱과 마주했다.
한때 유력한 차기 대통령으로 추앙받던 자는, 경찰의 목숨을 앗아
간 극악무도한 살인범으로 전락했다.

 "…나의 완벽한 패배로군."

 의자에 앉은 채로, 성욱이 너털웃음을 터뜨렸다. 그러자 그의 반
대편에 서 있던 진이, 차가운 분노가 서린 시선으로 성욱을 내려다
보았다.

 "최성욱 씨. 당신은 진술을 거부할 수 있고, 변호사의 조력을 받
을 수 있습니다. 또한, 당신이 한 진술은 법정에서 유죄의 증거로
채택될 수 있습니다." 진이 무감정한 어조로 운을 뗐다.
 "그래… 아쉬운 것도 없으니, 내 특별히 자백하지. 궁금한 게 있
으면, 물어보도록."

 성욱은 다리를 꼬고 허리를 꼿꼿이 세운 채, 등을 뒤로 쭉 빼며
진을 올려다보았다. 진은 그런 그를 말없이 응시하더니, 이내 취조
를 시작했다.

"원전 테러, 당신이 사주했습니까?"

"내가 아니면 누가 했겠나?"

성욱이 마치 선행을 자랑하듯 악행을 전시하자, 진의 눈꺼풀이 미세하게 떨렸다.

"양재훈 부부와 화물차 운전사 오세범도, 당신이 끌어들인 겁니까? 인화 제약 연구원 살해 사건, 황지혜 사건, 예도윤 사건, 정명곤 사건, 나호율 사건, 우미애 사건 그리고 '인간, 이상' 프로젝트 뒤에… 당신이 있었습니까?"

진이 질문을 이어갔다. 형사인 그에게는 일련의 사건 뒤에 최성욱이 있으리라는 '단순한 추리'를 '진실'로 바꿔야 할 의무가 있었다. 그렇기에, 답을 알고 있음에도 질문을 던져야만 했다.

"그래. 네가 말한 모든 사건 뒤에, 내가 있었지."

성욱이 두 손을 무릎 위에 올려놓았다. 그러자 그의 손목에 자리 잡은 수갑에서 절그럭거리는 소리가 났다.

"황지혜, 예도윤, 정명곤이 저지른 범죄를 설계한 사람. 사람을 시켜 인화 제약의 라이벌 사(社) 브로커인 척 접근한 다음, 신약의 핵심 기술을 넘기기 위해 별장에 찾아온 연구원들을 죽인 사람. 내 계획을 알아채고 항의하러 온 우미애를 죽인 사람. 15년 전의 도박 빚을 갚아준 대가로 오세범을, 딸을 죽인 놈을 손봐준 대가로 양재훈 부부를 이용해 우미애의 죽음을 교통사고로 위장한 사람. 후천적 사이코패스 양성을 위해 아동 학대를 사주한 사람. 나호율을 이용해서, 너를 파멸시키려고 한 사람. 그게 바로…… 나, 성일 그룹의 총수 '최성욱'이다."

그는 의기양양하게 말을 마치며 숨을 고른 뒤, 느긋하게 한마디 덧붙였다.

"네 녀석이 구속됐다면, 윤수현과 윤수현의 고향 사람들이 '인간, 이상' 프로젝트를 기획했다고 할 생각이었는데… 아쉽게 됐어."

증거로 채택하기에 손색이 없는 자백이었다. 이대로라면 일련의 모든 사건을 완벽히 해결할 수 있을 터였다. 하지만 진의 얼굴에는 그 어떠한 감정도 드러나지 않았다.

"……화평 원자력 발전소는, 왜 건드린 겁니까?" 진이 한참 만에 침묵을 깨부수었다.
"정말 몰라서 묻나? 이 나라를 가질 수 없게 되었으니, 망가뜨려야지. 아무도 손에 넣을 수 없게."

뒤틀린 웃음을 짓는 성욱을 보며, 진은 이를 악물었다. 참으로 유치하고 뒤틀린 발상이었다. 대통령이라는 직위는 오르고 싶다고 오를 수 있는 게 아니다. 오직 국민의 선택이 대통령을 결정짓는다. 그러므로 민주주의 체제의 권력자는 국민 위에 있을 수 없다. 게다가, 국가는 사회 구성원들의 합의로 만들어진 개념이다. 따라서 국가는 그 누구의 소유물도, 전유물도 될 수 없다.

진은 한숨을 내쉬었다. 그리고 오른손을 들어 올려, 제 두 눈을 가리며 침묵했다. 그의 두 눈이 다시 드러난 시점은, 그로부터 약 1분이 흐른 뒤였다. 그는 오른손을 천천히 내리며 성욱을 내려다보았고, 이내 입술을 달싹였다.

"손가락 사이로 빠져나가는 모래를 보는 사람의 심정이야, 뻔하지."

말을 마친 진이 몸을 홱, 돌려 성욱에게서 멀어졌다. 하지만 얼마 가지 않아 멈춰서, 상념에 잠겼다. 그러고는 다시 몸을 돌려 성욱을 바라보며 입을 열었다.

"본격적인 수사는 내일부터 진행하겠습니다. 모든 사건의 원흉인 당신을 체포했으니, 서두를 필요는 없겠죠."

진은 곧장 취조실을 나섰다. 그러자 복도에서 기다리던 형사들이 진을 축하해 주며 친한 척을 했다. 진은 그런 그들을 향해 엷게 웃어주었다. 하지만 끝끝내 말을 섞는 것을 거부했다. 그는 어떻게든 제 눈에 들어, 수사팀에 합류하려는 하이에나들과 작별했다.

진이 향한 곳은 주차장에 주차된 전기차였다. 그는 운전석에 앉아, 양손을 들어 올려 제 얼굴 전체를 감쌌다.

유 진. 그는 전혀 기쁘지 않았다. 성욱이 늘어놓은 자백은 그럴듯했으나, 자신이 느꼈던 위화감을 해소하기는커녕 의문만 증폭시켰다.

'윤수현이 어떤 존재인지 알면서, 화평 원전만 노렸다……?'

진은 위화감을 낱낱이 해부하기 시작했다. 만일 성욱이 수현의 존재를 몰랐다면, "이 나라를 가질 수 없게 되었으니, 망가뜨려야지. 아무도 손에 넣을 수 없게."라고 말할 수 있다. 하지만 성욱은 수현의 존재를, 수현이 지닌 불가사의한 힘의 한계를 알고 있다. 그렇기에 정말 이 나라를 망가뜨릴 생각이었다면, 최소 두 군데 이상의 원자력 발전소를 동시에 공격했어야 했다. 왜냐면, 수현은 '시야 안에 있는, 확실히 인지한 존재'에만 영향을 끼칠 수 있으니까!

'……최성욱의 진짜 목적은, 원전 폭발이 아니다.'

그는 두 손을 얼굴에서 천천히 떼며 생각을 이어갔다. 화평 원전 테러 사건으로, 최성욱은 얻은 게 없다. 오히려 악명만 쌓았다. 반면, 수현은 원전 폭발을 막은 '구원자' 중 하나가 되었다.

'설마… 윤수현에 대한 사람들의 적의를…… 없애기 위해서?!?!'

여기까지 생각이 미치자, 진이 소리를 내며 숨을 몰아쉬었다. 하지만 인제 와서 멈출 수는 없었다. 모든 가능성을 고려해, 위화감 속에 숨은 진실을 찾아야 했다.

'애초부터… 최성욱은, 대통령이 될 생각이 없었던 거야.'

그는 지금까지 해 온 추리의 근간을 부정하고, 모든 것을 다시 쌓아 올리기 시작했다. 최성욱은 대통령이 될 생각이 없었다. 그럼에도 그는 유력 대권 주자로 부상하기 위해 손에 피를 묻히고, 검찰총장과 결탁해 저를 공격했다. 하지만 공격은 무위로 돌아갔고, 성욱에게 유리하던 상황이 드디어 뒤집혔다. 그렇다면…….

'원전 테러를 사주한 것도, 전병길을 이용해 나를 공격한 것도… 모두 나와 윤수현에 대한 사람들의 적의를 없애기 위해서였다고?! 그래 놓고 자기는 온갖 악명을……?'

일순간, 진이 숨을 짧게 들이쉬었다. 하지만 내쉬는 것을 잊어, 그의 숨은 찰나 동안 끊겼다.

그 순간… 진실이, 보였다.

더는 망설일 필요가 없었다. 진은 해답을 찾아 전속력으로 자동차를 몰았고, 얼마 지나지 않아 답이 있는 장소에 도착했다.
그는 감정을 철저히 숨긴 채, 천장을 올려다보았다. 그리고 생각했다. 과연, 저기에 감시용 불법 카메라가 설치되어 있을까?

'아니, 그럴 리 없다. 애초에 괴한이 들어왔던 때도 발견되지 않았어.'

진은 거침없이 손을 뻗어, 잠겨있던 문을 열었다. 그렇게 제집으로 돌아온 그는 거실을 향해 성큼성큼 걸어갔다. 그의 발걸음은, 커다란 책장 옆에 있는 정사각형 모양의 작은 책장 앞에서 멈추었다.

고전 영화 비디오테이프. 그의 시선은, 고전 영화 비디오테이프에…… "인간, 이상" 프로젝트 당시 촬영됐을지도 모를 영상 자료에 내리꽂혔다.

'도청이나 도촬을 할 생각이었다면… 이걸 나한테 안 맡겼어야지. 그래야… 말이 되지. 안 그래?'

진은 생각했다. 최성욱이 벌인 일의 가장 큰 수혜자는 누구인가? 바로 자신과 윤수현, 하연희, 서이랑이었다. 하지만 저를 포함한 네 사람 말고도, 한 명이 더 있었다. 모든 사건의 최종 수혜자이자, 숨겨진 진범. 그는 바로… 유인영이었다.

'최성욱은 패배하기 위해 나를 공격했다. 즉, 내가 익명으로 기부를 해왔다는 사실을 진즉에 알았다는 거다. 하지만… 내가 어떤 마음으로 익명 기부를 했는지 아는 유일한 사람은, 유인영… 당신 하나뿐이었어.'

진은 전신의 떨림을 억누르며 비디오테이프를 향해 손을 뻗었다. 일련의 사건으로 최성욱은 '절대 악'이 되었고, 그를 저지하려던 자신은 자연스레 '절대 선'을 대표하는 사람이 되어버렸다. 이로 인해, 저의 양어머니인 유인영 역시……!

그 순간, 진동음이 그를 엄습했다. 진은 뻗었던 손을 거두어들이며, 코트 주머니 안에 스마트폰을 꺼냈다. 그러자 "뉴스 봤어. 최성욱을 드디어 잡았다면서? 엄마는, 내 딸이 자랑스럽다."라는 문장으로 시작되는 메시지가 그를 반겼다. 문자 메시지의 마지막을 장식한 것은, "내일 오전 10시에 기자회견을 열 생각이란다. 나는 신경 쓰지 말고, 수사에 전념하렴."이라는 문장이었다.

'대선 출마 선언을 하려는 거겠지. 내가 절대 악을 굴복시킨, 절대 선이 되었으니까.'

진이 입술을 짓씹으며 스마트폰을 움켜쥐었다. 권력을 손에 넣겠다는 야심을 품은 사람은, 최성욱이 아니라… 유인영이었다.

진은 숨을 들이쉬었다가 내쉬었다. 그러고는 평소와 다름없는 분위기를 가장한 답장을 전송했다. 자신이 처음부터 끝까지 놀아났으니, 인영은 분명히 방심하고 있으리라. 그러니까 지금껏 감시할 생각조차 하지 않은 것 아닌가? 따라서, 지금이 반격할 절호의 기회다. 그는 그리 생각하며, 책장에 꽂힌 비디오테이프를 전부 꺼내 들은 다음 수현에게 전화를 걸었다. 수현은 해커의 IP 주소를 알아낸 이랑을 먼저 서울청으로 보낸 뒤, 화평 원전 인근의 마을에서 봉사 활동을 하고 있었다. 진은 그런 수현이 전화를 받기가 무섭게, "이 나라 사람이 절대 접근할 수 없는 곳, 무조건 나와 너를 편들어줄 사람들이 있는 곳으로 데려다줘."라고 말했다. 그러자 수현은 잠시 침묵하더니, 진의 위치를 물어왔다. 이에 진은 "집이야."라고 짧게 답했고, "알겠어요. 조금만 기다려 줘요."라는 답을 받고 통화를 마쳤다.

초인종 소리가 진의 집에 울려 퍼진 시점은, 그로부터 얼마 뒤였다. 진은 인터폰 너머에서 "경위님, 나예요."라는 목소리를 듣고 곧바로 문을 열어주었다.

"사람들한테는, 일이 있어서 먼저 가겠다 했어요."

수현이 문을 닫고 들어오며 말했다. 진은 그런 그를 보며 침묵했고, 수현 역시 고전 영화 비디오테이프를 들고 있는 진을 빤히 바라보았다.

"…그 비디오테이프, 보고 싶은 거죠?" 수현이 한참 만에 침묵을 깼다.
"응. 내 집에는 재생장치가 없거든. 당장 살 수도 없는 노릇이고." 진이 고개를 끄덕이며 답했다.
"재생장치가 있으면서, 무조건 경위님이나 내 편을 들어줄 사람이 있는 장소. 이 나라 사람들이 절대 접근할 수 없는 장소라면……."

수현이 입가로 손을 가져가며 생각에 잠겼다. 그러고는 얼마 지나지 않아, 완벽한 해답을 내놓았다.

"내 고향에 있는 '기록 박물관'으로 가죠. 고향 사람들이라면, 무조건 내 편이에요. 물론 내 친구인 경위님의 편이기도 할 테고요. 마침 시간의 흐름도 지구와 비슷하거든요. 언어는 내가 해결하면 되니, 문제도 아니죠. 어때요, 괜찮지 않나요?"
"좋아."

진이 동의하자, 수현은 곧바로 정면을 향해 손을 뻗어 차원 문을 열었다. 그러자 푸르스름한 차원 문 너머, 미지의 세계가 진의 눈 앞에 펼쳐졌다. 지구와 비슷하면서도, 다른 풍경의 세계가.

 둘은 차원 문을 향해 발을 내디뎠다. 그러자 그들을 감싼 풍경이 바뀌었고, 거대한 건물 한 채가 그들을 맞이했다.

"여기가 바로, 기록 박물관이에요. 기록과 관련된 모든 것들이 있는 곳이죠."

 수현이 박물관 안으로 들어가며 운을 뗐다. 진은 말없이 그의 뒤를 따랐다. 수현은 박물관의 관계자를 찾아가 "비디오테이프를 보고 싶은데, 어떻게 안 될까요?"라고 물었고, 관계자는 "윤수현 박사님의 부탁인데, 당연히 들어드려야지요!"라며 흔쾌히 허락했다. 그렇게 진과 수현은 전시실 뒤의 스태프 룸을 빌릴 수 있었다.

 그들은 스태프 룸 안으로 들어갔다. 수현은 "지구에서 봤던 것과 비슷하지만, 혹시 모르니까요."라며, 재생장치 표면에 써진 글자를 진에게 읽어주었다.

'비슷한 정도가 아니라, 똑같은데?'

 진이 비디오테이프를 투입구에 넣은 다음, 재생 버튼을 눌렀다. 그러자 재생장치와 연결된 화면에 노이즈가 나타나더니, 이내 영상 하나가 화면을 가득 채웠다.

 진과 수현은 영상 속의 젊은 여성을 바라보았다. 그들은 여성이

'젊은 시절의 유인영'이라는 사실을 알 수 있었다. 그야, 영상 속 인물은 누가 보아도 젊은 시절의 유인영이었다.

젊은 시절의 인영은, 침대 위에 누워있는 한 여성을 향해 다가갔다. 그러고는 두 손을 들어 올려, 여성의 목을 가차 없이 조르기 시작했다. 여성은 껙껙거리며 저항했으나, 결국 인영의 힘을 이기지 못하고 축 늘어졌다. 인영은 그런 그를 환희에 찬 눈빛으로 바라보더니, 이 모든 범행 장면을 촬영 중인 카메라를 향해 다가왔다. 그러고는 카메라를 집어 들더니, 숨이 끊어진 여성을 가까이서 촬영하기 시작했다. 카메라의 시선은 마치 예술 작품을 감상하는 관람객 같았다.

"잘 가, 유소영. 아니지, 소영 언니라고 불러야 하지?" 인영이 쾌락에 잠긴 목소리를 계속해서 내뱉었다. "사랑하는 여동생의 손에 죽는 기분이 어때?"
"뭐야. 이모는 지병 때문에……?"

진이 멍하니 중얼거렸다. 하지만 그의 말은 영상 속 인영의 갑작스러운 울부짖음에 의해 사정없이 잘려 나갔다.

"왜, 왜 다들 못 버티는 거지?! 왜 다들 쉽게 죽어버리는 거야? 즐거움은… 어째서 한순간인 거냐고!!!"

진이 눈을 크게 떴다. 젊은 시절의 제 양어머니는, 살인을 유희로 인지하고 있었다. 유소영의 목숨을 앗아갔다는 사실에 죄책감을 느끼는 게 아니라, 소영이 너무 빨리 죽어버렸다는 것에 슬퍼하고 있었다.

 그때, 젊은 인영의 울음이 끊겼다. 그는 카메라의 렌즈가 자신을 비추게 한 다음, 순수한 웃음을 지으며 입을 열었다.

 "그래… 그래도 괜찮아. 나한테는 내 딸, 유 진이 있으니까."

 인영이 말을 마치기가 무섭게, 진의 얼굴에 역겨움이 떠올랐다. 하지만, 이어지는 말은 조금 전에 느낀 감정을 완전히 지우고도 남았다.

 "이유진. 불로불사 외계인이 키웠던 아이니까… '신(神)의 아이'라고 해도 되겠지."

 일순간, 진의 사고회로가 정지했다. "이유진"은 입양되기 전, 자신의 본명이었다. 그리고 저와 관련된 불로불사의 외계인은… 윤수현뿐이었다.

 "저게 무슨 소리야? 불로불사의 외계인은, 너 하나뿐이잖아. 내가 네 손에 컸다니, 대체 무슨 이야기냐고!!!"

 진이 몸을 홱 돌려, 뒤에 서 있는 수현을 향해 악을 썼다. 하지만 수현은 두 손을 꽉 맞잡은 채, 시선을 피하기만 할 뿐이었다. 그렇게 둘 사이에 침묵이 내려앉았다. 하지만 위태롭기 그지없던 침묵은, 젊은 인영의 광기 서린 웃음에 의해 산산이 조각났다.

"신은 될 수 없지만, 신의 아이만큼은… 내 마음대로 할 수 있어!!!"

인영의 웃음은, 인내심이 폭발한 진이 일시 정지 버튼을 누르는 것으로 막을 내렸다.

"윤수현. 설명 좀 해 봐. 이, 이게 다 어떻게 된 일인지, 내가 모르는 게 대체 뭔지!"

격노한 진의 목소리가 방을 가득 채웠다. 이에 수현은 눈을 감고, 맞잡은 두 손을 꼭 쥐더니… 천천히 눈을 뜨며 갈라진 목소리를 냈다.

"나는… 부모는 돼 줄 수 없지만, 놀이공원에 같이 가 줄 수는 있어요."

수현의 미세하게 떨리는 목소리가, 진의 기억을 파고들었다. 그러자 거짓이, 당연히 진실이라고 믿어왔던 기억이, 세상이 증발하고… 기억 속에서 완전히 지워졌던 진실이 모습을 드러냈다.

*

무의식 속으로 침잠해 있던 기억의 시작은, 수현이 저를 응급실에 데려다 놓은 때로부터 대략 12시간이 지난 시점부터였다. 지금까지 당연히 진실이라고 여겨온 기억과는 다른 장면이, 눈앞에 펼쳐지기 시작했다.

수현이 침대 위에 앉아 있는 어린 진을 향해 다가오더니, 아이 옆에 의자를 놓았다. 그러고는 그 의자 위에 앉으며 운을 뗐다.

"저기. 이름, 이유진이라고 들었는데요. 맞나요?"

진은 눈을 크게 뜨며, 기억 속의 수현과 어린 시절의 자신을 바라보았다. 그는 수현이 자신을 병원에 데려다 놓은 다음 자취를 감추었던 장면을, 수현이 모습을 감춘 뒤 인영과 처음 만났던 장면을 똑똑히 기억했다. 그러나, 새로이 떠오른 기억은… 그가 알고 있던 사실을 철저히 부정했다.

"내가, 당신을 뭐라고 부르면 될까요?" 수현이 침대 위에 앉아 있는 아이를 향해 다시금 물었다.
"……이유진 양, 이라고 불러주세요. 호칭 없이 이름만 부르면, 날 버리고 도망간 사람들이 생각나서 싫어요." 침묵하던 아이가, 드디어 운을 뗐다.
"알겠어요. 그럼, 이유진 양. 아저씨랑 같이 갈래요?" 말을 마친 수현은 아차 싶었는지, 재빨리 말을 덧붙였다. "싫으면, 안 가도 돼요. 강요하는 거 아니니까."

어린 시절의 진이 수현을 물끄러미 바라보았더니, 무미건조한 문장을 뱉어냈다.

"…어디로요?"

어린아이의 눈빛은 공허하기 그지없었다. 수현은 그런 아이를 달래려는 듯, 화사한 웃음을 지으며 답했다.

"집에요!"
"…못 들어가요. 다 잠겨있잖아요. 게다가, 다 타버렸고."

고개를 푹 숙인 아이의 대답은 수현의 호의를 튕겨냈다. 하지만 수현은 포기하지도, 따스한 웃음을 잃지도 않았다.

"그 집 말고요, 내 집을 말한 거였어요."
"……이모는요? 삼촌하고 할아버지, 할머니는 어떻게 됐어요?"

고개를 든 아이의 질문에, 수현이 난감한 표정을 지었다. 그러나 침묵할 수는 없었기에, 진실을 들려주었다.

"그게… 다들 연락이 안 된대요. 이유진이라는 애는 모르니까, 연락하지 말라고……."

수현이 말끝을 흐리자, 어린 진은 두 손으로 이불을 꽉 쥐며 다시금 고개를 푹 숙였다. 아이의 눈가에는 눈물이 맺혔으나, 그뿐이었다. 눈물은 중력을 타고 떨어지는 것을 한사코 거부했다. 수현은 그런 아이를 말없이 바라보았다. 그는 아이가 슬픔과 분노를 찍어 누르려 애쓴다는 사실을 알아챘다. 하나, 굳이 그 사실을 지적하지는 않았다. 애초에 지적해서는 안 되기도 했다.

그 순간, 아이가 고개를 들어 수현을 바라보았다. 여전히 텅 빈 시선이었으나, 희미한 결의가 일렁였다.

"좋아요. 아저씨랑 같이 갈게요. 내가 필요하다고 말한 사람은, 이 세상에 아저씨 하나뿐이니까."

어린 진은 말을 마치자마자 입을 꾹 다물었다. 그러고는 수현을 향해 오른손을 내밀었다. 수현은 그런 그의 손을 보더니, 오른손을 뻗어 아이의 손을 살짝 잡아주었다.

현재의 진은 두 사람의 뒤를 쫓았다. 과거의 자신과 수현은 어느새 국정원을 벗어났고, 이내 어딘가에 도착했다. 그곳은 지금의 진에게도 익숙한 장소였다. 그럴 수밖에 없었다. 그들의 목적지는, 윤수현의 집이었으니까.

"여기가 바로, 내 집이에요. 아니, 이제 '우리' 집이죠."

수현이 현관문을 열며 들뜬 목소리로 말했다. 아이는 그런 그를 따라 집 안으로 들어갔고, 현재의 진 역시 둘의 뒤를 따라 들어갔다.

"일단, 손부터 씻어야겠죠?"

수현은 아이를 이끌고 화장실로 향했다. 그렇게 둘은 옷소매를 걷고 손을 씻은 다음, 다시 거실로 나왔다.

"배고프죠? 조금만 더 참아요. 금방 만들어 줄 테니까."

수현이 주방으로 발걸음을 옮기며 말했다. 이에 아이는 식탁 앞에 놓인 의자에 앉아 얌전히 수현을 기다렸고, 요리를 급히 시작한 수현은 얼마 지나지 않아 온갖 음식들로 탁자 위를 채워 넣었다.
아이는 탁자 위를 수놓은 음식들을 물끄러미 바라보았다. 먹음직스러워 보이는 음식들은 소박하고 정갈한 것부터, 화려하고 단 디저트까지… 없는 게 없었다.

"일단, 배운 대로 만들어봤어요. 입에 맞았으면 좋겠는데… 이, 이유진 양? 왜 그래요? 내가 뭐 잘못했어요?!"

화사한 웃음을 지으며 말하던 수현의 얼굴에, 당혹스러움이 번졌다. 차려진 음식을 본 아이의 눈가에 눈물이 맺혔기 때문이다.

"아, 아니요… 이, 이렇게 멀쩡한 음식은 처음…… 이라서……."

아이가 훌쩍이며 갈라진 목소리로 대답했다. 그러자 수현의 얼굴에 일순간 섬뜩한 분노가 스쳐 지나갔다. 하지만 말 그대로 일순간이었던 터라, 아이가 감지할 새도 없이 순식간에 자취를 감추었다.

"기대해요. 나, 할 줄 아는 음식 많으니까… 앞으로 많이 만들어 줄게요."

수현이 아이를 향해 싱긋 웃었다. 그러자 아이가 눈가에 맺힌 눈물을 훔치며 고개를 연신 끄덕였다.

진은 기억 속의 한 장면을 멍하니 바라보기만 할 뿐이었다. 그런 그를 향하여, 진실이 끊이지 않고 밀려들었다. 그는 수현이 어린 시절의 자신에게 책을 읽어주는 모습을, 차원 문을 열어 고향 행성의 모습을 보여주는 장면을 보았다. 또한, 집으로 찾아온 국정원 소속 정신과 의사가 "이유진 양의 최면 치료는 불가능할 것 같습니다. 최면이 걸려야 뭐든 해 볼 텐데. 최면이 안 걸립니다."라는 말과 "그러니 수현 씨께서 유진 양의 곁을 지켜주세요. 함께, 최대한 많은 시간을 보내세요. 유진 양의 고통스러웠던 시간을, 행복으로 채워주셔야 합니다."라는 말을 하는 장면을 보기도 했다. 그러다, 마침내… 수현의 고향에 있는 놀이공원에 갔던 기억에, 수현이 웃으며 건넨 "나는… 부모는 돼 줄 수 없지만, 놀이공원에 같이 가 줄 수는 있거든요."라는 말에 도달했다.

*

기억은, 그렇게 끝이 났다. 진은 과거 속에서 완전히 빠져나온 다음, 수현과 재회한 지 얼마 안 됐을 무렵에 재발한 두통과 환각을 떠올렸다. 그리고 침입자가 트렌치코트를 찢어놓은 다음 날을 떠올렸다. 그날 아침, 수현은 저에게 "좋은 아침이에요, 경위님. 잠은 편히 잤나요?"라는 인사를 건넸고 자신은 그런 그에게 "응, 평소와 크게 다르지 않……"이라고 말하면서 묘한 기시감에 사로잡혔었다. 두통과 기시감 모두, 당시에는 아무렇지 않게 흘려보냈지만… 지금은 그럴 수 없었다. 왜냐면, 비로소 두통과 기시감의 원인을 찾아냈으니까!

"……이래서, 후배 취급해달라고 했던 거야? 어떻게든 너를 떠올리지 못하게 하려고? 내가 너한테 존댓말을 쓰면, 기억을 되찾을지도 모르니까?"

진이 부들부들 떨며 문장을 토해냈다. 그러자 수현이 천천히 고개를 한 번 끄덕이는 것으로 답을 대신했다. 이에 진은 온 힘을 실어 입술을 짓씹었다.

"경위님, 그러다 피……!"

수현이 어찌할 줄 모르며 손을 뻗었다. 하지만 진은 거칠게 수현의 손을 쳐냈다. 그러자 수현은 뻗었던 팔을 거두어들이며 슬픈 표정을 지었다.

"내가 너를 기억하지 못한다는 거, 알았잖아. 몰랐을 리 없잖아!!! 그런데 왜 가만히 있었어?! 조금만 더 일찍 말해줬으면, 유인영을 철석같이 믿지는 않았을 텐데!!!"

진의 눈가에 피눈물이 맺혔고, 이내 중력과 함께 흘러내렸다. 이를 본 수현은 이를 악물었다. 그리고 마침내 입술을 달싹여, 무언가를 말했다.

"…하니까요."

하지만, 수현이 중얼거리듯 말한 탓에 뜻이 전해지지 않았다. 이에 진은 눈살을 찌푸리며 수현을 노려보았다. 그러자 수현이 눈을 질끈 감았다가 뜨며, 제대로 된 문장을 완성했다.

"사랑하니까요!!!"

수현의 눈에서 투명한 눈물이 뚝뚝 떨어져 내렸다. 마치 얼어붙은 혹한의 땅이 녹아내리는 것만 같았다. 진은 그런 수현을 멍하니 바라보았다.

"누가 그러던데요? 다른 기억은 멀쩡한데, '어떤 사람'에 대한 기억만 없다는 건… 잊고 싶어서. 감당할 수 없어서라고."

진은 아무 말도 할 수 없었고, 그 어떠한 표정도 지을 수 없었다. 수현은 그런 진을 향해, 슬피 웃으며 말했다.

"이런데, 어떻게 말할 수 있었겠어요. 내가… 경위님의 삶에 필요 없는 존재라는데. 내 존재 자체가, 당신한테 상처가 된다는데."

수현은 멈추지 않았다. 그는 여태껏 쌓아왔던 말을 토해내기로 작정한 듯했다.

"맞아요. 나는 공감할 줄 몰라요. 남들은 아무 노력 없이도 잘만 하지만, 나는 아니에요. 그래서 감옥에 가기 싫다는 이유로 의사가 됐고, 사랑받고 싶어서 사람들을 살렸죠. 하지만 그런 욕망도 한순간이었어요. 사랑받는 것도, 결국에는 질리더라고요. 지겹기 짝이 없어.”

 수현이 잠시 말을 멈추었다. 그러고는 다시금 말을 이어갔다.

“미칠 것 같았어요. 너무 지루하니까, 겨우 억눌렀던 살인 충동이 고개를 들었어요. 하지만 감옥은…… 감옥은 더 지루할 게 뻔하잖아요? 그래서 법의 테두리 안에서 할 수 있는 일은 거의 다 해 보고 다녔어요. 하지만 여전히 따분했어요. 그래서 온갖 방법을 동원해 자살 시도를 해 보고, 블랙홀 안에 뛰어들어 봤죠. 인육이 대체 어떤 맛일까, 싶어서 내 팔을 잘라 먹어보기도 했고요. 그래도 따분한 건 마찬가지였어요. 당연하죠, 나는 쾌락에 목마른 사람이니까! 나를 지탱하는 건, 권태를 잊게 해줄 쾌락뿐이니까!”

 수현은 쾌락을 위해서 움직이는 존재였다. 그렇기에 제멋대로였다. 그는 새로운 수술법을 연구한답시고 제 팔을 아무렇지 않게 절단했으며, 인육의 풍미가 궁금하다는 이유로 제 신체를 잘라 먹었다. 그는 호기심을 품으면 어떻게든 해결해야만 직성이 풀렸다. 의사 윤수현이란 그러한 본성을 지닌 사람이었다.

“나는, 그냥… 내 마음대로 살았을 뿐이에요. 그래요… 결국에는 사랑받는 것도 질려버린 거죠. 그래서, 그래서…….”

 수현의 목소리가 끊기자, 흐르던 시간이 멈춘 것만 같았다. 얼어붙은 시간은, 그가 툭 던지듯이 내뱉은 말에 의해 다시금 흘러갔다.

"……사랑해 보고 싶었어요. 사람들을, 세상을 사랑하는 건… 단 한 번도 해 보지 않았으니까. 그래서 외상센터를 나와, 의료 봉사를 시작했어요. 생각보다 재밌더라고요? 태어나서 그런 쾌락은… 처음이었어. 그러다 보니 어느 순간, 진심으로 사람들을 사랑하게 됐어요. 그래서 전쟁을 막기 위해 몸부림쳤고, 결국 그렇게나 가기 싫어하던 감옥에 갔던 거예요. 물론, 따분해서 죽을 지경이었지만… 사람들이 죽고, 슬퍼하는 건 더 싫었어요. 그래서 참고 또 참았어요. 국가가 전쟁 계획을 철회하고, 나를 감옥에서 꺼내줄 때까지. 그리고… 감옥에서 나온 날, 수많은 사람이 나를 위해 울고, 웃어줬어요. 그 순간, 이 행성이 아닌 다른 행성에 사는 사람들도, 이 우주 너머에 있는 또 다른 우주에 사는 사람들도…… 이 사람들처럼 행복해했으면 좋겠다는 생각이 불현듯 들더라고요. 그래서 차원과 행성을 넘나들며 의료 봉사를 펼치는 차원 의사회에 들어갔고, 그렇게 1000해(垓) 년? 1000재(載) 년 정도 지났나?"

수현의 입에서 상식을 초월하는 숫자의 단위가 나오자, 진은 아무 반응도 보일 수 없었다. 그의 머릿속은 말 그대로 멈춰버린 상태였다. 하지만 수현은 이를 눈치채지 못한 듯, 문장에 문장을 이어 붙였다.

"어쨌든. 그러다 지구까지 오게 됐고, 경위님과 만난 거예요. 하지만… 경위님과 시간을 보낸 건 고작 2년뿐이었어요. 2년 뒤에, 나는 경위님을 놓아줘야만 했으니까."

쓴웃음을 짓는 수현에게서 '그날'의 진실이, 24년을 축약한 이야기가 흘러나왔다.

*

24년 전. 진이 홀로 시간을 보내는 동안, 수현은 국정원을 찾았다. 그리고 자신이 누구이고 여기에 왜 왔으며, 병원 응급실에 자신이 구한 아이가 있다고 말했다. 하지만 국정원 요원들은 그를 미친 사람 취급했고, 결국 수현이 차원 문을 열고 무형의 힘으로 물체를 들어 올리는 것을 목격한 다음에야 그의 말을 믿어주었다.

시간은 급박하게 흘러갔다. 요원들은 도원시 단독주택 방화 사건의 수사권을 가져왔다. 그리고 수현의 정신상태를 검증한 다음, 회의 끝에 받아들이기로 했다. 이는 국가가 수현의 사이코패스 성향보다, 수현이 지닌 능력에 관심을 보였기에 가능한 일이었다.

국가의 관심은 수현이 구한 아이에게도 닿았다. 국정원은 진의 친인척에게 연락을 시도했고, 진을 돌봐줄 수 있겠냐고 물었다. 하지만 그 누구의 입에서도 아이를 돌보겠다는 답은 나오지 않았다. 우리와는 상관없으니, 알아서 하라는 매몰찬 대답만이 되돌아올 뿐이었다. 이에 요원들은 아이의 처지가 딱하다, 세상이 어린아이에게 이렇게까지 잔인하고 냉혹할 수 있느냐며 혀를 찼다. 그런 그들의 대화를 우연히 들은 수현은 "내가, 그 아이를 돌볼게요. 내가… 그 아이를 사랑해 줄 수 있어요."라고 간곡히 청했고, 국정원은 긴 고민과 토론 끝에 그를 진에게 데려갔다. 그렇게 진과 다시 마주한 수현은 진에게 자신과 함께 가지 않겠냐고 제안했고…… 자신의 제안을 수락한 진과 함께, 요원이 운전하는 차를 탔다. 세 사람을 태운 자동차의 목적지는, 수현과 진이 앞으로 살아갈 새로운 집이었다.

 수현은 어린 진을 지극정성으로 돌봤다. 덕분에 진은 서서히 밝은 모습을 되찾았다. 그는 국정원 심리 전문가의 권유를 받아들여, 진을 학교에 보내는 대신 직접 가르쳤다. 그러면서 진과 함께 자기 고향에서 많은 시간을 보냈다. 이는 수현과 진이 다른 사람들의 눈에 띄지 않기를 바라는 국정원의 의견 때문이었다. 그래서 수현은 풍경이 한국과 비슷한 장소에 진을 데려가거나, 고향 행성의 가상 현실 기술로 구현한 한국의 시가지에서 진과 함께 시간을 보내는 방법을 택했다.

 그러던 어느 날. 수현이 자리를 비우고 돌아온 사이, 진이 자취를 감추었다. 이에 그는 담당 요원에게 연락했고, "우리가 언제까지 사이코패스한테 아이를 맡겨놓으리라고 생각한 겁니까?"라는 날선 말을 듣는다. 그러자 수현은 "이제 겨우 일상을 되찾은 아이한테, 대체 무슨 짓이에요?! 유진이는, 또다시 버림받았다고 생각할 텐데!"라며 분노했다. 하지만… 담당 요원의 코웃음 치는 소리와 함께 "예, 버림받았다고 생각하더군요. 짧은 인생, 두 번이나 버림받았으니… 당신을 기억 속에서 완전히 지워버렸습니다. 그러니, 걱정하지 마십시오. 이유진 양은, 조금 전에 만난 사람들을 지금까지 자신을 돌본 양부모라고 생각하고 있으니까요. 그래서 이유진 양의 양부모에게, 당신과 이유진 양이 어떻게 시간을 보냈는지 상세히 기록한 보고서를 넘겼습니다."라는 말과 함께 전화가 끊겼다.

수현은 망연자실한 채, 유선 전화기를 내려놓았다. 하지만 그것도 잠시, 언제까지고 멍하니 있을 수 없다고 생각한 그는 마음을 추슬렀다. 그러고는 자신이 몰랐던 사실에 대해 알아보기 시작했고, 얼마 지나지 않아 사건이 언제 어떻게 시작됐는지 알게 되었다.

분열의 시작은, 수현이 "내가, 그 아이를 돌볼게요. 내가… 그 아이를 사랑해 줄 수 있어요."라고 말했을 때였다. 그의 부탁은 요원들의 분열을 야기했다. 수현을 경계하는 몇몇은, 수현의 사이코패스 성향이 아이의 정신상태에 영향을 미치리라고 굳게 믿었다. 하지만 수현을 긍정적으로 생각하는 요원들은 그렇게 생각하지 않았다. 그들은 "윤수현 씨는 지금까지 반사회적인 행동을 한 적이 없고, 시종일관 우리를 존중하는 태도를 보여줬잖아요. 그럼 된 거 아닌가요?", "윤수현 씨가 아이에게 악영향을 끼칠 가능성은 없다고 봅니다. 그러니, 이참에 그가 아이를 어떻게 돌보는지 한번 지켜보는 것도 괜찮을 것 같습니다."라는 의견을 내놓았다. 이렇게 두 파벌이 팽팽히 맞섰고, 2년이라는 시간이 흐른 지금… 수현을 탐탁지 않게 여기던 요원들이, 상부의 허락 없이 일을 벌이고 말았다.

수현은 덜덜 떨리는 손으로 유선 전화기를 내려놓았다. 소중한 존재를 빼앗기고, 진실을 접한 그는 격노에 휩싸였다. 그의 머릿속은, 유진을 되찾겠다는 생각으로 가득했다. 그러나… 고뇌 끝에, 그는 욕심을 버리는 길을 택한다. 사랑하는 사람의 행복을, 웃음을 지켜주고 싶다는 게 그 이유였다. 만일, 자신과 함께 보낸 시간을 양부모와 함께 보낸 시간으로 믿어 의심치 않는 아이를 데려온다면……

'내 욕심을 채우자고, 유진을 상처입히는 꼴이야. 그건…… 싫어.'

윤수현은 이유진을 포기했다. 하지만 완전히, 영원히 포기하지는 않았다. 보호자로서 아이 앞에 설 수 없다면, 다른 모습으로 나타나면 된다. 그리 생각한 수현은 거울 앞에 섰다. 그리고는 거울에 비추어진 형상을 뜯어보았다. 실제 나이와는 다르게, 자신은 20대 후반에서 30대 초반으로 보이는 외모였다.

'20여 년 뒤에… 친구가 되는 거야. 친구로서, 옆을 지키면 돼. 그러면 돼.'

수현은 자신이 이유진의 새로운 양육자와 터전에 대한 정보를 알게 되는 순간부터 유진을 되찾고 싶다는 욕망을 억누르지 못하리라는 결론에 다다랐다. 그래서 그는 아이가 누구에게 입양됐는지, 어디에 사는지 알려주겠다는 요원들의 제안을 거절했다. 그리고 진이 자신과 함께한 시간을 떠올리지 않았으면 하는 염원을 담아, 자신이 진을 키웠다는 기록을 양부모가 진을 키운 것으로 수정해 달라고 부탁하였다. 이로 인해, 진이 수현의 손에서 자랐다는 기록은 세상에서 영원히 사라졌다. 국정원 소속이었거나 소속인 사람 중, 기록에 얽힌 진실을 아는 사람은 당시 국정원 원장과 그의 휘하에 있던 현역 요원들뿐이었다. 이들 중 수현과 진을 갈라놓는 데 일조한 요원들은 상부의 허락 없이 멋대로 일을 벌였다는 이유로, 국정원 내부의 감옥에서 평생을 보내게 되었다.
기록을 수정했다는 이야기를 전해 들은 수현은 진과 친구가 될 날을 손꼽아 기다리며 보육원 봉사를 다녔고, 의료 인프라가 열악한 지역을 찾아다니며 의술을 펼쳤다. 그렇게 시간은 빠르게 흘러 갔고, 수현은 20대 후반이 된 진이 서울청에 소속된 형사라는 소식을 접했다. 기다림을 끝낼 때가 왔다고 생각한 그는 진을 만날 방법을 모색했고, 그로부터 얼마 지나지 않아 성범죄 감찰팀을 이끌어갈 의사를 모집한다는 공고를 보게 되었다. 이에 수현은 '사람을 살리는 것과 다를 바 없는, 의미 있는 일인데… 지원자가 한 명도 없네. 그럼 내가 해야지.'라고 생각하며, "성범죄 감찰팀"이 진과 다시 만날 계기를 제공해 주리라고 확신했다.

*

 말을 마친 수현이, 다시금 슬픈 웃음을 지었다. 그러고는 고백을 이어갔다.

"나는, 내가 경위님을 키웠다는 사실을 어떻게든 숨기고 싶었어요. 그래서, 내 정체가 세상에 알려졌을 때… 나를 담당하는 국정원 요원에게, 진실을 알리지 말아 달라고 부탁했어요. 내가 경위님을 키웠다는 사실이 알려지면, 사람들이 경위님을 헐뜯는 걸로 만족하지 않을 거라고. 대대로 대한민국을 위해 헌신한 위인들을 배출한 가문의 사람을 위험에 빠뜨릴 수는 없지 않으냐고. 그렇게 말했죠." 수현이 그의 담당 요원과 전화로 나누었던 말을 끄집어냈다. 그러고는 그때 했던 생각을 처음으로 입 밖에 냈다. "그때 나는… 최성욱이 내가 경위님의 양육자였다는 걸 알면서도 일부러 언급하지 않았다고 생각했어요. 내가 어린아이를 지극정성으로 돌봤다는 사실이 알려지면, 사람들이 내게 우호적인 태도를 보일 가능성을 배제할 수는 없으니까요. 물론, 내가 경위님을 철저히 세뇌했다는 식으로 몰아갈 수도 있었지만… 사람들이 내게 호감을 느낄 가능성을 감수하면서까지 그럴 필요는 없었던 거라고. 그렇게, 생각했어요."

수현의 말을 들으며, 진은 유인영을 처음 만난 날을 떠올렸다. 자신은 인영의 집에서 눈을 떴고, 인영에게 "여기가 대체 어디예요? 아줌마는 누구고요?"라고 물었었다. 이에 인영은… "아줌마 집이란다. 누가 너를 공원 벤치에 두고 가길래, 데려왔어."라고 답했다. 그 말을 들은 자신은, 또다시 버림받았다는 충격에 정신을 잃고… 얼마 뒤에 깨어나, 수현과 함께 보낸 시간을 인영과 보낸 시간으로 착각한다. 인영은 그런 자신에게 거짓된 기억을 심는다…….

"자, 잠깐… 최성욱이 공개했던 인터뷰 비디오에서는… 분명히 1000년 정도 살았다고 했잖아?"

진이 되찾은 기억을 일단 뒤로하며 물었다. 그로서는, 1000해 년 혹은 1000재 년이 어느 정도인지 가늠할 수조차 없었다. 왜냐하면… 1해는 10의 20제곱이고, 1재는 10의 44제곱인 까닭이었다.

"아, 그거요?" 수현이 한숨을 폭 내쉰 뒤 말을 이었다. "나이를 세다 말았거든요. 이왕 헤아릴 거면, 100보다는 1000이 깔끔하고 보기 좋잖아요? 그래서 1000, 1000만, 1000억… 이런 식으로 세다가, 질려서 관뒀어요. 그러다 지구에 왔는데, 나이를 묻길래

'천… 얼마? 보다는 더 살았어요.'라고 했거든요. 그걸 제멋대로 오해한 거죠. 나는 1000해 인지, 1000재 인지 기억이 안 났던 것뿐인데, 요원은 나를 '일천 몇백 몇십 살'이라고 생각한 거예요."

"말도 안 돼… 1억 년도 영원에 가까운 시간이잖아…? 그런데 너는, 적어도 1000해 년을 살았다고…?"

진이 경악을 금치 못했다. 하지만, 그의 상식을 아득히 뛰어넘는 진실은 더 있었다.

"사실, 1000해 년이든 1000재 년이든… 별 의미 없어요. 아주 오래전에 헤아리다 말았는데, 정확할 리 없죠."
"그럼, 너는… 대체 얼마나 오래 산 거야……?"

진이 전신의 떨림을 필사적으로 찍어 누르며 물었다. 그러자 수현이 잠시 생각에 잠기더니, 이내 입을 열었다.

"글쎄요. 내가 여태껏 살아온 시간이 '우주의 크기'라면, 1000해 년이나 1000재 년은…… 눈에 보이는 먼지 정도? 아니, 미세 먼지인가?"

수현의 답에, 진은 새하얗게 질리다 못해 구역감이 밀려드는 것을 느꼈다. 이에 그는 재빨리 손으로 입을 막았다. 인지할 수조차 없는 기나긴 시간이, 그를 압도했다.

"경위님! 괜찮아요?"

수현이 진을 향해 다가오며 팔을 뻗었다. 하지만, 다가오지 말라는 진의 손짓을 보고는 순순히 멈춰 섰다.

'자아가 망가지고도 남을, 영겁의 시간 동안… 윤수현은 단 한 번도 포기하지 않았던 거다. 세상의 온갖 추악한 꼴을 봤을 텐데도, 사람과 세상을 사랑하는 것을… 정말 단 한 번도 포기하지 않았던 거야……!'

진은 숨을 거칠게 몰아쉬었다. 수현에게 끝없는 삶은 양날의 검이었다. 수현은 무한한 시간 덕분에 불세출의 의사가 되었고, 평범한 사람을 모방할 수 있게 되었다. 하지만, 불로불사는 그의 정신을 갉아먹었다. 수현에게 권태는 공기였다. 살아있는 모든 순간에 들이마실 수밖에 없는, 들이마시어야 하는 공기.

그러나, 수현은 그 공기를 기꺼이 들이마시었다. 세상과 타인을 사랑하고자 하는 마음은, 그를 광인(狂人)으로 만들었다. 끔찍하게 싫어하던 권태를, 기꺼이 감수하겠노라고 외치는 광인으로! 이는 과거의 자기 자신을, 스스로를 망치로 때려 부순 것과 진배없는 일이었다. 그렇기에, 수현의 선함은 곧 광기였다. 미치지 않고서야, 절대로 선할 수 없으며…… 미치지 않고서야, 아무런 대가를 바라지 않고 세상과 사람을 사랑할 수 없다.

존재하는 것 자체는 쉽다. 아무것도 하지 않아도 존재할 수는 있으므로. 그러나 오롯이 자기 자신으로 살아간다는 것은 차원이 다른 문제다. 최선을 다해 발버둥 쳐야 한다. 1분 1초를, 주어진 모든 시간을 허투루 쓰지 않아야 한다. 지쳐 쓰러져도 스스로 생각하고 선택해야만 한다. 산다는 것은 그러하였다. 존재는 가벼웠으되, 삶은 무거웠다.

'만약에, 아주 만약에… 윤수현이 절망했다면, 단 한 번이라도 포기했다면…….'

진은 수현이 살아왔을 삶을 생각하다, 그 무게를 버티지 못하고 풀썩 주저앉았다. 이를 본 수현은 진을 향해 다가가더니, 왼쪽 무릎을 꿇고 오른발로 땅을 지탱하며 자세를 낮추었다. 그리고는 걱정스러운 얼굴로 진을 바라보았다.

"……감옥에 가기 싫다는 마음이, 나를 살렸어."

한참 만에, 진이 떨리는 목소리로 말을 이었다. 이전과는 다른, 감사와 기쁨이 담긴 떨림이었다.

"자신의 이기적인 욕망을 이루기 위해, 타인의 안위를 고려하는 순간. 그래, 그 순간이 선의 기원인 거야. 쾌락만을 추구하는, 극도의 이기주의자가 품은 욕망이… 세계를, 우주의 미래를 바꾼 거라고!"

진은 구역감이 물러가는 것을, 그리고 그 빈 자리를 지금껏 찾아 헤맸던 해답이 채우는 것을 느꼈다. 수현을 바꾼 것은, 타인의 사랑이 아니라 그 자신이 품은 욕망이었다!

"어…… 경위님, 나는 그렇게 대단한 사람이 아닌데……?"

수현이 당황한 표정을 지으며 말했다. 진은 그런 그의 팔뚝을 콱 붙잡았다. 그러자 그가 곧바로 입을 다물었다.

"고마워." 진이 진심을 담아 말했다. "포기하지 않고 살아줘서."

수현은 잠자코 진을 바라보았다. 진은 그런 그를 위해 말을 이어 나갔다.

"죽지 않기 때문에, 남들보다 더 많은 기회를 얻었겠지. 하지만, 그건 잠깐이었을 거야. 그리고 어느 순간… 영생이라는 축복은 저주가 됐겠지. 권태 속에서도, 죽지 못한 채 살아가야 하는 저주 말이야."

진의 말이 수현을 보듬으며 방을 채웠다.

"사람들을 살리고, 냉소주의자들 사이에서 희망을 잃지 않는 것을 영원히 반복하는 것도… 어느 순간 한계에 달했을 거고. 당연하지, 너는 신이 아니라… 인간이니까."

진이 잠시 말을 멈추었다. 그러고는 수현의 시선을 올곧게 마주하며 입을 열었다.

"윤수현. 당신은 감옥에 가기 싫어서 의사가 됐지만… 아이러니 하게도, '삶'이라는 감옥에서는 벗어날 수 없었어."

수현은 진을 물끄러미 바라보았다. 그는 진이 슬픔을 억누르고 있다는 사실을, 자신의 팔뚝을 붙잡은 손에서 힘이 빠져나갔다는 사실을 깨달았다.

그 순간, 진이 수현을 와락 끌어안았다. 수현은 저를 끌어안은 진을 보며 어쩔 줄을 몰랐다. 진은 수현의 반응에 개의치 않고 그를 끌어안은 팔에 더욱 힘을 실었다.

"미안해."

진의 눈에서 눈물이 흘러내렸다.

"살아있는 모든 순간이 지옥이었을 텐데. 아프고, 외로웠을 텐데. 사랑하는 사람들을 떠나보내는 거, 슬펐을 텐데……."

수현은 말없이 눈을 깜빡였다. 그리고 두 손을 들어 올려, 진의 등을 토닥여 주었다. 아이를 달래는, 보호자의 손길이었다.

"화내서 미안해. 탓해서 미안해. 잊어버려서… 미안해. 나는, 네가 날 버린 줄 알았어… 그래서, 그래서……!"

진이 서럽게 울먹였다. 수현은 그런 진을 말없이 안아주었다. 그런 다음, 제 품에 안긴 진을 천천히 떼어내며 입을 열었다.

"지금 생각해 보면… 지옥까지는 아니었어요. 물론, 다 포기하고 싶다고 생각한 적도 있었지만."

수현이 싱긋 웃었다. 그리고 눈을 천천히 감았다가 떴다. 진은 그런 수현을 멍하니 바라보았다.

"그것마저도 행복했어요."

수현은 화사한 웃음을 잃지 않고, 또박또박 말을 이어 나갔다.

"이런 게 인생이라면… 얼마든지 반복할 수 있어요. 아무런 목표도, 의미도 없이 영원히 반복한다고 해도… 상관없어. 왜냐면, 살아 숨 쉬는 모든 순간이 아름다우니까."

수현의 눈에, 순수한 광기가 서렸다.

"그러니까…… 다시 태어난다고 해도, 똑같이 살 거예요."

진은 눈앞의 광인을 보며, 무언가에 홀린 듯 왼손을 들어 올렸다. 그리고 그 손을, 수현의 뺨 위에 살포시 올려놓았다.

'아름답다.'

참으로 아름답다. 끊임없이 반복되는 시련과 고통. 발이 푹푹 빠지는 진창길이요, 가시밭길 인생. 절대 빠져나갈 수 없는 감옥… 이를 진심으로 즐기는 사람이라니. 정말, 제대로 미친 사람이로구나. 진은, 그리 생각했다.

그 순간, 손을 들어 올린 수현이 진의 왼쪽 손목을 살며시 잡았다. 그리고는 자기 뺨 위에서 조심스레 떼어낸 다음, 손목을 놓아주며 생글생글 웃었다.

"그런데요, 경위님. 우리, 이대로… 친구처럼 지냈으면 좋겠는데. 안 될까요?"

수현의 말은 진을 현실로 끌어냈고, 진은 화들짝 놀라며 벌떡 일어섰다. 기억을 되찾기 전에는 아무렇지 않게 '후배 취급'할 수 있었다. 하지만 모든 진실을 알아버린 지금은…….

"무리한 요구라고 생각 안 해봤어…요?!"

진이 어이가 없다는 표정을 지으며 소리쳤다. 하지만 그의 입에서 나온 말과는 다르게, 수현을 향한 존댓말은 어색하기만 했다. 이에 수현은 싱글거리며 자리에서 일어섰다. 그리고 바닥에 닿았던 무릎을 탈탈 털며 말했다.

"글쎄요. 친구로 지내자는 게, 무리한 요구인가요? 그리고, 경위님도 어색하잖아요. 나한테 존댓말 쓰는 거."

수현이 놀리듯 웃었다. 그러고는 자신을 노려보는 진을 향해, 나직이 말을 이어갔다.

"나는, 2년 동안 보호자이자 친구로서 경위님 곁에 있었어요. 하지만 지금의 경위님은 보호자가 필요 없잖아요? 그럼 친구로 지내야지 않겠어요?"

수현의 말에, 진은 한숨을 내쉬며 눈을 질끈 감았다. 그의 말대로, 어린 시절의 자신에게 수현은 보호자이자 나이를 초월한 친구였다.

"……좋아."

숨을 고르던 진이 눈을 번쩍 뜨며 올곧은 시선으로 수현을 바라보았다. 그리고 손을 내밀어 악수를 청했다.

"윤수현. 내 인생 첫 친구이자, 최고의 친구."

진의 얼굴에 시원시원한 웃음이 번졌다. 이에 수현 역시 화사하게 웃으며, 진의 손을 맞잡았다. 그렇게 둘은, 함께 나아가기로 다짐했다.
악수를 마친 두 사람은 나머지 비디오테이프를 확인하기 시작했다. 영상은 모두 어린 시절의 진이 친부모의 손에 학대당하는 모습, 그러니까 "인간, 이상" 프로젝트의 비인간적인 실험 장면을 촬영한 것이었다.
진은 이를 악문 채, 화면을 가득 채운 영상에서 단 한시도 눈을 떼지 않았다. 그렇게 모든 영상을 본 그는, 들끓는 감정을 억누르며 마지막 비디오를 재생장치에 넣었다. 그러자, 어린 시절의 자신이 살던 집이 나타났다. 영상은 줌 기능을 사용해 멀리서 촬영한 듯했으며, 영상 속의 집에는 불이 붙은 상황이었다.

그 순간, 영상 속의 불꽃이 순식간에 사그라들었다. 그래서인지 "대, 대체… 이게 무슨?!"이라는 말과 함께 영상이 요동쳤고, 이내 카메라가 바닥에 떨어지며 촬영자의 모습을 비추었다. 촬영자는, 다름 아닌 젊은 시절의 유인영이었다!

진과 수현은 서로를 바라보며 시선을 주고받았다. 그들은 여태껏 "인간, 이상" 프로젝트를 최성욱의 단독 범죄로 생각해 왔지만, 이번 비디오를 통해 "인간, 이상" 프로젝트의 설계자가 최성욱과 유인영임을 직감했다.

두 형사는 다시 영상에 집중했다. 영상 속의 인영은 손을 뻗어 카메라를 집어 들었고, 떨리는 손으로 촬영을 재개했다. 그가 줌 기능을 사용했는지 영상 속 집이 점점 가까워졌고, 마침내 한 남성 -윤수현- 이 철제 현관문을 뜯어내는 장면이 화면을 채웠다. 그리고 얼마 뒤, 남성이 어린아이를 안고 뛰어나오는 장면이 영상의 끝을 장식했다.

진과 수현은 새까만 화면을 물끄러미 바라보았다. 그렇게 계속되던 침묵은, 진에 의해 사라졌다. 진은 성욱이 벌인 짓과 성욱에게서 받아낸 자백을 수현에게 들려주었다. 그리고 위화감을 샅샅이 파헤쳐 찾아낸 답을 덧붙였다.

"최성욱은, '절대 악'이 되기를 원했어. 그래서 원전 테러를 사주하고, 경찰을 죽이면서까지 발악한 거야. 전체주의와 파시즘에 맞선 나를 '절대 선'으로 만들기 위해서 말이지. 그럼, 내 어머니인 유인영 역시 자연스럽게 '절대 선'이 될 테니까."

"그렇다면… 전체주의와 파시즘은 건재하다는 의미네요? 예전에는 나와 경위님이 '민족과 국가의 주적'이었지만, 지금은 최성욱이 그 자리를 차지했으니까요." 수현이 손을 입가로 가져간 채 말했다.

"맞아. 그렇게 모든 걸 손에 넣은 유인영은…."

진은 잠시 말을 멈추고 코트 주머니에서 스마트폰을 꺼냈다. 그리고 인영에게서 받은 문자 메시지를 화면에 띄운 다음, 수현을 향해 보여주었다. 이에 수현은 화면을 수놓은 텍스트를 읽어나가며 복잡한 표정을 지었고, 진은 그런 수현을 바라보며 확신에 찬 어조로 말을 이었다.

"내일 오전 10시에 대선 출마 기자회견을 열 생각인 거야. 나를 얼마나 우습게 봤으면, 감시할 생각도 안 하고 이런 문자까지 보냈나 싶어." 진이 자조하는 듯한 웃음을 지으며 덧붙였다. "하긴. 그러니까 나한테 비디오테이프를 맡겼겠지."

"……어떻게든, 유인영을 막아야겠네요."

"그래. 반드시 막아야지."

진이 나직이 답하며 스마트폰을 거두어들였다. 그런 다음 눈살을 찌푸리며 잠시 생각에 잠겼다. 그는 조금 전에 봤던 영상들을 하나씩 떠올리며, 진실을 향해 손을 뻗었다.

'유인영은 타인의 고통을 보며 쾌락을 느낀다. 그리고 그 장면을 촬영한 비디오를, 피해자인 내게 맡겼지. 즉… 타인을 짓밟고 기만하는 행위와 상황 자체를 즐긴다고 봐야 해. 그렇지 않다면, 내게 비디오테이프를 맡겼을 리 없어.'

진이 스마트폰을 쥔 손에 힘을 주며 추리를 이어 나갔다. 그는 영상 속의 인영이 했던 말을 찬찬히 곱씹었다.

'유인영은 윤수현을 신, 나를 신의 아이라고 했어. 그리고 신은 될 수 없지만, 신의 아이만큼은 마음대로 할 수 있다고……?'

그 순간, 진이 숨을 크게 들이쉬며 눈을 크게 떴다. 그러고는 다짜고짜 수현의 위팔을 붙잡으며 흥분이 깃든 목소리로 말했다.

"유인영에게, '신의 아이'가 아닌 나는… 네가 돌보지 않은 나는, 아무런 가치가 없었던 거야!"

"그게, 무슨……?" 수현이 이해할 수 없다는 표정을 지었다.

"유인영은, 내가 불 속에서 죽어가는 장면을 '간직하기 위해' 영상을 찍었을 거야. 그래야 후천적 사이코패스 양성 실험의 실패작인 내게서, 하나라도 얻어낼 수 있었을 테니까. 하지만 네가 개입한 탓에, 나는 '폐기 처분'을 면했지. 그런데, 유인영은 그 '실패작'을 데려왔어. 이상하지 않아? 폐기하려던 실험체를, 다시 데려와 기를 이유가 없잖아. 그것도 폐기 처분이 내려지고 2년이나 지난 뒤에!"

진의 눈빛이, 어둠을 가르는 섬광처럼 빛났다. 그는 상기된 얼굴로 수현을 올려다보며 외쳤다.

"답은 거기에 있어. 너는 절대 알 수도, 이해할 수도 없는 답이!"
"내가… 절대 이해할 수 없는 답……?"

수현이 멍하니 진을 따라 중얼거렸다. 그러자 진이 고개를 끄덕이며 당당히 말했다.

"그래. 너는 절대 이해할 수 없어. 하지만 나는 알아. 이해할 수 있어. 그 어떠한 폭력 없이 유인영을 끌어낼 수 있어!"

진은 자신을 물끄러미 바라보는 수현을 위해, 자신이 찾아낸 해답을 들려주었다. 수현은 그의 말을 경청했고, 이내 "답은 거기에 있어. 너는 절대 알 수도, 이해할 수도 없는 답이!"라는 문장이 옳다는 것을 인정했다.

두 사람은 비디오테이프들을 챙겼다. 그리고 박물관 관리자의 도움을 받아, 비디오테이프 속 영상을 디지털 파일로 변환했다. 이렇게 모든 준비를 마친 그들은, 차원 문을 거쳐 다시 진의 집으로 돌아왔다.

진은 마지막 전투를 위해 무기를 정비하기 시작했다. 그의 무기는 진실과 언어였다. 유인영을 쓰러뜨리는데, 거창한 무기 따위는 필요 없었다. 준비를 마친 그는, 수현과 함께 내일 펼칠 마지막 책략을 논의했다.

날이 밝았다. 진은 침대에서 벌떡 일어나, 결의에 찬 얼굴로 출근 준비를 마쳤다. 그리고 상자 하나와 USB 한 개를 챙겼다. 상자에는 인영의 비디오테이프들이, USB에는 어제 기록 박물관에서 디지털 파일로 변환한 영상이 담겨있었다.

평소와 다름없이, 진은 전담팀을 찾았다. 그러자 먼저 전담팀에 와 있던 수현이 그를 반겼다. 오전 8시 50분의 일이었다.

그로부터 10분 후. 진은 취조실로, 수현은 취조실 옆의 관찰실로 향했다. 그리고 평범함을 가장한 채 본격적으로 성욱을 취조하기 시작했다. 진은 성욱에게 질문을 던졌고, 성욱은 자신이 저지른 범죄에 대해 낱낱이 고했다. 수현은 이를 관찰실에서 말없이 바라보았다.

시간이 흐르고, 인영이 예고했던 기자회견 시간이 다가왔다. 진은 취조실에 걸린 시계를 보더니, 휴식을 선언했다. 그리고 수현과 함께 전담팀 회의실로 향한 다음, 스마트폰을 이용해 회견장의 상황을 실시간 보도 중인 뉴스를 시청했다.

인영이 연단을 향해 걸어가는 모습은, 반격의 신호탄과도 같았다. 진과 수현은 어젯밤에 논의했던 대로 움직이기 시작했다. 수현은 회견장으로 향하는 차원 문을 열었고, 진은 준비한 물건을 들고 차원 문 안으로 걸어 들어갔다. 이렇게 진이 모습을 감추자, 남겨진 수현은 진이 알려주었던 주소를 떠올리며 차원 문을 열었다. 그러자 인영의 저택 앞마당이 수현의 눈앞에 펼쳐졌고, 수현은 망설임 없이 차원 문을 향해 발걸음을 옮겼다. 지금부터 그는, 저택에 그 누구도 들이지 않을 생각이었다. 물론 방심한 인영이 사람을 보내일을 벌일 리는 없었으나, 만일의 상황을 대비하지 않을 이유는 그 어디에도 없었다.

한편, 목적지에 도착한 진은 빠른 걸음으로 복도를 걸었다. 인영의 경호원들은 그를 알아보고 길을 터주었다. 덕분에 별다른 어려움 없이 회견장 안으로 들어온 진은, 조금 전 대선 출마 의사를 밝힌 인영을 볼 수 있었다.

그 순간, 진과 인영의 시선이 허공에서 맞닿았다. 진은 인영의 표정이 시시각각 얼어붙는 것을 바라보며, 인영을 향해 망설임 없이 걸어갔다. 이를 본 기자들은 대체 무슨 일인가 싶어 웅성거렸다.

"안타깝지만, 거기까지입니다." 진이 올곧은 시선으로 인영을 바라보며 운을 뗐다.

"…진아. 그게 무슨 소리니?"

인영이 웃음을 지었다. 하나 거짓된 감정의 한계는 분명했다. 그의 근육은 미세하게 떨렸고, 이로 인해 그의 웃음은 어색하기 짝이 없었다.

"말 그대로입니다, 유인영 씨."

진이 연단을 향해 한 발자국 다가갔다. 그리고 문장의 마디마디에 힘을 실어 말했다.

"전체주의와 파시즘의 부활은, 내가 막을 겁니다. 유소영을 포함해, 수많은 사람의 목숨을 앗아간 당신은… 대통령이 될 수 없어.

물론, 돼서도 안 되지."

진의 말에, 인영의 얼굴에서 웃음이 사라졌다. 그는 이제야 현실을 자각한 모양이었다. 하지만 그럴듯한 변명을 늘어놓을 틈은 없었다. 진의 말이 끝나기가 무섭게, 현장에 있던 기자들이 아우성쳤기 때문이다.

진은 몸을 돌려, 자신을 찍느라 여념이 없는 카메라들을 똑바로 바라보았다. 그러고는 들고 있던 상자를 살짝 기울여, 비디오테이프를 기자들에게 보여주며 입을 열었다.

"여기, 유인영의 범죄가 기록된 영상이 있습니다."

그의 선언은 이 자리에 있는 모든 사람과 화면 너머 목격자들의 시선을 잡아끌었다. 그런 그들을 위해, 진은 비디오테이프가 든 상자를 잠시 바닥에 내려놓았다. 그리고 허리를 꼿꼿이 세우며 코트 주머니에서 USB를 꺼내 들었다.

"이 USB는, 방금 보여드린 비디오테이프들을 디지털 파일로 변환한 겁니다."

회견장에 있던 모든 사람의 시선이, 진의 손에 들린 USB를 향해 쏟아졌다. 진은 절호의 기회를 놓치지 않았다. 그는 이 자리에 있을지도 모르는 관리자를 향해, "영상을 틀고 싶습니다. 가능합니까?"라고 외쳤다. 그러자 현장을 지키던 관리자가 "가능합니다!"라고 외치며, 진을 연단 아래 있던 컴퓨터로 안내했다. 이에 진은 컴퓨터를 켠 다음 USB를 연결했고, 관리자는 벽면 전체를 차지하는 대형 스크린의 전원을 켰다.

진에게서는 그 어떠한 망설임도 찾아볼 수 없었다. 그는 곧바로 USB에 담긴 동영상 파일 하나를 열었다. 그러자 젊은 시절의 인영이 소영에게 다가가더니, 두 손으로 소영의 목을 잡는 장면이 화면을 가득 채웠다.

"살인 장면을 여과 없이 보여드릴 수는 없으니, 넘기겠습니다."

진이 영상을 잠시 멈추며 말했다. 그러고는 마우스를 조작해, 인영이 축 늘어진 소영에게 "잘 가, 유소영. 아니지, 소영 언니라고 불러야 하지?"라고 말하기 위해 입을 여는 장면을 선택한 다음 그대로 재생 버튼을 눌렀다. 그러자 살인을 마친 인영의 쾌락에 잠긴 목소리가 스피커를 타고 흘러나왔다. 얼마 지나지 않아 첫 번째 동영상이 막을 내렸고, 진은 곧이어 다음 영상을 재생했다. 이런 식으로, 어젯밤 그와 수현이 함께 보았던 모든 영상이 세상에 알려졌다.

영상을 본 기자들과 시민들은 경악했고, 분노했다. 추악한 진실이 담긴 영상은 말없이 사라진 진과 수현을 찾던 광수대의 형사들에게도 전해졌고, 그들 역시 경악을 금치 못했다. 대한민국 최고의 명문가 출신인 인영이, 독립운동가의 후손이자 6.25 전쟁 참전 용사의 후손인 인영이… 친언니를 살해한 것도 모자라, 전체주의와 파시즘의 재림을 위한 후천적 사이코패스 양성 실험에 관여했다니!

진의 폭로는 계속되었다. 그는 자신이 수현의 손에서 자랐으며, 자신과 수현이 어떻게 헤어졌는지 이야기했다. 그리고 성욱의 목적이 차기 대통령이 아닌 '절대 악이 되는 것'이며, 이는 절대 악에 맞선 자신과 인영을 '절대 선'으로 만들기 위한 작업이었다는 말도 잊지 않고 덧붙였다. 그러고 나서, 진은 여전히 연단 위에 서 있는 인영을 흘끗 바라보며 "유인영과 최성욱은, 윤수현이 나를 두고 떠날 리 없다고 확신했을 겁니다. 내가 전체주의와 파시즘의 재림을 막기 위해서 싸우리라는 것도, 윤수현이 나와 함께 투쟁하리라는 것도. 모두 예상했겠죠. 나까지 '공공의 적'으로 지목한 이유는, 내 양어머니인 유인영을 '절대 선'으로 만들기 위해서였던 거고."라고 말했다.

인영은 잔뜩 일그러진 얼굴로 진을 노려보았다. 하지만 그뿐이었다. 인영은 그 어떠한 말도 할 수 없었다. 진은 그런 그를 의연한 눈빛으로 바라보더니, 기자들을 향해 고개를 돌리며 말을 이어갔다.

"자, 그럼 이쯤에서 문제 하나 내겠습니다. 유인영은 왜 '인간, 이상' 프로젝트의 실패작인 저를 데려와서 길렀을까요?"

진의 물음에, 퍼뜩 제정신을 차린 기자들이 수군거렸다. 하지만 난해한 질문에 대한 답을 끝내 찾을 수 없었는지, 진을 향해 해답을 요구했다.

진은 해답을 갈구하는 사람들을 물끄러미 바라보며, 일부러 뜸을 들였다. 그리고 모든 사람의 시선이 자신에게 쏠렸다는 확신이 든 순간, 입을 열었다.

"'살인 기계'로 쓸 수 없게 된 나를 죽이려 할 때는 언제고, 데려와서 기른 이유. 그건……."

"말하지 마!!!"

그 순간, 인영이 악을 썼다. 이에 모두가 인영을 바라보았다. 인영의 안색은 창백하기 그지없었다.

"더는 말하지 말라고!"

인영이 주먹을 쥔 채, 전신의 떨림을 찍어 눌렀다. 진은 그런 인영을 물끄러미 바라보더니, 연단 위로 올라갔다. 그리고 인영을 향해 한 발짝 다가가며 입을 열었다.

"유인영 씨. 당신은 다른 사람의 숨통이 끊어지는 순간을 즐기는 게 아니라, 타인을 짓밟고 기만하는 행위 자체를… 타인을 지배하는 상황을 즐기는 인간입니다. 그래서 내가 학대당하는 장면을 찍은 비디오테이프를, 피해자인 내게 맡겼던 거죠. 아무것도 모르고 당신을 따르는 나를 기만하고, 비웃으려고."

진이 앞으로 한 발짝 움직이자, 인영이 뒤로 한 발짝 물러섰다. 그렇게 둘의 거리는 좁혀질 듯, 좁혀지지 않았다.

"궁금하더군요. 어째서 그런 일그러진 쾌락을 추구하게 됐을까? 대체 왜?"

진의 말이 인영을 향해 쉼 없이 몰아쳤다. 인영은 자신을 향해 다가오는 진을, 충혈된 눈으로 노려보았다.

"입 다물어…! 그, 그런 눈으로 나를 보지 마! 나를, 들여다보지 말라고!!!"

인영의 갈라진 목소리가 쩌렁쩌렁 울렸다. 하지만 진은 인영의 말을 따를 생각이 추호도 없었다. 그는 그저, 창백한 낯빛의 인영을 뚫어져라 쳐다볼 뿐이었다.

인화 그룹의 총수, 유인영. 독립운동가 유재형의 손녀. 6.25 전쟁 참전 용사이자 민주화 운동가인 유인화의 딸. 하지만 지금은 모두 부질없는 수식어일 뿐이다. 따라서, "유인영"이라는 세 글자만 남기고 모조리 없애야 한다.

진은 자신보다 키가 작은 인영을 빤히 내려다보았다. 그리고 는 어젯밤 수현에게 이야기해 주었던 문장을, 자신이 찾아낸 해답을 입 밖에 냈다.

"당신은, 신이 되고 싶었던 거야. 사람 목숨을 마음대로 주무를 수 있는… 전지전능한 절대자."

진의 말이 끝나기가 무섭게, 혼란이 회견장을 휩쓸고 지나갔다. 하지만 진은 아랑곳하지 않고 폭로를 계속해 나갔다.

"그러던 중, 윤수현을 본 거지. 기이한 능력을 이용해 불을 끄고, 철제문을 아무렇지 않게 뜯어내는 장면을… '신'에 가까운 존재를."

진의 차분한 어조가 인영의 폐부를 들쑤셨다.

"처음에는 죽이고 싶었을 거야. 당연하지. 윤수현이 이 땅에 존재하는 한, 당신은 신이 될 수 없으니까. 하지만 불로불사인 윤수현을 죽일 방법은 세상에 없어. 그래서… '신의 아이'인 나를, 2년 뒤에 데려온 거야. 윤수현이 내게 정을 붙일 때까지 기다린 거지. 사랑하는 사람을 잃는 것만큼, 괴로운 일은 없으니까."
"그 입 다물라고!!!"

인영이 악을 쓰며 얼굴을 붉혔다. 그러다 가장 가까이 있는 프레스 석 위의 노트북을 낚아채고는, 진을 향해 냅다 집어 던졌다. 하지만 노트북은 힘없이 추락해, 진의 발치에 떨어졌다. 진은 제 앞에 떨어진 노트북에 시선을 주더니, 다시 인영을 바라보며 입을 열었다.

"당신은 나를… '윤수현이 사랑하는 사람'이자 '윤수현의 분신'이라고 여긴 거야. 그래서 선한 척, 친절한 사람인 척하며 나를 입양해 기른 거지. 나를 기만하는 건, 곧 윤수현을 기만하고 괴롭히는 거니까. 그래야… 윤수현보다 우월한 존재가 될 수 있으니까."

진에게서는 그 어떠한 분노도, 슬픔도 흘러나오지 않았다. 회견장의 사람들은 숨죽인 채, 진의 예리함과 무너지지 않는 강인한 정신력에 감탄했다. 그들의 눈에 비추어진 진은 강철이요, 드높은 설산이었다.

"'인간, 이상' 프로젝트를 통해 테러리스트를 만들려 했던 것도, 같은 맥락입니다. 전체주의와 파시즘을 이용해… 이 나라의 국민 모두를 기만하고, 편 가르고, 짓밟기 위해서. 국가를 좌지우지하는 사람이 돼, 기만당하는 수많은 사람의 절규를 들으며 쾌락을 얻기 위해서! 하지만 '인간, 이상' 프로젝트의 실패로 포기할 수밖에 없었겠죠. 사람들을 공포에 몰아넣을 테러리스트를 만들어 내는 데 실패했으니까요. 그럼에도 당신은 전체주의와 파시즘의 부활에 집착했습니다."

진이 잠시 말을 멈추며, 숨을 골랐다. 그리고 곧바로 말을 이었다.

"이 또한, 윤수현 때문일 겁니다. 세상과 사람을 사랑하는 윤수현에게, 전체주의와 파시즘 때문에 망가진 사람들과 세상을 보여주고 싶었겠죠. 안 그렇습니까, 유인영 씨?"

질문의 형태를 한, 확신이 담긴 문장이 인영의 내면을 파고들었다. 그러자 인영은 이를 악물고, 비틀거리며 숨을 몰아쉬었다. 그의 두 다리는 힘을 제대로 받지 못해 후들거렸다. 하지만 진은 그런 인영을 내버려 두지 않았다. 아직, 할 말이 남아있었다. 진은 인영을 물끄러미 바라보았다. 그리고 마침내, 그림자 속에 숨어있던 진실을 향해 빛을 비추었다.

"유인영 씨. 나는 알고 있습니다. 당신이 왜 그렇게까지 신이 되려고 하는지."

진이 수면 위로 띄운 묵직한 한마디에, 인영을 포함한 모든 사람의 시간이 일순간 멈췄다. 인영은 진이 이렇게까지 자신을 파고들 줄 몰랐고, 사람들은 자신들이 단 한 번도 생각하지 않았던 사실에 주목한 진의 통찰력에 압도됐다.

진은 천천히 오른손을 들어 올렸다. 그리고 멍하니 자신을 쳐다보는 인영을 검지로 가리키며, 칼날처럼 날카로운 말을 던졌다.

"당신은, 죽음이 두려운 거야. 그래서 신이 되려고 한 거지. 신은 늙지도, 죽지도 않는… 영원불멸한 존재니까." 첨예한 말은 끊이지 않고 이어졌다. "죽는 걸 두려워하고, 죽음을 부정하는 주제에… 윤수현을 짓밟기 위해서 죽음도 불사한, 아이러니의 극치. 그게 바로 유인영, 당신이야."

문장을 끝맺은 진이 오른팔을 천천히 내렸다. 그러고는 인상을 쓰더니, 다시 입을 열었다.

"아니, 아무래도 내가 당신을 과대평가한 것 같아. 괴한이 휘두른 칼에 배를 찔려 병원에 실려 가는 상황을 연출했다가, 일이 틀어져서 죽을 위기에 처해도… 윤수현의 도움을 받으면 그만이라고 생각했을지도 모르겠군. 진실을 알지 못하는 윤수현은, 내 행복을 지키기 위해서 당신을 어떻게 해서든 살렸을 테니. 나를 비롯한 사람들이, 당신을 '무고한 피해자'로 여기게 만드는 데 이보다 안전한 방법은 세상에 없었을 거야."

영원불멸한 존재인 윤수현은, 죽음 따위 두려워하지 않는다. 그렇기에 그는… 유인영을 절대 이해할 수 없다. 어제, 진은 그리 확신했다. 그래서 수현에게 "답은 거기에 있어. 너는 절대 알 수도, 이해할 수도 없는 답이!"라고 말할 수 있었다.

죽음. 이 세상 모든 필멸자가 두려워하는 미래이자, 존재의 한계를 결정짓는 요소. 그렇기에 모두가 필사적으로 부정하는 개념. 하지만… 아이러니하게도, 인간의 발전을 이룩하게 한 원동력.

결함투성이에, 죽음이라는 한계를 지닌 인간은 영생을 원했다. 이러한 욕망은 사회를, 문화를, 예술을, 철학을, 과학을, 의학을, 도덕을 만들어 냈다. 그렇게 인간은 존재의 무게를, 삶의 무게를, 죽음의 무게를 버텨내 왔다.

하지만 유인영은 그 무게를 버텨낼 재간이 없었다. 그는 살아 숨쉬는 매 순간, 시시각각 다가오는 죽음에 짓눌렸다. 그래서 신이 되기를 간절히 바랐고, 타인을 기만하고 짓밟으며 죽음에 대한 공포를 잊으려 들었다.

"유인영. 당신은, 추악하고 나약한 인간일 뿐이야."

진은 나직이 말을 마쳤다. 그의 말은 유인영의 이름 앞에 붙던 모든 수식어를 깨끗이 잘라냈다.

인영은 털썩 주저앉았다. 애써 외면해 왔던 진실을, 절대 들키고 싶지 않은 속마음을 기어이 들키고 말았다. 그것도 자신이 지금껏 기만해 온 사람에게!

"…너도 마찬가지잖아."

인영이 이를 악물고, 두 손으로 땅을 그러쥐며 으르렁거렸다. 그러자 진이 눈살을 찌푸리며 인영을 내려다보았다.

"너도, 다치고 죽는 거… 무서워하잖아!!!"
"당연한 거 아닙니까? 고통, 죽음. 둘 다 싫습니다."
"그런데 왜 아닌 것처럼 지껄여?! 왜… 대체 왜 나를 내려다보는 거야?! 네까짓 게, 대체 뭐가 잘났다고!!!"

진은 갈라진 목소리로 울부짖는 인영을 빤히 바라보았다. 그러다가 한숨을 크게 내쉬고는, 쭈그리고 앉아 인영과 시선을 맞추었다.

"안 무서운 게 아닙니다. 그냥… 나 때문에 누군가가 아프지 않기를 바라는 것뿐이에요."

그는 극도의 불안감에 휩싸인 인영의 시선을 받아내며 말을 이어나갔다.

"죽음은 필연이라는 걸 뻔히 아는데, 무섭지 않을 리 없잖아요. 하지만… 그래도. 그럼에도 불구하고 말입니다. 살아남기 위해 살인자가 될지, 아니면 사람을 살리고 죽을지 선택해야만 하는 순간이 온다면……."

진이 눈을 감았다 떴다. 그러고는 굳은 의지를 천명했다.

"나는. 살인자가 되느니, 사람을 살리고 죽는 걸 택할 겁니다."

진의 말에, 현장의 취재진과 화면 너머의 모든 사람이 낮은 탄성을 터트렸다. 그들은 그 어떠한 폭력 없이 인영을 끌어내린 진을 보며 전율했다.

진은 그런 사람들의 시선을 받으며, 코트 주머니에서 수갑을 꺼내 들었다. 그런 다음 수갑을 들지 않은 손을 뻗어, 인영의 손목을 낚아채며 말했다.

"유인영 씨. 당신을 살인 혐의로 긴급체포합니다."

진이 인영의 손목에 수갑을 채웠다. 그러자 철컹, 소리가 나며 철제 수갑이 인영의 손목을 옭아맸다.

"당신은 변호사를 선임할 수 있고, 변명을 할 수 있으며, 체포구속적부심을 신청할 수 있습니다."

진은 양쪽 손목에 수갑을 찬 인영의 목덜미를 잡아, 일으켜 세웠다. 취재진은 일련의 장면을 남김없이 생방송으로 송출했고, 이는 수현에게 가닿았다. 스마트폰을 통해 상황을 묵묵히 지켜보던 그는, 진의 입에서 체포 선언이 나오기가 무섭게 지원 인력을 요청했다. 그리고 얼마 뒤에 모습을 드러낸 감식반과 함께 인영의 집 앞을 지켰다.

시간이 어느 정도 흐르고, 수현과 감식반의 수사관들은 압수 수색 영장을 들고 온 진과 함께 인영의 집을 살피기 시작했다. 아무도 없는 인영의 집에는, 수많은 비디오테이프와 재생장치가 있었다.

진과 수현은 라텍스 장갑을 낀 손으로 인영의 방을 조심스레 헤집었다. 그리고 얼마 지나지 않아 "인간, 이상" 프로젝트의 원본 보고서와 지하로 통하는 입구를 찾아냈다. 두 형사는 입구를 통해 지하실에 발을 들였고, 사지가 묶이고 입에 재갈을 문 채로 바닥에 쓰러져 있는 우미애를 발견했다. 수현은 재빠르게 미애의 상태를 확인했고, 그가 살아있다는 결론을 내렸다. 그런 다음 가장 가까운 병원의 주소를 알아내, 차원 문을 열어 미애를 응급실로 데려갔다.

어느 정도 상황이 정리되자, 진과 수현 그리고 감식반의 수사관들은 재생장치를 이용해 비디오테이프들을 확인했다. 비디오테이프에는, 별장에서 살해당한 인화 제약 연구원들의 죽음이 기록되어 있었다. 물론 이는 빙산의 일각이었다. 인영의 비디오테이프 컬렉션은, 셀 수 없이 많은 사람의 목숨이 잔혹한 고문 끝에 사그라드는 장면을 생생히 간직하고 있었다. 이런 탓에, 사건 현장에 익숙한 감식반의 수사관들마저도 헛구역질을 참지 못하고 뛰쳐나가거나 실신하는 등의 반응을 보였다. 진 역시 괴로움을 표했지만, 앞서 언급한 수사관들보다야 침착했다. 영상을 본 사람 중 정신적인 충격에서 자유로운 사람은 단 한 명, 윤수현뿐이었다.

*

진은 미애가 있던 지하 공간에서 찾아낸, 이름 모를 사람들의 혈액과 살점 그리고 머리카락과 미애를 촬영하던 카메라 등의 물증을 다시금 떠올렸다. 그러고는 한숨을 내쉬며, 복도의 벽에 등을 기댔다. 제 양어머니, 유인영은… 대한민국 범죄사에 길이 남을, 최악의 살인자다.

 그 순간, 복도에 차원 문이 모습을 드러냈다. 진은 푸른 빛을 내는 차원 문 너머의 수현을 물끄러미 바라보았다. 수현은 그런 그를 향해 엷게 웃어주며 발걸음을 옮겼고, 이내 진의 앞에 서며 차원 문을 닫았다.

 진과 수현은 말없이 시선을 교환했다. 그리고 진은 취조실로, 수현은 취조실 옆의 관찰실로 향했다. 그렇게 취조실 안으로 들어온 진은, 수갑을 찬 인영 앞에 앉으며 조서를 작성할 준비를 마쳤다.

"유인영 씨. 당신은 진술을 거부할 수 있고, 변호사의 조력을 받을 수 있습니다. 또한, 당신이 한 진술은 법정에서 유죄의 증거로 채택될 수 있습니다."

 진이 차분한 어조로 운을 뗐다. 그리고 곧바로 취조를 시작했다.

"우발적 살인을 덮기 위해서가 아니라, 우미애 씨를 빼돌리기 위해 대역을 쓴 거였습니까?"

 진이 첫 번째 질문을 던졌다. 하지만 인영은 취조실 책상 앞에 앉은 채, 진을 흘끗 바라볼 뿐이었다. 그러자 진이 팔짱을 끼며 경고했다.

"입 다물고 있어봤자, 좋을 거 하나 없습니다. 이제부터, 당신과 최성욱은 동료가 아닙니다. 무거운 처벌을 피하려면, 상대의 허물을 모조리 폭로해야 하니까요. 그래야 반성하고 있다는 사실을 입증할 수 있지 않겠습니까?"

　진의 말에, 인영이 움찔거렸다. 그는 진의 말이 옳다는 것을 잘 알았다. 셀 수 없이 많은 살인을 저지른 자신은, 감옥행을 피할 수 없다. 그렇기에 입을 다물고 있는 것보다, 자신과 최성욱이 저지른 모든 죄를 자백하고 반성하는 척이라도 해야 했다. 그래야 감옥에서 하루라도 빨리 나올 수 있었다. 어차피 법관은 피의자가 진심으로 반성하는지, 아니면 반성하는 척하는 건지 알 수 없지 않은가?
　여기까지 생각이 미치자, 인영은 진이 취재진 앞에서 폭로한 모든 사실을 인정했다. 그는 자신과 성욱이 전체주의 그리고 파시즘의 재림과 관련된 모든 범죄를 설계했다고 증언했으며, 진을 비롯한 사람들이 자신과 성욱을 '극악무도한 폭력의 피해자'로 인식하게 만들려고 "황지혜 사건"을 일으켰다고 말했다. 그런 다음, 자신을 철저히 숨기기 위해서 최성욱을 전면에 내세웠다는 말도 덧붙였다. 이로 인해 체포된 성욱의 입에서 나왔던 자백이 모두 진실이라는 사실이 증명되었다.
　인영은 자신의 비디오테이프 컬렉션, 그러니까 '스너프 비디오 컬렉션'에 대해서도 털어놓았다. 영상 속 피해자들은 모두 복지 사각지대에 놓인 사람들이었다. 이 때문에 국가는 피해자들이 납치당했는지, 살아있는지조차 인지하지 못했다. 그렇게, 수많은 사람이 무관심 속에서 증발했다.

"미애도, 컬렉션에 넣을 생각이었어. 특별히 고화질 블루레이 디스크에 담을 생각이었는데⋯ 아쉽게도, 완성 직전에 실패해 버렸구나."

반성이라고는 찾아볼 수 없는 인영의 태도에, 조서를 작성하던 진은 눈살을 찌푸렸다. 하지만 그뿐이었다. 그는 곧장 의문을 표했다.

"대체 무얼 약속했길래, 최성욱이 당신의 뜻대로 움직인 겁니까? '절대 악'이 돼 감옥에 가느니, 당신을 배신하고 대통령이 되는 게 더 나을 텐데."

"최성욱은 권력 '따위'에는 관심이 없었거든. 그 인간의 관심사는, 오로지 돈이야. 그래서… 여태껏 마련한 비자금을 모두 주기로 했지. 대통령이 된 이후에는, 국가사업을 통해 얻은 이득을 모두 주기로 했고. 물론, '국민 통합'과 '용서', '국가 경제 발전'을 핑계로 사면을 해주겠다고도 약속했단다."

인영이 힘없이 웃었다. 진은 그런 그를 차가운 시선으로 바라보며, 인간을 기만하기도 하고 구원하기도 하는 정치의 이중성을 다시금 실감했다.

"…윤수현에게서 나를 빼앗았을 때. 어떻게 했길래 국가가 당신을 의심하지 않은 겁니까? 분명 국정원 요원과 내통한 게 아니냐는 의심을 샀을 법한데." 잠시 침묵하던 진이, 다음 질문을 던졌다.

"너와 윤수현을 갈라놓기 몇 개월 전부터, 아이를 입양하고 싶다고 말하고 다녔어. 아주 오래전부터 꿈꿔오던 일이라고 말이야. 그래서 의심받지 않았던 거지. 나와 내통한 요원은, 항간에 도는 소문을 듣고 너를 내게 맡겼다고 진술했으니까."

인영이 눈꼬리를 초승달처럼 접으며 말을 이었다.

"진아. 명문가라는 말이 괜히 있는 게 아니야. 나는 독립운동가의 손녀이자, 참전 용사의 친딸이잖니? 그러니 어느 누가 나를 의심할 수 있었겠어? 의심하는 행위 자체가, 국가 유공자 가문에 대한 모욕인데."

진 그리고 관찰실에서 상황을 지켜보던 수현은 불편한 침묵에 잠겼다. 조국을 위해, 옳다고 생각하는 것을 위해 목숨을 바친 사람들조차⋯ 인영에게는 한낱 도구에 불과했다.

"윤수현이 너와 재회할 날만을 손꼽아 기다린다는 사실도, 아들의 죽음에 분노한 김한성 전 경찰청장이 윤수현을 특수사건전담팀으로 보내리라는 사실도⋯ 모두 국정원 요원을 통해 들었단다. 덕분에 너와 윤수현을 이용할 계획을 세울 시간을 벌 수 있었지. 나는 네가 윤수현과 만나도, 아무것도 기억해 내지 못할 거라고 확신했거든."

인영이 후훗, 하고 가볍게 웃었다. 진은 그런 그를 보며 이를 악물더니, 이내 감정을 철저히 숨겼다. 그리고 남은 의문점을 해결하기 위해 다시금 입을 열었다.

"당신은, 내가 죽든 말든 결과적으로 바뀌는 건 없다고 확신했습니다. 맞습니까?"

"왜 그렇게 생각하니?"

"내가 반드시 살아있어야 한다면, 황지혜가 내 앞에서 폭탄을 터뜨렸을 리 없습니다. 자칫했다가는, 나도 죽었을 테니까요. 아니, 애초에… 나를 노리지도 않았겠죠." 진이 잠시 숨을 고르더니, 재빠르게 말을 이어 나갔다. "진실을 알게 된 내가 자살을 택하거나, 폐인이 될 수도 있는데도 불구하고… 내게 '인간, 이상' 프로젝트에 대해 알려준 것도 그렇고요."

"맞아. 네가 죽든 말든, 계획에는 아무런 차질이 없었어. 망가져 버린 너 대신, 윤수현이 끝까지 싸웠을 테니까. 어찌 됐든, 너와 윤수현은 영웅이 될 수밖에 없는 운명이지." 인영이 싱긋 웃더니, 확신을 담은 목소리로 이야기를 계속해 나갔다. "하지만 말이야. 진아, 나는 네가 자살하거나 폐인이 될 거라고는 단 한 번도 생각하지 않았단다. 내가 아는 너는, 절대 꺾이지 않는… 고고한 아이니까 말이야."

인영이 말을 마치자, 진은 한참 동안 침묵했다. 그러나 침묵은 오래가지 않았다. 진은 무미건조한 손놀림으로 조서 작성을 마쳤고, 이내 거칠게 자리에서 일어났다. 그리고 아무런 말도 남기지 않은 채로, 몸을 휙 돌려 취조실 밖으로 나갔다.

인영은 그런 진의 뒷모습을 바라보았다. 그리고 취조실 너머에 있을, 특수 유리 때문에 보이지 않는 수현을 향해 말을 걸었다.

"나한테… 할 말이 있을 텐데. 아닌가요?"

관찰실의 수현은 곧바로 답하지 않았다. 그는 취조실 천장에 설치

된 카메라와 특수 유리를 통해 인영을 찬찬히 뜯어보았다. 그러고
는 상체를 살짝 숙인 다음, 취조실에 설치된 스피커와 연결된 마이
크 위에서 나긋하게 읊조렸다.

"사랑할 줄 모르는, 불쌍한 사람."

 수현의 음성이, 인영의 머리 위에 있던 스피커에서 흘러나왔다.
인영은 스피커를 올려다보며, 마치 신의 음성을 들은 것만 같은 착
각에 빠져들었다.
 짧은 감상을 내뱉은 수현은 곧바로 몸을 돌려, 관찰실을 떠났다.
그리고 복도에서 누군가와 통화 중인 진을 향해 다가갔다.

"…알겠습니다." 진이 담담한 어조로 답하며 전화를 끊었다.
"무슨 일이에요?" 수현이 고개를 갸웃하며 물었다.
"청장님 호출. 너랑 같이 오라는데?"

 진이 스마트폰을 코트 주머니에 넣으며 답했다. 그러자 수현이 싱
긋 웃으며 "알겠어요. 같이 가요."라고 말했다.
 그렇게 두 사람은 나란히 복도를 걸어갔다. 하지만 얼마 가지 않
아, 발걸음을 멈출 수밖에 없었다. 이는 수현을 향해 달려든 소란
때문이었다. 진과 수현은 자신들의 앞에 나타난 두 사람을 바라보
았다.

"윤수현 선생님!"

수현을 동시에 부른 사람들은, 양복 차림의 창근과 규혁이었다. 그들은 자신들을 만류하는 형사들을 뿌리치고, 기어코 수현을 찾아온 터였다. 게다가 '윤수현 씨'라고 부를 때는 언제고, '윤수현 선생님'이라는 호칭으로 수현을 불렀다.

"한가하신가 봐요, 의원님들? 공당 대표도, 별것 아닌가 봐."

수현의 심드렁한 반응에, 진이 고개를 끄덕이며 공감했다. 이에 두 사람은 움찔거리며 어쩔 줄을 몰랐다. 하지만 그것도 잠시, 그들은 용기를 내 입을 열었다.

"선생님. 차기 정부의 보건복지부 장관이 되어주십시오."
"부탁드립니다, 선생님. 누가 차기 대통령이 되든, 윤수현 선생님을 보건복지부 장관으로 임명하겠다는 합의문까지 쓴 상황입니다."

창근과 규혁이 고개를 깍듯이 숙였다. 수현은 그런 그들을 빤히 바라보았다. 그러고는 엉뚱한 대답을 내뱉었다.

"장관이 되면… 맨날 양복 입어야겠죠?" 수현이 규혁과 창근의 목에 자리 잡은, 클래식한 디자인의 넥타이를 보며 말을 이었다. "불편하기 짝이 없는 넥타이도… 맨날 매야 할 테고." 수현이 싱긋 웃으며 결론을 도출했다. "역시, 안 할래요. 불편하고, 마음에 안 들어."

두 사람은 멍하니 수현을, 수현이 매고 있는 넥타이를 쳐다보았다. 검고 납작하며, 긴 직사각형 형태의 넥타이는… 느슨하게 묶인 리본 모양인 채, 수현이 입은 셔츠의 칼라(collar) 부분에 자리 잡고 있었다.

"고, 고작 그런 이유로 장관직을 거절하신다는 겁니까?!"
"선생님. 다시 한번 생각해 주십시오…!"

창근과 규혁이 경악했다. 그들은 수현의 사고를 이해할 수 없었다. 절대, 이해할 수 없었다!
수현은 호들갑을 피우는 두 사람을 한참 동안 바라보았다. 그리고 특유의 화사한 웃음을 지으며 다시금 의사를 표했다.

"나는, 사랑하는 친우와 함께할 거예요."

창근과 규혁은 그 어떠한 말도 할 수 없었다. 권력 대신 친구를 선택한 사람을, 어찌 붙잡을 수 있겠는가? 결국, 두 사람은 진과 수현의 앞에서 물러났다. 물론, 전체주의 그리고 파시즘의 부활을 막은 영웅과 화평 원전 폭발을 막은 영웅을 향해 깍듯이 고개 숙여 인사하는 것도 잊지 않았다.
그렇게 두 사람이 사라지자, 진과 수현은 경찰청으로 향했다. 그리고 얼마 지나지 않아, 청장실에서 경찰청장과 먼저 와있던 이랑을 마주쳤다. 진과 수현은 먼저 청장을 향해 경례했고, 청장이 인사를 받아주자 이랑이 기다렸다는 듯이 진과 수현을 향해 인사했다. 이에 진과 수현 역시 이랑에게 인사했다.
그렇게 서로 인사를 주고받은 뒤, 진과 수현 그리고 이랑은 청장을 바라보았다. 청장의 얼굴은 화창함 그 자체였다. 경찰청장은 진과 수현 그리고 이랑의 활약이 매우 만족스러웠다. 세 사람 덕분에 검찰총장의 날개가 꺾였고, 화평 원전이 복구되었으며 원전을 테러한 범인을 체포할 수 있었다. 이제 남은 것은, 송유리를 비롯한 최성욱의 수족을 조사하는 일과 황지혜가 벌였던 '만능 백신 개발'과 관련된 사람들을 찾아내는 일뿐이었다. 물론, 이는 성욱과 인영의 자백을 기반으로 얼마든지 해결할 수 있는 일이었다!

"대통령께서… 유 경위와 윤 경위, 서 순경을 2계급 특진시키겠다고 하셨습니다."

청장이 싱글벙글 웃으며 말했다. 그러자 자연스레 대표로 나선 진이, 눈살을 찌푸렸다.

"제가… 아니. 저희가 순직하기라도 했습니까?"
"살벌한 농담이군요." 청장이 히죽 웃으며, 오른손을 들어 올렸다. 그리고 주먹을 쥐더니, 검지를 펼치며 말을 이었다. "경감 자리는, 유 경위가 진작에 차지했어야 할 자리이자 윤 경위가 원래 있던 자리죠. 또한, 경장 자리는… 서 순경을 특채 지원에서 의도적으로 배제한 것에 대한 보상이고요." 곧이어 청장이 중지를 펼치며 2계급 특진을 뜻하는 숫자 '2'를 만들어 보였다. "경감 바로 위인 '경정'과 경장 바로 위인 '경사'는… 전체주의와 파시즘을 저지하기 위해, 외롭고 의로운 싸움을 마다하지 않은 것과 화평 원전 폭발을 막은 것에 대한 보상입니다." 청장이 들었던 손을 내리며 문장을 이어갔다. "그러니, 실질적으로는 1계급 특진이라고 보는 게 맞지요."

말을 마친 청장이 엷은 웃음을 지으며 진을 바라보았다. 그러자 진이 눈살을 찌푸리며 대꾸했다.

"저는, 그저 인간으로 남고 싶었던 것뿐입니다. 그러니 보상은 필요 없습니다."

진의 단호한 어투가, 청장의 뇌리를 파고들었다. 이에 청장은 잠시 할 말을 잃었고, 그 틈을 타 수현과 이랑이 의견을 표명했다.

"아무리 생각해 봐도, 보상이 너무 과한 것 같은데요?"
"저도, 2계급 특진은 과하다고 생각합니다."
"……하지만, 그렇다고 해서 보상을 하지 않을 수는 없습니다." 청장이 앓는 소리를 내며 말을 계속했다. "정의를 위해 헌신한 사람한테, 국가가 말로만 감사를 표하는 건 바람직하지 않은 일이니까요. 자칫했다가는, 자신이 옳다고 여기는 것을 위해 몸을 던져봤자 아무 소용 없다는 의미로 읽힐 수 있습니다."

청장의 말에, 진은 다시금 인상을 썼다. 저는 보상을 바라지 않았으나, 청장의 말이 타당하다고 생각했기 때문이다.

"그럼, 1계급 특진으로 끝내주십시오."

깊이 생각한 끝에, 진이 입을 열었다. 그러자 수현과 이랑 역시 진과 뜻을 함께했다. 수현은 원래 경감이었고, 진은 진즉에 경감이 돼야 했다. 특채에 지원했던 이랑은, 윗선의 방해만 아니었어도 경장으로 특별 채용되고도 남을 인재였다. 즉, 1계급 특진은 자신들이 원래 있어야 할 자리로 돌아가는 과정이라고 여겨도 무방할 터였다.

세 사람의 의견을 받아들인 경찰청장은 사람 좋은 웃음을 지으며, 진급식 날짜와 장소를 알려주었다. 그리고 사안이 사안인지라, 대통령께서 특별히 진급식을 주도할 예정이라는 이야기를 덧붙였다.

이에 세 사람은 입을 굳게 다문 채 시선을 교환했다. 청장은 그런 그들을 보더니, 수현과 이랑에게 잠시 자리를 비켜달라고 부탁했다. 그러자 두 사람은 경례와 함께 청장실을 떠났다.

"……내가 잘못 판단했습니다." 수현과 이랑이 모습을 감추자, 청장이 한참 만에 입을 열었다.

"무슨 뜻입니까?"

"난 유 경위를, 협객이라고 생각했어요. 가차 없이 칼을 휘두르는 협객 말이지요. 하지만, 유 경위는… 협객이 아니라, 예술가였네요. 인간에 대한 굳건한 믿음과 인내라는 물감으로, 그림을 그리는 화가 말입니다."

"글쎄요. 제게는 과분한 칭찬입니다만."

진이 불편한 내색을 숨기지 않았다. 그럼에도 불구하고, 청장은 칭찬을 무를 생각이 없었다. 그는 여전히 싱글벙글 웃는 낯으로, 화제를 돌렸다.

"유 경위. 지금까지 그린 그림에, 만족하나요?"

"무슨 말씀인지."

"검경 수사권 조정. 유 경위한테 맡기고 싶은데. 할 생각, 없습니까?"

"…예? 수사권 조정이라니요?"

진이 굳은 얼굴로 되물었다. 그러자 청장이 흡족한 웃음을 지었다.

"검찰이 백기 투항했습니다. 대통령보다 유 경위가 무서우니, 수사권 조정의 모든 권한을 유 경위한테 위임하겠다면서요."

"허……." 진이 얼굴을 구기며 어이가 없다는 표정을 지었다.

"무서울 법하지요. 그 어떠한 폭력과 불법 없이, 오로지 법과 진실의 힘으로 자기들의 수장을 무릎 꿇렸으니… 모골이 송연할 수밖에."

청장이 킬킬거리며 말을 끝맺었다. 이에 진은 "수사권 조정과 관련된 모든 일은, 형사인 제 능력 밖의 일입니다."라고 즉답했다. 그러고는 청장을 향해 경례한 뒤, 자리를 떴다.

*

시간은 빠르게 흘렀고, 수사는 급물살을 탔다. 진과 수현은 "인간, 이상" 프로젝트 때문에 목숨을 잃은 피해자들의 백골을 수습하는 동시에, 인영과 성욱이 함께 저지른 범죄와 인영이 홀로 저지른 암수범죄를 낱낱이 수사했다. 이로 인해 "대한민국의 경제를 지탱하는 양대 산맥"이라고 불리던 두 재벌가의 치부와 국가가 관심을 두지 않았던 사람들의 죽음이, 수면 위로 드러났다.

처벌을 피할 수 없는 사람들은 인영과 성욱 말고도 많았다. 형사 재판에 회부된 전병길 '전(前)' 검찰총장은 대포폰을 통해 성욱과 연락한 흔적과 자백으로 인해 꼼짝없이 실형을 선고받을 운명이었으며, 진을 사사건건 괴롭히던 박경일 '전' 광역1계 계장과 광수대의 형사들 역시 처벌을 면치 못할 운명이었다. 또한, 황지혜와 함께 "만능 백신"을 만든답시고 온갖 범죄를 저지른 사람들도 실형을 피할 수 없을 터였다. 이들 외에도, 송유리처럼 최성욱의 수족 노릇을 한 자들 역시 법의 심판을 절대 피할 수 없으리라는 것은 자명한 이치였다.

진과 수현 그리고 이랑이 바삐 움직이는 동안, 연희 역시 바쁜 시간을 보냈다. 단언컨대, 태어나서 이만큼 바빴던 적은 없었다. 그는 외계인 곁에 머물며 밀착 취재를 벌인, 최초의 기자였다. 그렇기에 쇄도하는 외신 인터뷰 요청과 에세이 출판 요청에 응하느라 정신이 없었다.

시간은 계속 흘렀다. 모든 일을 마친 다음, 수현은 진과 함께 정장을 차려입은 채로 "인간, 이상" 프로젝트의 피해자들과 희망 보육원장 노정숙의 죽음에 정식으로 애도를 표했다. 그리고 진, 이랑, 연희를 제집으로 초대해 정성을 쏟은 요리를 대접했다. 그렇게 만찬은 끝이 났고, 수현의 집에는 유 진과 집주인인 윤수현이 남았다.

두 사람은 식탁 위의 식기들을 치우기 시작했다. 수현은 진에게 가만히 있어도 된다고 했지만, 진은 그럴 생각이 없었다. 그렇게 만찬의 흔적을 모두 닦아낸 두 사람은, 드디어 식탁을 가운데 둔 채로 마주 앉았다.

"경위님. 이름, 그대로 쓸 거죠?"

수현의 물음에, 진이 흠칫했다. 그는 수현이 말하고자 하는 바를 꿰뚫어 보았다. 수현은 자신에게, "유"라는 성(姓)을 계속 쓸 거냐고 묻는 것이었다.

"이름은 그대로 쓸 거야. 하지만, 앞으로 물려받을지도 모르는 재산과 후계자 자리는 포기할 생각이야. 유소영 이모한테 물려받은 재산도, 포기할 거고. 모두… 세상의 불행을 몰아내는 데 쏟아붓고 싶어. 물론, '고작 그 정도'로 세상이 바뀌지는 않겠지." 진이 나직이 답했다.
"역시, 내 예상대로네요."

수현이 싱긋 웃었다. 진은 그런 수현을 빤히 바라보더니, 운을 뗐다.

"이제부터, 나는… 유인영과 최성욱을 교화할 방법을 찾을 거야."

진은 끊임없이 나아갈 생각이었다. 그는 재벌가 총수들이, 다른 범죄자들보다 가벼운 처벌을 받는 장면을 수없이 목격해 왔다. 이는 법관들이 "죄는 무거우나, 대한민국 경제에 헌신한 공로"를 근거로 가벼운 형을 선고해 온 탓이었다. 그렇기에 인영과 성욱은 무기징역을 피할 가능성이 컸고, 유기징역이 확정되는 순간부터 출소일만을 손꼽아 기다릴 터였다. 게다가 차기 대통령이 위기를 맞은 대한민국 경제를 살리기 위해 사면을 택할 가능성도 있었다.

이러한 연유로, 진은 유인영과 최성욱을 교화하겠다고 마음먹었다. 물론, 극악무도한 범죄자는 쉬이 바뀌지 않으리라. 하지만… 포기할 수 없다. 포기해서도 안 된다. 수현을 통해 찾아낸, 자기 자신마저 극복해 내는 인간의 가능성을… 위선이 선으로 바뀌는 찬란한 순간을 부정하고 싶지 않다!

"그렇다고 해서… 두 사람을 용서한 건 아니야. 애초에, 용서하고 싶지도 않아."

진이 단호히 말했다. 그의 입에서 나온 교화할 방법을 찾겠다는 말은, 복수하지 않겠다는 의미가 아니었다. 그는 인영과 성욱이 죽을 때까지 후회하기를 바랐다. 시간을 돌이킬 수 없다는 사실에, 과거를 바꿀 수 없다는 사실에 절망하면서… 죄책감에 짓눌려 죽지도, 살지도 못하는 삶을 살았으면 했다. 그래서, 인영과 성욱의 교화를 택했다.

"용서하든, 말든. 경위님 마음대로 하는 게 정답 아니겠어요?"

수현이 진지한 얼굴로 말했다. 그는 진의 말에 숨겨진 뜻을 모두 꿰뚫어 보았다. 그래서 굳이 다른 말을 덧붙이지는 않았다.

*

　드디어 진급식 날이 밝았다. 진은 새벽부터 일어나, 멀끔히 씻은 뒤 정복 -물론, 진은 치마가 아닌 바지 정복을 택했다- 을 차려 입었다. 그리고 안개꽃과 국화꽃을 사 들고는, 어린 시절에 살 았던 집으로 향했다.

　얼마 뒤 목적지에 도착한 진은, 집 안의 화장실에서 멈춰 섰다. 그러고는 바닥에 꽃을 내려놓으며 묵념했다. 자신이 죽였던 동물들 의 명복을 빌기 위해서였다. 그렇게 그는 묵념을 마쳤고, 곧바로 자신의 차를 향해 발걸음을 옮겼다. 하지만 얼마 가지 못하고, 멈 춰 설 수밖에 없었다.

　'사후세계도, 영혼도, 신도 믿지 않으면서 명복을 비는 건… 기 만이다.'

　진이 주먹을 쥔 채 입술을 짓씹었다. 그러고는 눈을 질끈, 감았다 가 뜨며 뒤를 돌아보았다.

　'인간과 동물은… 똑같아. 모두, 타자의 죽음 위에 서 있어.'

　진은 옛집을 두 눈에 담았다. 철혈로 점철된 인간 역사의 축 소판인, 옛집을.

　'……절대, 포기 안 해. 나는, 태어난 지 얼마 안 된 동물 하나 구할 수 없었던 나약한 인간이지만. 더 나아질 거야. 어제보다…

더 나은 사람이 될 거야.'

굳은 결심을 마친 진은, 차를 향해 다시금 발걸음을 옮겼다. 그리고 곧바로 진급식이 열릴 경찰청을 향해 나아갔다.

경찰청 앞은 기자들로 인산인해를 이룬 상태였다. 이에 진은 취재진을 피해, 경찰만이 드나들 수 있는 출입구를 통해 건물 안으로 들어갔다. 그러자 먼저 와있던 수현과 이랑이 그를 반겨주었다. 두 사람 역시, 정복 차림이었다.

시간이 흐르자, 진급식이 시작되었다. 세 사람은 연단 위에서 대통령과 경찰청장의 축하와 임명장을 받았고, 얼마 뒤 연희를 포함한 초대 손님들의 박수갈채를 받으며 연단에서 내려왔다. 그러자 세 사람의 지인들이, 식이 끝나기만을 기다렸다는 듯 각자의 소중한 사람을 향해 다가와 축하의 말을 건넸다. 이에 진과 수현 그리고 이랑은 감사를 표했다. 그렇게 세 사람의 시간이 흘러갔고, 경찰청을 떠날 시간이 다가왔다.

진과 수현, 이랑은 정문으로 향하는 복도 위를 걸었고 연희는 카메라를 든 채 셋의 뒤를 따랐다. 얼마 지나지 않아 네 사람은 복도 끝에 다다랐고, 이내 문을 열며 건물 밖으로 나왔다. 그러자 수많은 목소리와 시선이, 셋을 향해 날아들었다.

"유 진 경감님. 소감 한 말씀 부탁드립니다!"
"세 분 모두, 앞으로 어떻게 하실 생각입니까?"
"윤수현 경감님, 질문 좀 받아주십시오!"
"서이랑 경장님께 질문 있습니다!"

진과 수현, 이랑은 난처한 표정을 지으며 서로를 바라보았다. 경찰청 앞은 발 디딜 틈이 없는, 세 사람을 위한 즉석 기자회견장이 돼버렸다.

"유 진 경감님! 이 세상이, 인간이 변할 수 있다고 생각하십니까?"

그 순간, 새내기 기자가 큰 소리로 진을 향해 말을 걸었다. 그러자 진은 기자를 바라보며, 웅성거림이 사그라들 때까지 차분히 기다렸다. 그리고 마침내 주변이 조용해지자, 곧바로 운을 뗐다.

"예. 변할 수밖에 없다고 봅니다."
"그렇게 생각하신 이유를 여쭈어봐도 되겠습니까?"
"변하지 않는 세상은, 더 이상 발전할 필요가 없는 세상뿐입니다. 세상의 모든 부조리와 불행이 사라졌을 테니까요. 하지만, 그런 세상은 절대 오지 않을 겁니다. 이 세상을 살아가는 인간들이 결함투성이인데, 어떻게 완벽한 세상을 만들 수 있겠습니까?"

진이 잠시 숨을 고르기 위해 말을 멈췄다. 기자들은 그런 그에게서 시선을 떼지 않으며, 진의 입에서 나온 모든 문장을 녹음하는 데 집중했다.

"그렇기에, 세상은 변할 수밖에 없다고 생각합니다. '결함투성이'라는 단어는, '어제보다 나아질 수 있다'라는 뜻이기도 하니까요."

결함투성이인 인간. 그런 인간들이 만들어 가는 세상. 그렇기에, 결코 포기할 수 없다. 진은 그리 생각하며 올곧은 시선으로 말을 이어 나갔다.

"우리는 결함투성이기에, 끊임없이 발전할 수 있습니다. 우리는 무엇이든지 할 수 있고, 누구든… 어둠을 밝히는 별이 될 수 있어요."

진이 말을 마쳤다. 그러고는 무심코 하늘을 올려다보았다. 하늘에는 정오를 알리는 태양이, 가장 높은 곳에서 찬란히 빛나고 있었다. 덕분에 세상에 드리워진 그림자가 없다시피 했다.

진은 태양에서 시선을 거두었다. 그리고 천천히 눈을 감았다 뜬 다음, 엷은 미소를 지으며 수현을 바라보았다. 그러자 수현 역시 특유의 화사한 웃음을 지으며 진을 바라보았다. 그렇게, 찬란히 빛나는 두 개의 별이 세상을 밝히었다. <끝>

작가의 말

처음 뵙겠습니다. '이 린'이라고 합니다. 먼저 본 소설을 끝까지 읽어주신 독자님께 감사를 표합니다.

'선의 해부'는 제가 처음으로 쓴 이야기입니다. 원래는 미니시리즈(16부작 범죄 수사 드라마)로 기획했습니다만, 소설로 바꿔 보는 게 어떻겠냐는 말을 듣고 방향을 틀게 되었습니다. 2년 정도면 퇴고까지 할 수 있으리라고 생각했는데⋯ 6년이나 걸릴 줄은 꿈에도 몰랐습니다. 약 6년이라는 시간이 흐르면서 세상이 많이 변했습니다. 이 때문에 퇴고를 하면서 몇몇 단어나 표현을 고치기도 했습니다. 작중에서 등장하는 '심장혈관흉부외과', '교제폭력', '무차별 범죄'라는 단어도 이때 수정한 단어 중 하나입니다.

'선의 해부'를 쓰면서 가장 신경 쓴 것은 바로 '사랑'입니다. 작중에서 꾸준히 언급되는 '사랑'은 로맨스적인 사랑이 아닌 인류애와 우정입니다. 저는 인류애와 우정이 사랑의 한 종류라고 믿습니다. 그리고 인류애는 광기의 다른 이름이라고 생각합니다. 얼굴도 이름도 모르는 타자를 조건 없이 사랑하기란 쉽지 않으니까요.

마지막으로, 이 이야기를 쓰는 데 도움을 주신 모든 분과 잇스토리 출판사 이제현 대표님께 감사를 표하며 이만 글을 마칩니다.

선의 해부 Part 2

지은이 : 이린

펴낸이 : 이제현

발행일 : 2024년 07월 10일

ISBN(단권) : 979-11-93256-30-5(04810)

ISBN(세트) : 979-11-93256-28-2(04810)

펴낸곳 : 창작공간 잇스토리

마케팅 : 매드플랙션

출판신고 : 제 2023-000021호

이메일 : it-story@b-camp.net

잇스토리는 영상 IP 전문 프러덕션입니다.

영화/드라마와 소설의 경계선에서 이야기를 찾아가고 있습니다.

문을 두드려 주세요. 문의와 제안은 언제나 즐겁습니다.

홈페이지 : http://itsastory.modoo.at

인스타그램 : http://instagram.com/it_story.kr

블로그 : http://blog.naver.com/it-story